PANORAMA DU THEATRE NOUVEAU

edited by

JACQUES G. BENAY

State University of
New York at Buffalo

REINHARD KUHN

Brown University

Panorama du

APPLETON-CENTURY-CROFTS / New York

Division of Meredith Corporation

THEATRE NOUVEAU

VOLUME 4

le théâtre de poésie

LE MAL COURT   Jacques Audiberti
LE VOYAGE   Georges Schehadé

6107-1

Library of Congress Card Number: 67-12385

PRINTED IN THE UNITED STATES OF AMERICA

E 08013

acknowledgments for plays

pp. 17, 97   Editions Gallimard, Paris, for Jacques Audiberti's LE MAL COURT, 1948, and Georges Schehadé's LE VOYAGE, 1961.

acknowledgments for pictures

pp. 18, 98, 131   Photo Pic, 21, avenue du Maine, Paris 15°.
p. 29   Agence de Presse Bernard, 106, rue de Richelieu, Paris 2°.

preface

That the infernal regions which the contemporary French theatre explores are characterized by cruelty and derision seems obvious enough. Beckett imprisons his characters in funeral urns in *Comédie,* while in *Fastes d'enfer* Ghelderode sequesters his monstrous personages in an episcopal palace which is the prefiguration of hell (see Volume 1 of this anthology). Death is the only escape from the apartment house of Vian's *Les Bâtisseurs d'empire* and in *Pique-nique en campagne* Arrabal's pathetically human creatures are destroyed in the midst of their feast (see Volume 3 of this anthology). What may be less obvious but perhaps more important than the sardonic humor and bitter pessimism expressed through these delvings into the lower depths is the fact that all of these authors have succeeded in creating a poetic universe of their own. This poetry is as diverse as the individual visions which each author strives to express. Thus the stark simplicity of Beckett's language contrasts strikingly with the baroque opulence of Ghelderode's style. The ironic pathos of Arrabal is far removed from the epic grandeur of Genet's writing. The inchoate monologue of Pinget's Mortin in *L'Hypothèse* (see Volume 1 of this anthology) bears little resemblance to the almost classical soliloquy of the Father in *Les Bâtisseurs d'empire.* The only real similarity to be found in the poetry of these various writers is their rejection of long accepted poetic devices. Their works are as devoid of rhetoric and romantic lyricism as of the imagery traditionally considered as poetic.

v

Georges Schehadé and Jacques Audiberti are among the purest of today's poets of the theatre. Neither playwright is in the least concerned with expressing through his stage works either a critique of contemporary society or a coherent metaphysics. Unhampered by the strictures of realism and the exigencies of systematic thought Schehadé through his whimsical playfulness and Audiberti through his convoluted word play and surrealistic imagery have succeeded in their very different ways in capturing the essence of the poetry of the stage. They are both magicians of the word and the universes which they have created, as dissimilar as they may be, are not very different from the kingdom over which Prospero reigns in Shakespeare's *Tempest*.

J. G. B.
R. K.

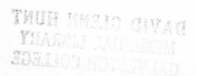

contents

contents

introduction

A l'encontre de bien des mouvements artistiques et lit-
téraires, le théâtre nouveau contemporain, indifférent à la tradition, ne forme ni une école, ni un cénacle, ni une chapelle. Il a,
certes, ses animateurs et ses metteurs en scène, ses fidèles et ses
chantres, ses détracteurs aussi, mais il ne s'embarrasse point de
théoriciens officiels pour orienter ses recherches ou lui dicter une
esthétique. Sous son nom se rencontrent les esprits les plus hétéro-
clites, peu enclins à se grouper et encore moins à se conformer aux
mots d'ordre d'un manifeste. Sans doctrine formelle ce théâtre se
prête aux interprétations les plus diverses et souvent les plus con-
tradictoires. Le large éventail de ses tendances fait que cette avant-
garde ne manque pas d'étiquettes quand il s'agit de préciser sa
manière, son dessein ou l'esprit dont elle ressort. Alors que d'aucuns
parmi ses historiographes et ses dramaturges affirment que c'est un
théâtre des enfers et de la cruauté, d'autres préfèrent souligner
l'idée d'un théâtre de l'absurde et de la dérision pour aboutir, en
dernier lieu, à la notion d'un anti-théâtre.[1] Quoi qu'il en soit ces
différentes façons dont on désigne le théâtre nouveau, loin de nuire
à son renom, témoignent, au contraire, de la richesse de sa matière
ainsi que de la pluralité de ses physionomies.

[1] Sur les différents sens prêtés à l'avant-garde contemporaine on consultera
tout particulièrement: *Les Entretiens d'Helsinki ou les tendances du théâtre
d'avant-garde dans le monde* (Paris, Michel Brient, 1961) et Roland Barthes
« A l'avant-garde de quel théâtre? », *Essais critiques* (Paris, Editions du Seuil,
1964), p. 80.

Le théâtre des enfers et de la cruauté, pour provoquer, inquiéter, terroriser, et, selon le vœu d'Antonin Artaud, exorciser, confère à l'expérience théâtrale un caractère sensoriel, onirique et obsessionnel. Sa réalité, dépouillée des fioritures de la rhétorique et issue d'une vision tragique du quotidien et de l'existence, est une affaire d'aliénation, d'angoisse et de révolte métaphysique en face du scandale de la bêtise humaine, de la mort et du silence des cieux.[2]

Par contraste le théâtre de la dérision peut paraître amusant, chaplinesque et même peu sérieux dans sa folle insolence. Le fait est que de par son humour corrosif et irrévérencieux il ne prend rien au sérieux, surtout pas la raison et la logique, pour l'excellente raison que ni l'une ni l'autre ne semblent en rien contribuer à chasser les enfers de ce monde. Schehadé dans *Les Violettes* et avec lui Vian, Arrabal, Ionesco, Tardieu et Adamov, dans plusieurs de leurs œuvres dramatiques, dénoncent, en les ridiculisant, les pouvoirs néfastes de l'intelligence quand elle est asservie, comme l'avait déjà si bien dit Rabelais, à une « science sans conscience ». En face de la faillite des humanismes classique et moderne le théâtre de la dérision substitue à la raison et au bon sens de la pensée réaliste et pratique, *le non-sens* et *le sans-sens* chers aux dadaïstes et aux surréalistes comme fondement d'un univers incohérent et sans principe.

C'est à partir de cette substitution que le théâtre nouveau, méprisant les facultés raisonnantes de l'individu, fait de l'inexprimable, de l'imaginaire et du rêve l'essentiel de sa matière et s'élève, ainsi, au niveau d'un théâtre de poésie selon l'expression même d'un de ses pionniers: Jean Cocteau. Ses principaux représentants: Audiberti, Schehadé, Pichette, Vauthier, Tardieu, Billetdoux, Genet sont les héritiers d'un mouvement de rénovation amorcé vers la fin du XIXᵉ siècle, alors que l'esprit poétique semblait avoir été chassé de la scène par le réalisme et le naturalisme.

Convaincu de la nécessité de mettre un frein aux excès du mélodrame romantique d'un Dumas fils ainsi qu'aux facilités de la comédie de mœurs d'un Scribe et d'un Sardou, Antoine fonde en 1887 le Théâtre Libre. Faisant œuvre d'avant-gardiste en son temps, ce modeste employé du Gaz de Paris se proposait d'épurer l'art dramatique au nom du réalisme intégral. Dans ce dessein il adapte à la scène des romans de Goncourt et de Zola. Influencé par « la méthode expérimentale » de ce dernier il monte *Les Corbeaux* et

---

[2] Voir *Le Roi se meurt* de Ionesco, *En attendant Godot* de Beckett, *La Balade du Grand Macabre, Pantagleize* de Ghelderode, *Le Labyrinthe* d'Arrabal.

La Parisienne de Becque. Enfin, il a le mérite d'introduire en France les œuvres d'auteurs étrangers, entre autres: *Mademoiselle Julie* de Strindberg, *Les Revenants* d'Ibsen, *Les Tisserands* de Hauptmann, et *La Puissance des ténèbres* de Tolstoï. Considérée comme injouable par Augier, Dumas et Sardou, cette dernière pièce, par le succès qu'elle remporte auprès du public de l'époque, semble démontrer la validité des thèses d'Antoine. Grâce à ses innovations dont le théâtre moderne lui sera redevable, le lieu théâtral devient un véritable champ d'expérimentation.

Tout en rendant compte de cet apport à l'esthétique théâtrale nouvelle un jeune poète, Paul Fort, perçoit bien vite la faiblesse fondamentale du naturalisme du Théâtre Libre: son absence de poésie. Bien qu'Antoine ne se soit jamais déclaré l'ennemi des poètes—plus tard dans sa carrière il parlera même de réaliser une synthèse du naturalisme et du symbolisme[3]—ses techniques dramatiques nuisaient à la théâtralité même des œuvres présentées. La précision photographique de ses « tranches de vie »—dans *Les Bouchers* de Fernand Icres il alla jusqu'à pendre sur la scène des quartiers de viande—tendait à alourdir le spectacle et, plus grave encore, à détruire l'illusion scénique. Les accessoires, le jeu des acteurs, leurs expressions, le cadre dans lequel évoluaient les personnages paraissaient vrais, conformes à la réalité et pourtant trop exacts. Ainsi le souci d'exactitude d'Antoine, en assurant le triomphe de la vraisemblance matérielle, gênait l'imagination. Loin de créer, cette technique se bornait simplement à reconstruire tout au plus « un petit morceau/ De ce qui nous entoure ou de ce qui s'est jadis passé » selon le reproche que lui adressera l'un de ses plus sévères détracteurs: Guillaume Apollinaire.[4]

C'est contre ce vérisme et au nom de l'idéalisme du symbolisme que Paul Fort, avec le concours de Mallarmé, de Verlaine et de Moréas, fonde en 1891, le Théâtre d'Art. A la vérité de l'observation des naturalistes ces poètes opposent, par une représentation « ornementale », la puissance du verbe et le lyrisme de la parole, tous deux révélateurs de la spiritualité de l'être. Afin de mieux donner libre cours à l'imagination et à ses jeux les symbolistes font appel aux correspondances de Baudelaire en préconisant, théoriquement

---

[3] Voir André Antoine, *Mes Souvenirs sur le Théâtre Antoine et sur l'Odéon* (Paris, Grasset, 1928) et Francis Pruner, *Le Théâtre Libre d'Antoine* (Paris, Lettres Modernes, 1958).

[4] Guillaume Apollinaire, « Prologue », *Les Mamelles de Tirésias* dans *Œuvres poétiques* (Paris, N.R.F., 1956), p. 882.

du moins, leur transcription scénique par une orchestration du
verbe, de la musique, des couleurs et des parfums.

En 1893, le Théâtre d'Art confie à Lugné-Poe, collaborateur de
Paul Fort, la responsabilité de monter *Pelléas et Mélisande* de
Maeterlinck, pièce où tout devenait, d'après Mallarmé, musique, et
dont on retrouve les traces dans *Sire Halewyn* de l'aveu même de
son auteur Michel de Ghelderode. Dans *Le Trésor des humbles*[5] où
sont rassemblées ses principales conceptions sur l'art dramatique,
il est curieux de voir cet écrivain belge, plus d'un demi-siècle avant
un Ionesco, délaisser les conflits de passions, conçus en tant que
ressort psychologique de l'action, pour le quotidien, entendu comme
la vie sans aventures, humble, secrète, et utilisé comme fondement
nouveau du tragique de l'existence. En dépit d'évidentes différences
dans leur manière et de l'aventure surréaliste qui les sépare, Maeterlinck annonce déjà les poètes de l'avant-garde contemporaine quand
il affirme, d'abord, que ce n'est pas dans les actions mais bien dans
les mots que réside la beauté du drame, ensuite quand il s'efforce
de juxtaposer aux dialogues ordinaires de la vie quotidienne la
poésie de la parole avec ses silences et ses résonances envoûtantes.
Grâce à elle, aux images et aux symboles, eux-mêmes manifestations
des pouvoirs surnaturels de la mort, de l'éternité ou des dieux, le
drame poétique et mystique réussirait à exprimer l'âme de l'homme
de même que l'idéal auquel il aspire dans le secret de son intimité.
Pour mieux se rapprocher de la vérité Maeterlinck conviait ses con-
temporains à explorer les régions profondes de l'inconscient, infini-
ment plus riches et fécondes que l'intelligence et la raison.

A la suite de la représentation de *Pelléas et Mélisande* Lugné-
Poe fonde l'Œuvre avec l'intention d'intégrer à l'art théâtral la
féerie, le songe et l'imagination. En 1894 *Axël* de Villiers de l'Isle-
Adam confirme par son succès la validité de l'esthétique symboliste
imbue d'idéalisme hégélien et wagnérien. Poursuivant sa lutte contre le naturalisme Lugné-Poe puise largement au répertoire des
Nordiques, d'Ibsen tout particulièrement, et, en 1896, monte *Ubu
roi* d'Alfred Jarry.

Parodie grotesque de Macbeth, de « l'impérissable gendarmerie
nationale » et de l'éternel bourgeois, cette œuvre d'un poète de dix-
huit ans est la manifestation anarchique d'une pensée idéaliste se

---

[5] Mercure de France, 1896. Sur les programmes et les périodiques des
théâtres d'art de cette époque consulter: André Veinstein, *Du Théâtre Libre
au Théâtre Louis Jouvet* (Paris, Editions Billaudot, 1955).

révoltant contre le mercantilisme cruel mais réaliste d'une société à la morale aberrante mais pratique. Le scandale qu'elle déclencha au parterre, la révolution artistique qu'elle engendrait font en sorte que cette pièce est au théâtre des avant-gardes modernes ce qu' *Hernani* est au drame romantique. Elle bat en brèche toutes les formes traditionnelles de l'art théâtral. Elle n'épargne, dans sa jeune insolence, ni l'antique dramaturgie aristotélicienne ni les audaces des romantiques ni surtout les échafaudages sans inspiration du naturalisme. Elle va même jusqu'à se tourner contre le théâtre symboliste dans la mesure où celui-ci fait du vieux mélodrame la trame de ses œuvres. Non contente de bouleverser les règles du jeu et de la diction elle renverse les conceptions de la mise en scène, du décor, des costumes et du réel. Enfin, cette œuvre est la première en date dans les annales de l'avant-garde à remettre en question le problème du langage. De fait *Ubu roi* n'est rien moins que la représentation théâtrale du procès de la rhétorique officielle sottement défendue par la meute des bien-pensants. Inspiré par la poésie de Baudelaire, de Rimbaud, de Verlaine et de Mallarmé qu'il admire, Jarry, pour forcer le public à repenser l'art théâtral, détruit l'orthographe des mots (conséiquent pour conséquent, oneille au lieu d'oreille, phynance pour finance), invente des mots (cornegidouille), imite la langue parlée (C'qu'y a d'sûr, le z'oiseau), fait appel aux expressions argotiques, déforme des noms célèbres (vorace et coriace pour Horace et Curiace), enfin, ose attenter aux règles sacrées de la syntaxe. Cette désacralisation du beau style et du bon goût, qui est en somme la preuve par l'absurde des insuffisances du langage formel et dont Ionesco, Audiberti, Schehadé, Vian, Beckett, Adamov retiendront la leçon, montre que Jarry est le premier à avoir compris qu'il ne peut y avoir de véritable œuvre théâtrale qu'à condition d'inventer un mode d'expression verbale qui puisse adhérer à l'identité des personnages et à leur situation. En attendant de trouver ce langage et des acteurs entraînés qui ne trahissent pas « la pensée du poète » Jarry proposait le vers « mirlitonesque » qui est « l'expression à dessein enfantine et simplifiée de l'absolu, sagesse des nations », et dont le son est celui du phonographe.[6]

Faute d'audience cette tentative de réforme radicale de l'esthétique théâtrale et de son langage sera vouée à l'oubli jusqu'à l'heure du dadaïsme et du surréalisme quand Apollinaire, Cocteau et

---

[6] Alfred Jarry, « Conférence sur les pantins », *Tout Ubu* (Paris, Librairie Générale Française, 1962), p. 496.

Artaud la réhabiliteront pour s'en servir de modèle. Influencés par
l'allégresse et le lyrisme satirique d'*Ubu roi*, profitant, par ailleurs,
de l'évolution des idées concernant les rapports entre l'acte dramatique et la littérature, ces trois poètes seront alors en mesure
d'aiguiller leurs recherches dans le sens précis d'un théâtre de poésie.
    Dans cet intervalle le théâtre poétique en vers continue à vivre
de ses seules certitudes et réputations. Sa production peut être
abondante, elle n'en reste pas moins peu décisive. Malgré le succès
de *Cyrano de Bergerac* la carrière dramatique d'Edmond Rostand
s'achève en 1910 par un échec éclatant avec son *Chantecler* qui n'est
qu'une pâle imitation du théâtre romantique de Victor Hugo. Après
sa féerie de *L'Oiseau bleu*, représentée en 1908, Maeterlinck malheureusement tombe dans le bavardage avec *Marie-Magdeleine* et
la propagande de guerre avec *Le Bourgmestre de Stilmonde* en 1918.
De leur côté les symbolistes Jean Moréas, Emile Verhaeren et
Catulle Mendès ne renouvellent pas le genre. Ayant usé jusqu'à
la trame toutes ses ressources, ses représentants n'offrent plus qu'un
lyrisme sans souffle dramatique et une éloquence précieuse, émaillée
de mornes tirades héroïques dans le style romantique.
    Hors de ce sillage seul Claudel apporte une vision dramatique
neuve avec *L'Echange, L'Annonce faite à Marie* et *L'Otage* repré-
sentées pour la première fois entre 1912 et 1914. Poursuivant sous
le signe de la foi chrétienne le mouvement de réaction idéaliste du
Théâtre d'Art ce dramaturge communique aux mots le rythme de la
respiration, dote la phrase d'éléments non point logiques mais pure-
ment émotifs. De plus, conscient que le mot ne peut tout exprimer,
Claudel a recours à la musique pour soutenir la parole et prolonger
les timbres et les accords de la poésie dans le but de faire sentir
les mouvements de l'âme en lutte entre les voix de l'instinct et les
appels de la foi. De cette « composition » d'éléments poétiques,
auxquels viennent se joindre ceux d'un ordre psychologique et
matériel, surgit ce « lyrisme explosif » qui, de l'avis même de
Ionesco, fait la qualité théâtrale du drame claudélien.[7] Mais est-ce
à dire que celui-ci représente un théâtre de poésie par excellence,
tel que l'entendront Cocteau et les avant-gardistes modernes?
    Que l'œuvre de Claudel par la majesté de ses chants soit
poétique, le fait est indéniable. En conférant à la musique verbale
un rôle de premier plan elle prépare le théâtre de poésie, sans toute-

[7] Claude Bonnefoy, *Entretiens avec Eugène Ionesco* (Paris, Belfond, 1966),
p. 190.

fois le devenir. En effet, bien qu'il cesse d'être un pur prétexte ou un élément décoratif, comme c'était le cas dans le théâtre traditionnel et symboliste, le poème, dans cette œuvre, est néanmoins mis au service d'une fin supérieure, et, en tant que tel, est envisagé comme moyen dont les attributs ne sont pas d'ailleurs illimités. Claudel le dit lui-même: « la musique continue ennuie. —La poésie continue ennuie. L'âme n'est pas constamment dans le même état de tension, et je parle ici aussi bien des spectateurs que des acteurs sur la scène. »[8] Cette volonté de freiner de temps à autre l'envolée lyrique, si elle permet d'éviter la monotonie, prive dans une certaine mesure la poésie de tous ses pleins pouvoirs. Accompagnant le drame, donc ne s'y intégrant pas totalement, elle n'existe pas en soi. Elle reste jusqu'à la fin un soutien, merveilleux certes par sa musicalité, mais pourtant fonction d'un art fondé sur une vision ordonnée de l'univers. Or cette vision de même que l'idée d'un art soumis aux lois d'un dogme ou d'une idéologie, les avant-gardistes, nous le savons, ne les partagent pas.

Ainsi, bien que Claudel ait réussi avec les symbolistes à rapprocher les poètes de la scène, sa position, dans le cadre de l'évolution des rapports entre la poésie et la dramaturgie, demeure celle d'un isolé. S'il a contribué à contrecarrer les thèses naturalistes et à donner à l'expression poétique au théâtre une signification et des résonances nouvelles, il ne s'apparente pas pour cela à un Jarry ni non plus à un Apollinaire ou à un Cocteau en ce sens que son théâtre, en dernier lieu, assimile encore trop la littérature.

Après le procès du matérialisme de l'école naturaliste par le symbolisme et les théâtres d'art de la Belle Epoque, succède celui du langage littéraire au théâtre, instruit cette fois-ci, par les représentants du dadaïsme et du surréalisme.

Sur les lancées de Jarry, Guillaume Apollinaire, dans le prologue de son « drame surréaliste » *Les Mamelles de Tirésias* (1917), élève le dramaturge au rang d'un « dieu créateur », maître absolu à l'intérieur de sa pièce qui est, en même temps, son univers. Dans sa préface il s'oppose directement à l'art en trompe-l'œil et au théâtre à thèse dont le didactisme nuit au divertissement du spectacle. Au symbole il veut prêter non pas un signe, mais une infinité d'interprétations puisque, selon lui, le théâtre est l'inverse de la vie. *Les Mamelles de Tirésias,* qui sont l'illustration de cette conception, réduisent « l'odieux réalisme » aux proportions d'une farce hilarante,

[8] Paul Claudel, *Mes idées sur le théâtre* (Paris, Gallimard, 1966), p. 127.

aux péripéties burlesques et aux envolées légères et sans durée. Cette pièce s'apparente par son sujet aux comédies de mœurs, désavouées par l'auteur lui-même: « Il s'agit des enfants dans la famille/ C'est un sujet domestique/ Et c'est pourquoi il est traité sur un ton familier. »[9] Ce sujet toutefois n'est qu'un prétexte servant à définir une esthétique théâtrale basée sur le mariage du tragique et du comique ainsi que sur une alliance de tous les arts: « La musique la danse l'acrobatie la poésie la peinture ».[10] Revendiquant avec les surréalistes la nécessité de l'irréalisme, Apollinaire fait de l'invraisemblance la règle majeure de son art, permettant ainsi à son démiurge de donner la parole aux objets ou de faire surgir, toujours selon son gré, des mirages sur un lieu théâtral qui, pareil à un anneau, encerclerait les spectateurs.

La dramaturgie que propose Apollinaire exige un sujet général, des personnages masqués, un fond « surréel » fait de masses et de couleurs dans le genre cubiste et un décor en plein air, si possible « zanzibarien » c'est-à-dire de pure fantaisie, loufoque et burlesque. Quant au langage de cet « esprit nouveau au théâtre » il sera poétique, visible, souple, musical mais affranchi des sujétions de la rime dont l'usage, dorénavant, sera réglé par rapport à la théâtralité du drame et non par l'arbitrage des vieilles conventions. Il apparaît ainsi que la fonction et la nature de la poésie, en étant étroitement liées à la spécificité du sujet, se trouvent être tout à coup remises en question. En effet, quand Apollinaire exige que le vers doit être « fondé sur le rythme, le sujet, le souffle et pouvant s'adapter à toutes les nécessités théâtrales »,[11] il promouvoit aux dépens du langage discursif de la littérature un langage de théâtre. Cet apport d'un mode d'expression nouveau, tout en étant révolutionnaire, met fin à un malentendu. En effet, grâce à celui-ci le poème cesse d'être une affaire d'alexandrins, de pure versification et de déclamations lyriques destinées à faire briller une vedette. En tournant le dos au théâtre poétique traditionnel d'un Rostand, Apollinaire conférait ainsi à la scène non seulement une ambiance de fête mais aussi, fait nouveau bien plus important encore, une écriture qui devait lui être propre.

A sa mort, survenue subitement en 1918, c'est à un autre poète, Jean Cocteau, qu'incombe la tâche d'associer le poème à une action

---

[9] Guillaume Apollinaire, *Œuvres poétiques* (Paris, N.R.F., 1956), p. 881.
[10] *Ibid.*, p. 881.
[11] *Ibid.*, p. 869.

dramatique sans que pour cela ni l'un ni l'autre ne perdent de leurs pouvoirs spécifiques. La préface de sa pièce, *Les Mariés de la tour Eiffel* (1921), représente une étape capitale dans l'évolution du théâtre de poésie.

Reprenant, après Apollinaire, l'objection à un langage décalé par rapport aux nécessités scéniques, ce dramaturge demande que la poésie cesse d'être considérée comme un pur prétexte, greffé arbitrairement sur un sujet dramatique. Puisque le sens en valeur de la parole littéraire ne convient pas à la scène, Cocteau conclut à la nécessité d'un recours au sens littéral des mots, recours qui revient ni plus ni moins à chasser la littérature du théâtre. Rejetant en vrac les reconstructions des naturalistes, le « faux sublime » cher aux wagnériens et aux symbolistes, il réhabilite le lieu commun, les expressions toutes faites et l'écriture simple « comme les alphabets de l'école ». Allumant, accentuant et soulignant tout grâce à l'emploi combiné de la danse, de l'acrobatie, de la musique, et de la pantomime, le dramaturge en peignant « plus vrai que le vrai » arrive ainsi à rendre aux objets et aux sentiments leur jeunesse, et, à la vie quotidienne sa poésie et ses miracles. Etant parti de l'idée d'une esthétique dramatique envisagée comme une pure construction de l'esprit, Cocteau finit par substituer à la « poésie au théâtre » une « poésie de théâtre », la différence des deux genres sur le plan pictural reposant sur un agrandissement de l'image d'une action aux dépens du texte. « La poésie au théâtre est une dentelle délicate impossible à voir de loin. La poésie de théâtre serait une grosse dentelle; une dentelle en cordages, un navire sur la mer. »[12] En vertu de cette conception révolutionnaire l'œuvre théâtrale devient une parade d'images dont « les scènes s'emboîtent comme les mots d'un poème ».[13] Et les mythes célèbres des pièces de Cocteau: *Orphée* (1926), *La Machine infernale* (1934), *Les Chevaliers de la Table ronde* (1937) ne sont plus que des prétextes servant moins à les faire revivre qu'à faire vibrer des chants poétiques. Qui seuls avec la féerie nous suggèrent une idée du réel.

Ainsi sous l'impulsion d'Apollinaire et de Cocteau de même que de celle de leurs compagnons de la fin de la guerre de 1914–18 et des années 20 dont, parmi les poètes, Tristan Tzara, André Breton, Benjamin Péret, Antonin Artaud, et, parmi les peintres-écrivains,

---

[12] Jean Cocteau, *Les Mariés de la tour Eiffel* dans *Œuvres complètes* (Paris, Marguerat, 1948) vol. VII, p. 14.
[13] *Ibid.*, p. 14.

Pablo Picasso, Jean-Pierre Duprey, Marcel Duchamp, le théâtre
de poésie découvre sa propre physionomie. Grâce aux expériences de
ces dadaïstes et surréalistes son langage acquiert sa propre autonomie
tout en se dégageant d'une façon décisive de la littérature qui est
à leurs yeux art mensonger. Malgré des divergences de points
de vue sur les fins de leur entreprise de rénovation artistique, un
Breton aussi bien qu'un Artaud s'entendent pour reconnaître que
l'écrivain qui se conforme à l'esthétique traditionnelle n'est pas en
mesure de ramener l'inconnu au connu. Les hommes, le monde ne
peuvent être classés à cause de leur diversité et de leur nature
changeante et ondoyante. De cette constatation il apparaît que le
vocabulaire dont dispose l'écrivain pour établir ses catégories men-
tales s'avère abstrait, imprécis et, se faisant, trahit simultanément
la pensée et la « surréalité » qui est la fusion du rêve et de la réalité.
Or puisque celle-ci recèle dans ses profondeurs des forces vives que
ni la logique ni la parole rationnelle ne peuvent capter il importe
que l'artiste invente de nouveaux moyens d'expression. Celui offert
par les surréalistes est un outil neuf et anarchique dans son essence.
Au langage formel basé sur un contexte social et une tradition
littéraire, le surréalisme substitue l'écriture automatique, qui est
l'expression spontanée et immédiate de la pensée opérant gratuite-
ment en dehors du contrôle de la raison ainsi que des préoccupations
morales et esthétiques. Grâce à cet « automatisme psychique » qu'est
le surréalisme, le poème devient un assemblage de mots et de
phrases partielles conçu dans un moment de décontraction quand
l'esprit se voit par ailleurs libéré des asservissements de la syntaxe.
Envisagée comme une création gratuite, sans sens *a priori* et sans
prétention littéraire, la poésie parvient ainsi à ouvrir les portes de
l'infini où résident le merveilleux, le fantastique et l'insolite qui
participent du réel.

C'est à partir de l'exploration de cet « anti-monde » surréel,
perçu par la vision intuitive, par-delà les certitudes de la raison,
qu'un Ionesco et avec lui la quasi-totalité des avant-gardistes con-
temporains fondent leur théâtre de poésie. Installés au cœur de
leurs créations, ils renouvellent le langage en posant le problème
de l'adéquation des mots aux choses. Tous constatent le divorce du
langage et de la vie. Afin de souligner l'aliénation de l'esprit obligé
d'admettre les insuffisances du vocabulaire un Beckett dans *Acte
sans paroles* réduit son personnage au silence en lui faisant jouer

une pantomime alors qu'un Tardieu dans *Une Voix sans personne* va jusqu'à remplacer l'acteur par des jeux de lumière, des projections de peintures et de la musique. Mais le théâtre ne peut vivre uniquement de silence. Il doit être avant tout selon Ghelderode « un véhicule poétique, un art d'invocation. »[14] Aussi est-ce sans doute pour éviter les pièges que la scène tend aux thèmes de l'ennui intégral et de l'absolue détresse de l'existence que Dubillard, après être arrivé dans *Naïves hirondelles* à abolir quasiment le mouvement et le temps, écrit *La Maison d'os* où la poésie s'élève jusqu'à la violence. A ses côtés Vauthier (*Capitaine Bada, Le Personnage combattant, Le Rêveur*), et Billetdoux (*Va donc chez Törpe, Il faut passer par les nuages*) prêtent à l'expression directe une magie verbale fulgurante qui, en transfigurant la vie de leurs personnages, fait d'eux des poètes de la pureté, de l'amitié ou de l'amour.

Dans *Le Voyage* (1961) de Schehadé la réalité prosaïque d'un magasin de boutons cède le pas à la vie ardente des paysages imaginaires et lointains. Un port « s'allume comme une rouge argenterie ». Le vent n'est pas le vent qui culbute les chapeaux mais un conte fabuleux, un esprit surréel qui a « la forme mobile des anges... suspendu à rien ». Toute l'œuvre dramatique de Schehadé communique l'ineffable sentiment d'avoir été tissée de rêves empruntés aux contes des *Mille et une nuits*. Son langage a la fragilité du bonheur, le charme et l'inconséquence de l'enfance, la chaleur du soleil et la cruauté des mirages. Ses personnages sont à la fois ici et ailleurs; innocents et coupables, l'homme, chez eux, fait place au pantin, à l'enfant, au visionnaire, voire au monstre. Se dédoublant à volonté leur douceur, leur affabilité et leur tendresse n'excluent ni la dureté ni la méchanceté ni surtout la nostalgie d'une patrie perdue, celle de la pureté ou d'une jeunesse morte. Ainsi doués de plusieurs existences ces êtres dont il importe peu que nous sachions, comme il est dit dans *La Soirée des proverbes,* la couleur des yeux ou celle de l'âme, finissent par devenir grâce à la magie du poème fondu dans le drame: la mort et la vie, le bien et le mal, le présent et le passé.

Les personnages du théâtre d'Audiberti possèdent le même pouvoir de dédoublement qui est, chez cet auteur, une façon d'exprimer l'idée qu'il existe dans tous les hommes un fonds commun

---

[14] Michel de Ghelderode, *Les Entretiens d'Ostende* (Paris, L'Arche, 1956), p. 145.

d'humanité. A partir de « Je suis vous »[15] comme l'affirme l'un d'eux,
tout est permis. A ce jeu qui donne à l'œuvre audibertienne une
atmosphère de folle insouciance, un gendarme dans *Quoat-Quoat*
finit tout naturellement par se trouver à la place de son prisonnier
et un capitaine au long cours à celle de Dieu. Dans *L'Ampélour* qui
remonte à 1937 Audiberti va jusqu'à présenter l'Empereur Napoléon
sous trois formes: un boucher, un prêtre et un aveugle. Dans *Les
Femmes du bœuf* les femmes sont des fées, le fils d'un boucher un
berger folâtre, un chantre des étoiles qui, une fois rentré au bercail,
assume le rôle de son père qui, à l'imitation de l'enfant prodigue,
décide d'aller à son tour vivre sa « chance sous les toits » des villes.

   La vie de ces personnages est une série d'expériences plutôt
qu'une carrière, un voyage fantastique qui n'a d'autre but que de
mettre l'homme en procès avec lui-même et durant lequel insensiblement la comédie, le rêve et le cauchemar entrent dans la réalité,
le mal dans la droiture et l'inexistence dans l'existence. Au cours de
cette espèce d'osmose les êtres se découvrent des ailes pour enfin
glisser « verticalement suspendus entre le ciel et la terre », comme
Le Piéton de l'air de Ionesco. Aux objets eux-mêmes Audiberti prêtent un pouvoir de lévitation: une chambre de résidence, la cabine
d'un navire prennent les proportions d'un monde, puis d'un univers
sans bornes où la matière s'enveloppe d'une limpidité aérienne.
Parallèlement, le mot échappant à la fixité de sa définition acquiert
son autonomie et sa propre vélocité. Libre, donc, et fort non plus de
son sens en valeur mais littéral, il devient de cette façon un personnage qui agit. Comme l'avait exigé Artaud, Audiberti, en pulvérisant
et recomposant le vocabulaire, redonne au langage ses forces vives
et élève ainsi son théâtre au rang d'une « épopée » qui est « l'histoire
d'une âme jetée dans l'incarnation charnelle et terrestre et essayant
de se débrouiller, dans cette marmelade cruelle, sans avoir jamais
réellement perdu je ne peux pas dire le souvenir, mais la nostalgie
probablement chrétienne d'un au-delà moins effrayant ».[16]

   Cette élévation poétique des grands thèmes de l'existence nous
la retrouvons avec Pichette dans *Les Epiphanies* (1947) et *Nucléa*
(1952). Manifestation d'une âme humiliée par l'Occupation et son

---

[15] Jacques Audiberti, *Quoat-Quoat* dans *Théâtre I* (Paris, Gallimard, 1948),
p. 51.
[16] Jacques Audiberti, *Entretiens avec Georges Charbonnier* (Paris, Gallimard,
1965), p. 56.

cortège de misères, cette œuvre par sa manière appartient à l'allégorie. Par son contenu elle se veut être une révélation totale du moi. En même temps elle représente un témoignage accablant de la jeunesse de l'après-guerre à l'égard de ses aînés corrompus et indifférents à ses espoirs. Ainsi aux frémissements émouvants de « L'Amour » qui pareil à la liberté « chasse les définitions », succèdent « Le Diable » et « La Guerre » qui suscitent la colère et l'indignation du « Poète ». Seul, libre mais en possession de la vérité celui-ci sauve « les mots de leur honte ».

Si le ton des *Epiphanies* et de *Nucléa* revêt quelquefois des accents romantiques, l'art de ces pièces est d'une conception révolutionnaire. Les dialogues sont constamment entrecoupés d'interventions inattendues ou remplacés par des pancartes portant des inscriptions. Ailleurs ce langage visuel perd toute signification en se réduisant à des mots isolés dans des rectangles. De cette façon le spectateur se trouve en état de confrontation directe avec les bruits, les rumeurs, tout le tumulte de la vie qui est un enfer. Alliant à une vision sombre du monde une écriture explosive « avec des mots qui boxent » l'œuvre de Pichette ressemble davantage à un long poème qu'à du théâtre. Si les chants de l'auteur des *Apoèmes* l'élèvent par la vigueur du souffle jusqu'au lyrisme, la qualité théâtrale de sa production dramatique, fort restreinte d'ailleurs, demeure inégale. En fait celle de Pichette oblige à poser la question: le théâtre de poésie peut-il être aussi politique et engagé tout en préservant sa pureté esthétique? L'élégance solaire de l'œuvre de Jean Genet semble donner un démenti formel à ceux de ces critiques qui refusent d'admettre la possibilité d'une telle alliance.

L'on sait que les pièces de cet ancien réclusionnaire portent à la scène: le racisme dans *Les Nègres,* le fascisme, le colonialisme et la révolution dans *Le Balcon* et *Les Paravents.* L'actualité de ces questions les apparente aux *Mains sales* d'un Sartre de même qu'aux *Justes* d'un Camus. En ce sens cette parenté fait de Genet un écrivain engagé sans toutefois le ranger parmi les épigones du réalisme. D'ailleurs Jarry n'avait-il pas en son temps porté un témoignage impitoyable envers la Société de son époque tout en s'opposant aux doctrines naturalistes? Si Genet, à son tour, fait le procès du monde contemporain, son art, cependant, ne s'affirme pas seulement sur l'idée de la dénonciation des puissances officielles du jour. Bien qu'étant l'ennemi avoué de toutes les formes d'oppression

il n'est pas pour autant le valet de la révolution ou de la liberté.
Lui-même désavoue ces poètes qui « chantent le Peuple, la Liberté,
la Révolution, etc., qui, d'être chantés sont précipités puis cloués
sur un ciel abstrait où ils figurent, déconfits et dégonflés, en de
difformes constellations ».[17] Le poète ne récite pas, n'explique pas
son sujet. Et son poème n'est ni un commentateur du texte ni un
des signes constitutifs du drame. Totalement intégré à celui-ci il est
pensé comme étant consubstantiel au comportement hiératique des
acteurs, à la force verbale de la danse, de l'éclairage et des décors.
Ainsi c'est une attitude, un son, un geste, la cadence et le rythme
de la phrase qui provoquent chez le spectateur le sentiment de la
liberté, de la révolution, de la justice ou de leur contraire. De cette
façon jaillit de la substance de l'œuvre dramatique une incantation
qui se veut être dans le théâtre occidental ce que les cris, les silences,
la mélopée, et les chants obsessionnels sont au théâtre balinais ou
japonais. Ainsi l'engagement de Genet cesse là où l'art commence à
être une simple représentation de la réalité immédiate et dès qu'il
prétend résoudre les problèmes du mal. « Si dans l'œuvre d'art « le
bien » doit apparaître, c'est par la grâce des pouvoirs du chant, dont
la vigueur, à elle seule, saura magnifier le mal exposé ».[18] Toute la
dramaturgie de Genet repose sur ces pouvoirs plutôt que sur
l'actualité politique ou sociale de l'histoire. Et sa qualité théâtrale
réside dans la transformation du langage articulé en images et en
résonances poétiques. Ainsi des œuvres telles que *Le Balcon* et *Les
Paravents* sont des antithèses du vérisme, la réalité étant méta-
morphosée en apparences, en reflet d'un reflet. Au cours de cette
transfiguration le réel s'efface pour laisser la place à l'imaginaire
rendu sensible grâce au spectacle qui est *une fête* dont les partici-
pants masqués ou maquillés dans un style « asymétrique » portent
non point des habits de tous les jours mais des costumes de parade.
Opposé à la vie le théâtre est alors entendu comme un art allusif
et non figuratif dont les rites et les chants sont ceux d'une messe,
mais désacralisée. Elevé à un niveau trans-historique et surnaturel
cet art acquiert de cette façon sa vraie fonction qui réside dans
« l'efficace de la beauté » dont la puissance doit déclencher « une
déflagration poétique... si forte et si dense qu'elle illumine par ses

[17] Jean Genet, « Avertissement », *Le Balcon* (Décines, Barbezat, 1960).
[18] *Ibid.*
[19] Jean Genet, *Lettres à Roger Blin* (Paris, Gallimard, 1966), p. 11.

prolongements, le monde des morts ou plus justement de la mort ».[19] Appartenant à un ordre antérieur, hors des bornes de la logique et de la raison, la poésie telle que l'entend Genet n'est plus alors l'expression d'un souvenir, comme chez Pichette, mais plutôt, comme chez Schehadé et Audiberti, le rappel nostalgique d'un monde lavé de ses sécrétions sociales et où résident les ombres des idées pures.

Genet l'anti-conformiste arrache au théâtre de littérature son masque de bourgeois et accomplit le dessein de Jarry, d'Apollinaire et de Cocteau.

Genet le surréalisant restaure au langage utilitaire sa métaphysique et réalise le vieux rêve d'un théâtre alchimique d'Artaud.[20]

Finalement, Genet l'ancien réclusionnaire triomphe de la tradition en imposant à la scène un théâtre de poésie dont la cruauté a pour écrin la beauté.

❊ ❊ ❊

Depuis le Théâtre Libre d'Antoine l'histoire des avant-gardes n'a cessé de s'enrichir. Le théâtre de poésie contemporain apparaît ainsi comme le point d'aboutissement d'un mouvement de rénovation entrepris par les théâtres d'art de la fin du XIXe siècle dans le but de redonner à l'art théâtral ses pouvoirs d'envoûtement que les doctrines naturalistes lui refusaient au nom de la vérité. Se jouant des conventions ce théâtre nouveau est la manifestation picturale d'une démarche obstinée de l'esprit pour pénétrer le tréfonds obscur de l'inexprimable et éclairer ses ombres. Chacune de ses œuvres repense les problèmes de la vie et des formes. Ensemble elles récusent la littérature, les idéologies et les servitudes des modes du jour. Toutes substituent à l'art du dialogue, aux conflits des personnalités et aux cloisonnements des consciences, l'incantation et les calligraphies du langage, de la pensée, de l'inconscient et du rêve. Finalement leurs personnages, échappant à l'emprise de la morne réalité, s'évadent vers les confins de l'intemporel, du merveilleux et d'un ailleurs fabuleux.

[20] Voir Antonin Artaud, « La Mise en scène et la métaphysique » ainsi que « Le Théâtre alchimique » Œuvres complètes, tome IV (Paris, Gallimard, 1964).

Le mal court

pièce en trois actes de
JACQUES AUDIBERTI

Courtesy Photo Pic

JACQUES AUDIBERTI
(1899-1965)

Réduire en une brève analyse une œuvre qui comprend une trentaine de romans, autant de pièces de théâtre, plusieurs volumes de poésies et d'essais, des traductions et d'innombrables préfaces est dès l'abord un projet téméraire. Les apparentes contradictions qui se présentent non seulement dans l'œuvre vue dans son ensemble mais à l'intérieur même de chaque ouvrage, contradictions reflétées dans un style parfois d'une sobriété dépouillée, parfois d'une ivresse déchaînée, rendent la tâche encore plus ardue. Pourtant, dans ce mélange curieux de mysticisme et de cocasserie, d'ascétisme et de volupté, réapparaissent certains thèmes qui justifient la tentative de trouver une unité dans la pensée protéiforme de Jacques Audiberti. Parmi ces thèmes il en est un qui revient avec une telle persistance qu'il peut servir de fil d'Ariane: la lutte entre la matière et l'esprit, entre le mal et le bien. Dès son premier roman, *Abraxas,* nous apprenons déjà que « Le mal couve partout et partout triomphe. Faut-il le combattre ou l'admettre et finalement l'abolir en consacrant sa primauté? » A cette question le protagoniste de *La Nâ,* Michel, répond en tuant le lynx, incarnation du désir. Tandis que ce personnage supprime le mal par un geste symbolique, Alarica, l'héroïne du *Mal court*, s'y adonne avec une volupté farouche. La question du mal envisagé en tant que force primaire est présentée dans *Quoat-Quoat*, premier drame d'Audiberti, et approfondie dans ses pièces suivantes: *La Fête noire* où l'amour lutte vainement contre les pouvoirs destructeurs de la « bête noire » et *La Logeuse* dont l'héroïne, Mme Circé, ensorcelle ses locataires pour les rendre impuissants. Jusqu'à ses dernières pièces Audiberti ne cessera d'essayer de résoudre l'énigme qu'il s'était proposée. Ainsi dans *Pomme, pomme, pomme* il offre une version toute moderne de l'histoire biblique de la chute et dans *La Fourmi dans le corps* il remplace le bel enfant qui devrait être le roi du monde par un nain idiot et baveux. Cette hantise du mal le poursuivra jusqu'à sa mort. Dans le journal-roman *Dimanche m'attend* qui décrit ses derniers jours il note: « La présence du mal dans le monde m'obsède. »

Une telle obsession paraît naturelle quand on se souvient de l'influence profonde qu'a exercée sur lui sa Provence natale où fleurissent depuis toujours les hérésies gnostiques et notamment le manichéisme. En fait, malgré tant d'années passées à Paris, jamais Audiberti n'oubliera son lieu de naissance: Antibes. Dans ses romans il ne se lasse jamais de décrire ce petit port méridional, avec ses remparts de Vauban et ses plages ensoleillées, dominé par la fresque neigeuse des Alpes. Plusieurs de ses pièces tirent leur sujet de l'histoire de son pays. *Bâton et ruban* évoque celle des fortifications antiboises tandis que *L'Ampélour* décrit l'attente, dans une auberge languedocienne, du retour de Napoléon. Le Midi fournit aussi à l'écrivain un paysage fabuleux, lieu dramatique fouetté par le mistral, peuplé de démons terrifiants et de monstres marins que font surgir les tempêtes de la Méditerranée. Ces tableaux on les doit à son style opulent et baroque, à ses images riches et savoureuses, et qui font que l'on reconnaît ce fils du Midi, ce « magicien au pays du soleil ». Le rythme même du provençal, cette « ...particulière cadence du dialecte antibois, portée par de forts accents toniques sur la dernière syllabe, lesquels forts accents toniques ont toujours l'air de s'efforcer de décrocher un chat de mer pris dans la gorge... » (*Cent jours*) laisse son empreinte dans toute l'œuvre de l' « Orphée niçois ».

On ne doit pas méconnaître l'influence également importante de la capitale sur la pensée de cet écrivain. En 1925 Audiberti s'installe à Paris, où il gagne sa vie comme journaliste. Cette expérience se trouve reproduite dans plusieurs de ses romans, parmi lesquels

Marie Dubois et *Monorail*. Peu après son arrivée, il rencontre
le poète surréaliste Benjamin Péret, qui était alors chauffeur de taxi.
« Ce fut ma deuxième naissance » dit Audiberti, et en effet la luxuri-
ance verbale et l'humour débordant de ses premiers vers, recueillis
sous le titre de *L'Empire et la trappe*, révèlent l'influence du plus
pur des disciples d'André Breton. Mais au lieu de s'abandonner complètement à l'écriture automatique, Audiberti se sert consciemment
de toutes ses ressources. Un critique l'a qualifié de « surréaliste
dompté »; il serait plus exact de l'appeler un dompteur du surréalisme.

Dans ses divers efforts pour éclaircir les problèmes philosophiques qui le préoccupent, Audiberti n'hésite pas à avoir recours
aux procédés que Breton et Soupault avaient déjà exploités dans
leur livre *Les Vases communicants*. En 1951 il entame un dialogue
libre avec son ami, le peintre Camille Bryen. De leurs entretiens,
enregistrés tant bien que mal par Mlle Brutin, sténotypiste infidèle,
et par un magnétophone fantaisiste, publiés par la suite sous le titre
L'Ouvre-Boîte, naquit la vision d'un monde sans homme qu'Audiberti s'est attaché à exposer, à illustrer et à défendre à travers son
œuvre. Cette vision Audiberti la nomme l'abhumanisme. Ce n'est
ni une méthode philosophique ni un système politique. Au contraire,
c'est le refus catégorique de toute doctrine. « Adhérez à n'importe
quelle vérité » proclame Audiberti dans *L'Abhumanisme*. Ce principe
paraît à première vue inconséquent, et Audiberti lui-même avoue
que l'abhumanisme « enfonce des portes ouvertes ». Mais en les
enfonçant, il parcourt d'un regard neuf des domaines connus et tire
quelques éclaircissements du mystère humain. C'est ce que nous
explique l'inspecteur Loup-Clair dans *Marie-Dubois:* « Je ne crois
en rien, sinon que nous sommes immergés dans l'espace qui nous
compose... Toutes les théories, toutes les religions, sont également
intéressantes et défendables. Mais leur existence même accroît la
densité de mystère qu'elles prétendent résoudre. » Pour atteindre
ce mystère l'homme doit oublier qu'il est le centre de l'univers. Ce
n'est qu'en acceptant « le monde sans homme » que l'homme peut
retrouver le sentiment qui lui permettrait de « se guérir de
l'homme ».

A l'homme détrôné il reste la prière. « La seule petite chance
que je me connaisse, dit Audiberti dans *Cent Jours*, ...réside dans
une combinaison de tendresse et de prière impérative. » Et quelle
est la meilleure prière sinon l'œuvre poétique? Audiberti s'explique

clairement dans *Dimanche m'attend:* « En fait l'entière substance de mon écriture regorge de souffrance, d'horreur et de pitié. De cette substance monte l'interminable appel qui rejoint vers un ciel trop discret bien des appels analogues. Croyez-moi, la littérature, celle des écrivains proprement dits, n'est qu'inquiétude, quête et amour. » Dans un court écrit, « Destin de la poésie », qui sert de préface aux *Cavaliers d'ombre* de Geneviève Laporte, Audiberti emploie toute son éloquence pour exprimer sa vision du rôle du poète dans l'ère atomique, quand les recherches esthétiques semblent avoir été dépassées de loin par les découvertes scientifiques: « Grande, grande et difficile est donc la tâche des poètes. Séculaires géants que rapetisse l'implacable montée des colosses de fer et des champignons d'uranium, il faut qu'ils luttent de toute leur foi pour maintenir en lumineuse vertu leur chant qui résonnait jadis plus haut que le bruit des armées chargées de fer, plus haut que le cri de la mer en proie aux étreintes du vent. » Ce chant, Audiberti l'a réalisé dans une œuvre d'où s'exhale dans une prière fervente le souhait toujours renouvelé que le mal cesse de courir.

ŒUVRES D'AUDIBERTI

THEATRE

Théâtre I (*Quoat-Quoat, L'Ampélour, Les Femmes du Bœuf, Le Mal court*) (Paris, Gallimard, 1948).

Théâtre II (*La Fête noire, Pucelle, Les Naturels du Bordelais*) (Paris, Gallimard, 1952).

Le Cavalier seul (Paris, Gallimard, 1955).

Théâtre III (*La Logeuse, Opéra parlé, Le Ouallou, Altanima*) (Paris, Gallimard, 1956).

L'Effet Glapion (Paris, Gallimard, 1959).

Théâtre IV (*Cœur à cuir, Le Soldat Dioclès, La Fourmi dans le corps, Les Patients*) (Paris, Gallimard, 1961).

Théâtre V (*Pomme, pomme, pomme, Bâton et ruban, Boutique fermée, La Brigitta*) (Paris, Gallimard, 1962).

ROMANS

Abraxas (Paris, Gallimard, 1938).

Septième (Paris, Gallimard, 1939).

Urujac (Paris, Gallimard, 1941).
Carnage (Paris, Gallimard, 1942).
Le Retour du divin (Paris, Gallimard, 1943).
La Nâ (Paris, Gallimard, 1944).
Monorail (Paris, Gallimard, 1946).
L'Opéra du monde (Paris, Fasquelle, 1947).
Le Victorieux (Paris, Gallimard, 1947).
Talent (Paris, Egloff, 1947).
Cent jours (Paris, Gallimard, 1950).
Le Maître de Milan (Paris, Gallimard, 1950).
Marie Dubois (Paris, Gallimard, 1952).
Les Jardins et les fleuves (Paris, Gallimard, 1954).
La Poupée (Paris, Gallimard, 1956).
Infanticide préconisé (Paris, Gallimard, 1958).
Les Tombeaux ferment mal (Paris, Gallimard, 1963).
Dimanche m'attend (Paris, Gallimard, 1965).

POESIES

L'Empire et la trappe (Paris, Crès, 1929).
Des Tonnes de semence (Paris, Gallimard, 1941).
La Nouvelle Origine (Paris, Gallimard, 1942).
Toujours (Paris, Gallimard, 1943).
Vive guitare (Paris, Laffont, 1946).
Rempart (Paris, Gallimard, 1953).
La Beauté de l'amour (Paris, Gallimard, 1955).

ŒUVRES DIVERSES

Les Médecins ne sont pas des plombiers (Paris, Gallimard, 1948).
L'Ouvre-Boîte (Paris, Gallimard, 1952).
Molière dramaturge (Paris, L'Arche, 1954).
L'Abhumanisme (Paris, Gallimard, 1955).
Les Enfants naturels (Paris, Fasquelle, 1956).
Entretiens avec Georges Charbonnier (Paris, Gallimard, 1965).

OUVRAGES A CONSULTER

Deslandes, André, *Audiberti* (Paris, Gallimard, 1964).
Susini, *Magiciens au pays du soleil* (Paris, Cévennes, 1956).

LE MAL COURT

personnages

ALARICA
LE ROI PARFAIT
MONSIEUR F...
LE CARDINAL
LE MARECHAL
LE LIEUTENANT
LA GOUVERNANTE
LE ROI CELESTINCIC

ACTE PREMIER

Epoque Louis XV.[1]

Une chambre, dans une résidence située sur le territoire de l'électeur de Saxe,[2] *à proximité de la frontière d'Occident.*[3]

Deux lits.

Dans un lit, la princesse Alarica, fille du roi de Courtelande.[4] *Dans l'autre, Toulouse, la gouvernante de la princesse.*

ALARICA.—Qu'est-ce que je vais faire? Qu'est-ce que je vais faire? Qu'est-ce que je vais faire?

LA GOUVERNANTE.—Dors. Moi, je voudrais dormir.

ALARICA.—Dormir... Dormir?

LA GOUVERNANTE.—Oui, chérie... Dormir. Les lits sont faits pour qu'on y dorme.

ALARICA.—Le mien, mal fait.

LA GOUVERNANTE.—Ce sont les lits de l'Allemagne.

ALARICA.—Il me faudrait je ne sais quoi.

LA GOUVERNANTE.—Pour dormir, tu n'as besoin que de toi. C'est avec toi que tu dors. Tu couds avec le fil. Tu galopes avec ton cheval. C'est avec toi que tu dors.

ALARICA.—Je crois que j'ai besoin d'un peu de fleur d'orange.[5]

---

[1] **Epoque Louis XV** *refers to the middle of the 18th century*
[2] *a formerly independent Duchy on the Elbe, now part of East Germany*
[3] **L'Occident** *is an imaginary country which is probably France. The name is the same as that of the empire that came into being as a result of the split in the Roman Empire and which was reestablished under Charlemagne and finally abolished by Napoleon.*
[4] **Courtelande** *is another imaginary country. The name is probably derived from Courlande, a province of Latvia.*
[5] **fleur d'orange** *orange-flower water, formerly used to calm the nerves*

25

LA GOUVERNANTE.—Si tu te drogues maintenant, demain tu dormiras
debout.[6]

ALARICA.—Demain? Nous y sommes. Demain est arrivé.

LA GOUVERNANTE.—Demain n'arrive que dans les contes. Ferme les
yeux. Compte des moutons. Un mouton, deux moutons, trois
moutons. Tu les vois s'enfoncer dans la barrière blanche?
Quatre moutons, cinq, six, sept, huit. Quatorze. Quinze.
Compte-les un à un et ne t'embrouille pas. Tu les vois?

ALARICA.—Très bien. Ils sont frisés. Leurs pattes sont rose vif. Certains ont des moustaches noires. D'autres vont avec des
béquilles.

LA GOUVERNANTE.—Moustaches? Béquilles? Ce ne sont pas des
moutons.

ALARICA.—Des moutons? Ah! Non... Des vétérans, oui. Des vétérans.
Des capitaines. Des enfants.

LA GOUVERNANTE.—Des hommes, quoi! Que ce soit des moutons ou
que ce soit des hommes, compte-les bien. Ne laisse pas qu'un
seul s'échappe. Tout serait à recommencer.

ALARICA.—Cinquante-trois, cinquante-quatre, cinquante-six, sept,
huit, neuf, soixante. Soixante et un. Oh!

LA GOUVERNANTE.—Quoi?... Qu'y a-t-il encore? Je m'assoupissais.

ALARICA.—Dans les hommes, il y a un animal.

LA GOUVERNANTE.—Quel animal? Un des moutons de tout à l'heure?

ALARICA.—Nenni.[7] Un buffle... Un buffle tout rouge, avec des cornes
vertes. Trois cornes. Quel drôle de buffle! Il a de grands yeux
noirs. Mon Dieu! Qu'il paraît triste! C'est un animal qui s'est
mis dans les hommes, mais lui, des hommes sont en lui,[8] des
hommes qui veulent sortir. Je les vois à travers les yeux noirs.

[6] **tu dormiras debout**   you won't be able to keep your eyes open
[7] **nenni** (*childish expression*)   no
[8] *The beast in man or the man in beast is a frequent theme in Audiberti's
works and is the subject of the play* La Fête noire (*originally called* La Bête
noire). *The animal is clearly a sexual symbol, as is seen in the novel* La Nâ
*in which a man and a woman go into the mountains to kill a lynx and in doing
so put an end to physical love.*

Ils veulent sortir. Ils m'appellent. Qu'est-ce que je vais faire?
Et puis, pendant ce temps, les autres se dépêchent. Je ne sais
plus, de leur nombre, où j'en suis.[9] J'aurais dû mettre quelqu'un à la barrière, un contrôleur. Je suis très ennuyée.[10]

LA GOUVERNANTE.—Allons. C'est fini. C'est cuit.[11] Je ne me rendor-   5
mirai plus. La nuit est morte. Eclairons.

ALARICA.—Tu m'as jeté la lumière droit sur la rétine. Chaque fois,
c'est pareil. Je crois qu'au fond tu ne m'aimes pas tant que ça.

LA GOUVERNANTE.—Ma jonquille, pardonne-moi. Cette lumière, elle
est bien faible, pourtant. C'est à peine si je déchiffre l'heure. Il   10
est... Il est cinq heures vingt. Cinq heures vingt, le six décembre
mil sept cent soixante-deux. Dehors, la neige, la nuit. Si personne ne s'en mêle la roue de la journée ne démarrera point.
Tu as une idée?

ALARICA.—Si on jouait aux dames?   15

LA GOUVERNANTE.—Merci bien. Jamais des blancs je ne reconnaîtrai
les noirs. Tu as dix-neuf ans, ma grenouillette.[12] Tu n'es plus
assez jeune, tu n'es pas assez vieille pour ces amusements assom-
mants. Nous avons à peine gagné une minute. Il faut pourtant
que la roue de cette journée historique...   20

ALARICA.—J'ai entendu la roue d'une charrette. Elle m'a grincé
jusque dans les dents.[13]

LA GOUVERNANTE.—Tu as des sens tout à fait diaboliques. Tout te
blesse, mais tu ne manques rien. Le mariage te fera du bien.

ALARICA.—Tu te flattes que le mariage me rendra sourde?   25

---

[9] **je ne... j'en suis**   I have lost count of them
[10] *The dream which turns into a nightmare is a recurrent feature in Audiberti's theatre and is effectively exploited in* Quoat-Quoat. *This technique
betrays the author's surrealist origins.*
[11] **c'est cuit** (*colloquial*)   that's the end of it
[12] **ma grenouillette**   *literally,* my froglet, *a term of endearment*
[13] *This figure of speech is illustrative of Audiberti's stylistic methods. He takes
a common expression,* **grincer des dents**   to gnash one's teeth, *and transforms it
slightly, thus giving it a new and often surprising meaning. Here one finds a combination of the enraged frustration expressed by the gnashing of teeth and the
painfulness of an unpleasant sound which penetrates to the very root of the teeth.*

LA GOUVERNANTE.—Il t'apaisera, te détendra. Non plus d'un peu de
fleur d'orange, mais de l'arbre aux oranges tout entier ton corps
sera comblé, satisfait, rassuré. Le mariage, c'est l'état, c'est le
trône de la femme.

ALARICA.—Une femme je ne suis pas.

LA GOUVERNANTE.—De toi le mariage saura faire une femme.[14]

ALARICA.—Fera-t-il un homme de mon époux?

LA GOUVERNANTE.—Même puceau,[15] un homme est un homme,
même puceau, même tout seul. Mais une femme n'est entière
qu'autant qu'elle est une moitié. Je tombe de sommeil.

ALARICA.—Explique-moi. Raconte-moi.

LA GOUVERNANTE.—Hé! Dis! Je ne veux pas mordre sur ton époux.[16]
Lui te façonnera, ma jolie tourte,[17] ma jolie tourterelle. Au fond,
si tu ne dors pas, c'est à cause de lui, déjà. Mais il ne faut pas
que le présent soit mangé par le futur.

ALARICA.—Crois-tu qu'il soit très grand, mon futur?[18] Pourvu qu'il
soit plus grand que moi! Et ses yeux? Ses yeux, au juste, comment sont-ils?

LA GOUVERNANTE.—Consulte la miniature[19] qu'il te fit tenir.

ALARICA.—Où l'ai-je fourrée?

LA GOUVERNANTE.—Tu l'avais dans ton lit. Tu égares tout.

ALARICA.—Je l'ai... Approche la lampe, veux-tu? Oui... On ne peut
pas dire. Il est mignon. Mais cette ombre, là, près de la lèvre,
cette ombre m'inquiète. On croirait qu'il n'est pas content...
Qu'il a pleuré. Qu'est-ce qu'il peut avoir?

LA GOUVERNANTE.—Les rois ne sont pas exempts du déplaisir.

---

[14] *These constant inversions are characteristic of Audiberti's style and give an
almost foreign flavor to his language.*
[15] **puceau** (*colloquial*)   virgin
[16] **je ne veux... époux**   I don't want to steal your husband's thunder
[17] **tourte**   *literally, a sort of* pie, *figuratively,* imbecile, *but used here as a term
of endearment,* my little dummy
[18] *a play on the two meanings of* **futur**   future *and* prospective husband
[19] **miniature**   miniature portrait

ALARICA.—Il ne va pas gémir toute la journée?

LA GOUVERNANTE.—Non... De temps en temps... Comme tout le
monde.   .

ALARICA.—Et autrement... Quand il ne gémit pas?... Qu'est-ce qu'il
fait, quand il ne gémit pas?

LA GOUVERNANTE.—Il étudie, je suppose. Il digère. Il dort. Il dort,
le bienheureux!

ALARICA.—Et moi, quels seront mes emplois?

LA GOUVERNANTE.—Tu donneras du bonheur à ton époux.

ALARICA.—Toute la journée?

LA GOUVERNANTE.—Toute la journée, oui. Et toute la nuit.

ALARICA.—Ce bonheur que je donnerai, dis-moi, Toulouse, où le
prendrai-je?

LA GOUVERNANTE.—Tu le prendras dans ton époux.

ALARICA.—Le bonheur que je prendrai dans mon époux sera-t-il celui
que je lui aurai donné. Ne reboirai-je que mon bien?

LA GOUVERNANTE.—Tu me casses la cervelle. Si tu refuses de dormir,
au moins, tais-toi. Pauvre petite poire verte, ne pense plus.
Repose-toi. Ecoute.

ALARICA.—Je n'entends rien.

LA GOUVERNANTE.—Très juste. Même toi, tu n'entends rien. La charrette s'est éloignée. Une nuit nouvelle commence. Reposez-vous,
mon chèvrefeuille. Une nuit nouvelle commence. Tout le monde
est parti.

On frappe violemment à la porte.

ALARICA.—On a frappé à la porte.

LA GOUVERNANTE.—Oui. On a frappé à la porte. Est-ce vous, Monsieur le Maréchal?[20]

---

[20] **Monsieur le Maréchal**   marshal of a royal household

On frappe de nouveau.

LA GOUVERNANTE.—C'est bizarre. Qu'est-ce que ça signifie? C'est peut-être le lieutenant. Qui va là?

ALARICA.—Qu'est-ce que le lieutenant viendrait faire à la porte de notre chambre?

LA GOUVERNANTE.—Les raisons ne manquent pas, qu'ils sont en état de mettre en avant,[21] les lieutenants, pour s'introduire chez les femmes. Le nôtre, il est vrai, ne verdoie[22] plus guère.

On frappe de nouveau.

ALARICA.—J'ai peur.

LA GOUVERNANTE.—N'aie pas peur. Ta peur donne du courage à celui qui te fait peur.

ALARICA.—Si nous appelions? Par la fenêtre?

LA GOUVERNANTE.—Silence! On parle.

VOIX DERRIERE LA PORTE.—Ouvrez!

ALARICA.—On a dit: « Ouvrez! »

LA GOUVERNANTE.—Ouvrez! Quel toupet![23] Qui est là? Qu'est-ce que c'est?

... —C'est le roi.

LA GOUVERNANTE.—Le roi?

... —Je suis le roi. Je suis Parfait, dix-septième du nom, roi d'Occident, de Burgondie[24] et des Vascons.[25] Alarica, je suis votre futur. Je suis le fiancé de la princesse Alarica de Courtelande, que je vais, ce soir même, épouser.

---

[21] **qu'ils sont... en avant**   that they are capable of proposing

[22] *This is a very unusual use of* **verdoyer**   to turn green. *The meaning is that, given the lieutenant's age, it would not seem necessary to fear his advances.*

[23] **Quel toupet!** (*colloquial*)   What nerve!

[24] **Burgondie** *unusual form of* **Bourgogne**   Burgundy

[25] **Vascons** *a people living in the northern part of the Pyrenees, more commonly called* **Gascons** *or* **Basques**

ALARICA.—Ciel!

LA GOUVERNANTE.—Pour le coup... Qui que vous soyez, Monsieur,
vous devez savoir que nous n'atteindrons qu'aujourd'hui, sur les
trois heures après dîner, la frontière de l'Occident et que nous
nous trouvons présentement dans les cantons de l'électeur de
Saxe, à quatre lieues de cette auguste frontière. Comment pour-
rions-nous admettre que, transgressant le protocole, notre royal
fiancé se soit porté à nos devants[26] avec une telle hâte qu'il nous
fût donné de le saluer devant même que d'avoir mis le pied sur
ses états?

... —Ouvrez! Le roi n'attend pas, vous savez.

LA GOUVERNANTE.—Monsieur, si vous êtes bien le roi, nous nous
devons, foutre oui![27] de vous recevoir, bien que votre visite nous
prenne au dépourvu et que nous ne soyons pas habillées. Mais
comment nous prouverez-vous que vous êtes vous, que vous
êtes le roi?

... —La preuve n'éclate que si l'ouverture intervient.

LA GOUVERNANTE.—Nous sommes dans un embarras extrême. Que
le roi daigne nous comprendre, s'il est derrière cette porte.

... —Je ne suis pas derrière, je suis devant.

LA GOUVERNANTE.—Je dois veiller sur la princesse.

... —La princesse ne saurait avoir de meilleur guide et de plus ferme
tuteur que moi pour le bout de chemin qui lui reste à couvrir
avant que soit à ses pieds le royaume des iris. N'est-ce pas,
chère Alarica?

LA GOUVERNANTE.—D'accord, Monsieur. D'accord, si vous êtes le
roi. Mais si vous n'êtes pas le roi et que je fasse tant que vous
ouvrir, comment pourrez-vous jamais me pardonner ma légèreté,
comment, je veux dire, le roi me la pardonnerait-il jamais, fus-
siez-vous pour de bon le roi? Je vais appeler.

... —Je vous l'interdis. Je suis le roi. Si vous me désobéissez, Madame
la Gouvernante, vous aurez la tête tranchée.

[26] **se soit... devants**   has preceded us
[27] **foutre oui** (*colloquial*)   damn well

LA GOUVERNANTE.—Nous sommes à quatre lieues de l'Occident. Avons-nous à reconnaître votre autorité hors des limites de votre domaine? Nous sommes sur les terres de l'électeur de Saxe et cette maison est à lui.

... —Comment! Je suis venu à cheval, seul et ardent, laissant en plan,[28] là-bas, dans Sistrebourg[29] pavoisée, l'archevêque, les orphéons,[30] les cuirassiers. J'arrive à nuit mourante,[31] ardent comme le feu. Je lanterne la garde.[32] Je dérobe les escaliers.[33] Je touche cette porte. Elle est de bois. Telle aura donc été ma récompense? Hé bé! Dois-je repartir, sur-le-champ, exténué, déconfit, avec, dans mon manteau, pour toute provision, la voix d'une rabat-joie? La prudence, ma vieille, n'est pas toujours prudente. Mais vous, Alarica, vous, chair de ma vie, pensée de ma chair, vous que je sais, vous que je sens qui m'écoutez de toutes vos bouches,[34] qui me saisissez de toutes vos boucles,[35] vous dont le cœur bondit d'amour et de douleur, de quel œil oserez-vous me regarder quand, aujourd'hui même, ce soir, non loin du fleuve, devant la cathédrale, nous nous rencontrerons dans la présence de nos ministres et de nos tabellions?[36] Il y aura toujours, entre nous, cette grande saleté de fumier de porte.[37]

Il frappe avec violence.

[28] **laissant en plan**   leaving in the lurch
[29] **Sistrebourg**   *an imaginary city name.   In* Dimanche m'attend *Audiberti tells us that it is a* "**transparent pseudonyme de Strasbourg.**"
[30] **orphéons**   choirs of male voices
[31] **à nuit mourante** (*poetic*)   at dawn
[32] **je lanterne la garde**   *an unusual form of*   **lanterner.** *Perhaps the author means*   The guards were distracted, not doing their duty, and I managed to steal past them.
[33] **je dérobe les escaliers**   *an ingenious twist of the expression* **escalier dérobé** hidden staircase. *The meaning is*   I stole up hidden staircases.
[34] *an unusual substitution of* **bouches** *for* **oreilles**   *that has the advantage of suggesting someone listening avidly, mouth agape*
[35] *The image is a new form of a banal idea, that of the lover ensnared in the locks of the beloved.*
[36] **tabellions** (*archaic*)   scribes. *He is referring to the clerks who are to draw up the marriage contract.*
[37] *a strong, crude expression which contrasts comically with the involved eloquence of his earlier statements*

ALARICA.—Seigneur, je vous ouvre.

LA GOUVERNANTE.—Vous êtes folle! Si c'était un forban![38]

... —Dépêchez-vous. On va finir par me pincer,[39] dans ce sapré[40] corridor.

5   ALARICA.—J'ouvre.

Entre un grand jeune homme rieur (F.).[41]

Veste de cuir. Tricorne. Manteau.

Il se précipite sur Alarica.

F... —Chérie! Amour! Mon amour! Je vous vois. Je vous tiens. Chemin
10   des caravanes! Reposoir[42] des prophètes! Lumière sans égale...
     Ma fleur... (*Vers la Gouvernante.*) Vous, vous avez failli me faire
     monter la moutarde.[43] Mais je ne vous reproche votre zèle que
     pour que vous sachiez combien je l'apprécie. Vous êtes une bonne
     femme. Touchez-moi.[44]

15   *Il lui tend la main.*

LA GOUVERNANTE.—Monsieur...

F... —Appelez-moi Sire. C'est plus simple.

LA GOUVERNANTE.—Je ne suis pas convaincue.

F... —Que vous faut-il encore? Soutiendriez-vous que je ne suis pas
20   moi?

[38] **forban** (*figurative*)   bandit
[39] **on va... pincer** (*colloquial*)   they'll wind up nabbing me
[40] **sapré** *a neologism combining* **sacré** cursed *and* **sapristi,** *a rather common
oath, the equivalent of* damn
[41] *Audiberti, who wrote this play in a trance-like state in a matter of hours,
has said that each time there was a knocking and the door opened he himself did
not know who was going to enter next.*
[42] **Reposoir** (*archaic*)   wayside shelter *or* (*ecclesiastical*)   station of the
cross. *Such extravagant imagery, which often turns into a* **délire** verbal, *is
typical of Audiberti's style.*
[43] **vous avez... moutarde** you almost succeeded in getting my gander up,
derived from the colloquial expression **la moutarde lui monte au nez**
[44] **touchez-moi** shake

LA GOUVERNANTE.—Chacun est moi. Chacun s'appelle moi. Vous êtes moi, bien sûr, comme elle, comme moi. Mais, le roi, c'est une autre affaire, une tout autre affaire. Vous n'êtes pas le roi.

F... —Je vous ferai pendre.

LA GOUVERNANTE.—Pendra bien qui pendra le dernier.[45]

F... —Mais, foutre de Diantre![46] quelle plus belle preuve les rois pourraient-ils donner de leur royauté que la grandeur de leurs victoires? Je traverse la porte. Je tiens ma conquête. Je vous ris au nez.[47] Que vous faut-il encore? Regardez l'air, voyez les yeux de celle-ci. Ne proclament-ils pas qu'elle est toute persuadée... C'est une princesse. Elle s'y connaît mieux que vous. Petite, m'attendiez-vous?

LA GOUVERNANTE.—A la fin, Monsieur, que prétendez-vous?

F... —Quand je pénétrai dans cette chambre, c'était pour y trouver la plus ravissante, la plus royale des créatures, cette princesse dont je veux qu'elle ne règne sur mon peuple qu'après avoir, dans le tête-à-tête et sans le concours des huiles,[48] régné sur mon cœur. Or, depuis que je suis entre ces quatre murs, il n'y en a que pour vous. Qu'exigez-vous que je vous montre? Un passeport? Mon sceptre d'or?

LA GOUVERNANTE.—Vos talons, mon ami. L'heure approche de notre chocolat.

ALARICA, vers la Gouvernante.—N'aie pas d'inquiétude. Je prends tout sur moi.

F... —Votre chocolat ne me fait pas peur. Je les aime, ah! que je les aime, ces équivoques instants où je ne suis qu'un homme dès que je cesse de n'être qu'un roi.

LA GOUVERNANTE.—Je me poste à la fenêtre. Que, de la princesse, vous alarmiez les pudeurs, j'appelle. Je hurle. Vous voilà prévenu.

---

[45] *a play on the common saying* rira bien qui rira le dernier
[46] foutre de Diantre *an ingenious combination of two common oaths* foutre damn *and* diantre *the devil which suggest a third oath* foudre de Dieu
[47] je vous ris au nez *I laugh in your face*
[48] *with which their marriage will be annointed*

F..., *vers Alarica.*—Vous êtes belle. Vous êtes l'émeraude et la source
du monde. Vous êtes la jeunesse, la joie. Vous êtes trop belle. Les
reines ne sont pas si belles. Le soleil virginal de votre bouche
m'éblouit, me donne soif. Mais c'est en lui qu'il faut que je me
5   désaltère. Je brûlerai, je brûlerai de bonheur, et il n'y aura, dans
mon royaume, pas assez de tambours, pas assez de clochers, je
vous le dis, pour qu'en suffisance mon allégresse soit célébrée.
Je commanderai que, dans les rivières, même les goujons se
mettent à chanter.

10   LA GOUVERNANTE.—Les rois ne sont pas si bavards. Je vais appeler.

F... —Si je comprends bien, les rois, selon vous, sont des imbéciles.
Ce qu'il y a, c'est qu'ils n'ont pas la pratique des êtres dans le
plein de la vie. Il n'est, pour nous approcher, que des mannequins.
Je suis, en ce moment, comme si je naissais, tout innocent, tout
15   confiant, mais, attention! avec la tête d'un philosophe, les mains
d'un guerrier, l'âme d'un chanteur. Je nais. Je suis naissant. (*A la
princesse.*) Chérie! Petit bonhomme! Mon chou![49] Quoi qu'il ad-
vienne, l'instant où il me fut donné d'aborder, avec ma pauvre
chair, la grâce en personne et de la contempler de si près que je
20   vais me perdre en elle et peut-être la perdre avec moi, cet inestimable instant s'élève en s'évasant dans l'espace bien au-dessus,
bien au delà du point mathématique où il confond nos souffles.

Il embrasse la princesse. La Gouvernante ouvre la fenêtre.

LA GOUVERNANTE.—Lieutenant! Aux armes! Du monde! Au secours!

25   F..., *à la gouvernante.*—Tu te dépenses. Tu te dépenses trop.

La Gouvernante court de la fenêtre à la porte qu'elle ouvre.

LA GOUVERNANTE.—Arrivez donc! Faites vite! Au nom du ciel, ma
petite rose, écarte-toi de cet homme. Et vous, si vous avez pour
elle le moindre brin de... de... lâchez-la, je vous en supplie. Lâchez
30   la princesse.

Elle s'efforce de désunir le couple.

[49] **mon chou**   *a term of endearment*

F..., *à la princesse.*—Mademoiselle, ne craignez rien. Votre gouvernante est timbrée.[50] Elle voit le mal partout. Le mal est-il sur moi? Suis-je le mal? Suis-je mal?

ALARICA.—Tout mon être va vers vous. Mais ma gouvernante me fut toujours tutélaire et du meilleur conseil.   5

> *Elle le repousse doucement.*
>
> *Entre le Lieutenant. Le Lieutenant appartient à l'armée courtelandaise, dont il porte l'uniforme. Sa présente fonction est d'escorter la princesse entre la Courtelande et l'Occident. Il a près de cinquante ans.*   10

F..., *au Lieutenant.*—Je suis le marquis du Baton de la Dorneraie.[51] Veuillez ne pas m'interroger davantage.

LE LIEUTENANT.—Ignoreriez-vous la qualité de cette personne? Faut-il vous apprendre qu'elle est la fille du prince Célestincic,[52] monarque souverain du grand-duché de Courtelande, et qu'elle se   15 rend en Occident afin d'y contracter mariage avec le roi Parfait, dix-septième du nom? De ville en ville, aussi bien sur les terres de son père qu'à la traversée des royaumes et des républiques de l'Empire, Son Altesse fut l'objet des plus touchantes et illustres prévenances tant de la part des populations que de celle des   20 autorités. Soutiendriez-vous que nulle part, fût-ce de loin, vous n'ayez aperçu le visage de Son Altesse et que vous vous soyez introduit dans cette demeure sans savoir à qui...

F... —Mon ami, taisez-vous. Vous êtes quelque chose comme lieutenant, je présume. Vous avez bon air. Je ne suis pas le marquis   25 du Baton.

LE LIEUTENANT.—Ainsi...

---

[50] **timbrée** (*colloquial*)   crazy
[51] **Dorneraie**   *an imaginary name derived from* **Dornröschen,** *the German name for Sleeping Beauty*
[52] **Célestincic**   *In* Dimanche m'attend *Audiberti tells us how he forged this name:* "... l'attendrissant Célestincic—un nom que je forgeais à partir d'Augustincic, le directeur de la galerie de peinture de la rue de Fleurus, où j'exposais des gouaches."

F... —Attendez! Je suis Parfait, Parfait, dix-septième du nom, roi d'Occident, de Burgondie et des Vascons.[53] Vous avez l'honneur et le privilège de me surprendre en compagnie de ma fiancée. Naturellement, je vous fais capitaine.

5 LE LIEUTENANT.—Cette affaire est embrouillée.

On frappe.

LA GOUVERNANTE.—Tout va être rendu clair. Notre Maréchal de la noblesse, général Silvestrius, qui est, en même temps, ministre de Courtelande pour les affaires étrangères, voyage avec nous. 10 Il eut l'occasion de voir maintes fois le roi d'Occident. (*Elle ouvre.*) Entrez, Monsieur.

Entre le Maréchal de la noblesse. Robe de chambre. Crâne chauve. Il tient sa perruque à la main.

LE MARECHAL.—Que se passe-t-il? Quelle est cette foire?[54] Qu'y a-t-il?

15 LA GOUVERNANTE, *au Maréchal.*—Monsieur le Maréchal, connaissez-vous cet homme?

LE MARECHAL.—Cet homme? Lequel? L'officier qui vous escorte?

LE LIEUTENANT.—Non... Cet homme... Celui-ci...

LE MARECHAL.—Je me souviens qu'en nonante-quatre, nonante-quatre 20 ou nonante-cinq?[55] Je me trouvais voyager dans les Flandres, toute une journée, en chaise publique, dans le vis-à-vis d'une femme du commun,[56] qui m'apparut maigre comme un fifre dans le bref regard que je lui accordai. Ce n'est qu'à deux ou trois portées de mousquet de Louvain, Louvain ou Dinant?[57] que je 25 m'avisai de ses ongles. Leur ordure, une ordure particulière, un peu épinard, me frappa d'une réminiscence précise. Je fixai ma voisine et, soudain, je la reconnus. C'était une certaine Brigitte,

---

[53] *See p. 31, notes 24 and 25.*
[54] **foire**   fair, *but in colloquial usage, as here,* confusion
[55] **nonante-quatre ou nonante-cinq**   ninety-four or ninety-five. **Nonante** *is an archaic form of* **quatre-vingt-dix** *still used in Belgium.*
[56] **du commun**   of common extraction
[57] **Louvain** *and* **Dinant**   *two cities in Belgium*

Brigitte ou Gertrude? une vraie salope,[58] en tout cas, que j'avais
un peu pratiquée dix ou quinze ans auparavant, à Magdebourg,
Magdebourg,[59] je dis bien, alors qu'elle ne pesait pas moins de
cent soixante livres. Comme quoi![60]

LE LIEUTENANT.—Votre Excellence, cet homme est-il le roi d'Occi-   5
dent?

LE MARECHAL.—Plaît-il?[61]

LE LIEUTENANT.—J'ai l'honneur de demander à Votre Excellence si
elle reconnaît, dans cet homme, le roi d'Occident?

LE MARECHAL.—Gertrude, je l'ai retrouvée à ses ongles. Gertrude ou   10
Brigitte? Il y a tant d'hommes, sur la terre, tant d'hommes, tant
de femmes, chacun avec dix doigts, sans compter ceux des pieds,
et la nature, dans sa minutieuse prodigalité, la nature trouve
quand même le moyen d'impartir aux ongles de chacun une silhouette, une physionomie. Mes amis, bonsoir. Je m'en vais   15
m'étendre un quart d'heure encore.

LE LIEUTENANT, à F...—Je vous arrête.

F... —Il n'a pas dit que je n'étais pas le roi. Mais je ne me débattrai
pas davantage contre une conjuration de chambellans et de nour-
rices. C'est quand on l'arrête que l'homme qui a des jambes doit,   20
tout à coup, le démontrer. (A la princesse.) Mon amour, je t'emporte en moi. Garde-moi dans toi.

F... saute par la fenêtre.

LE LIEUTENANT, le pistolet à la main.—Arrêtez! Arrêtez!

Il tire, par la fenêtre.   25

LA GOUVERNANTE.—Malheureux! Vous êtes fou!

---

[58] **salope**   slut
[59] **Magdebourg**   *a city in Germany*
[60] **Comme quoi**   *a common expression, but rarely used at the end of a sen-*
tence. In this inverted position it is the equivalent of the British usage of
"what" at the end of a sentence.
[61] **Plaît-il?**   I beg your pardon?

LE LIEUTENANT.—Je suis responsable de la sécurité de la princesse.

LA GOUVERNANTE.—Mon Dieu! Quelle misère! Allons voir ce qu'il a.

Le Lieutenant et la Gouvernante sortent.

LE MARECHAL.—Avec cette croisée béante on va geler.

5   ALARICA.—La balle a-t-elle porté?

LE MARECHAL.—Ça m'en a tout l'air. Le garçon est couché dans la neige. On le ramasse.

Il ferme la fenêtre.

ALARICA.—Que va-t-on faire de lui?

10   LE MARECHAL.—La prison l'attend. Elles sont faites pour contenir les ailes trop longues.

ALARICA.—Je lui porterai des sucreries, de l'eau-de-vie.

LE MARECHAL.—Si vous m'en croyez, mon enfant, vous n'en ferez rien. L'univers, songez-y, vous épie. Les scandales se nourrissent de
15   pralines.[62]

ALARICA.—Monsieur le Maréchal...

LE MARECHAL.—Quoi?

ALARICA.—Rien.

LE MARECHAL.—Allons... Allons... (*Il va vers la fenêtre, revient.*) Le
20   bougre[63] n'est pas du tout maladroit. Il s'y est pris[64] avec brio, eh! eh! du nerf, du... chrrrt! Il a su toucher le cœur d'une reine. Même si ça lui coûte un membre,[65] il gagne encore.

ALARICA.—Le cœur d'une reine?

LE MARECHAL.—Ah! ça!... Le vôtre.

---

[62] *That is to say, perfectly innocent actions, like bringing sweets to a prisoner, are the food of scandal.*
[63] **bougre** (*colloquial*)   fellow
[64] **il s'y est pris**   he went at it
[65] **Même si... membre**   even if he has to have an amputation (*because of his wound*)

ALARICA.—Le cœur d'une reine... Mon cœur... Les anémones, les
églantines, les marguerites, les fleurs, toutes les fleurs sont mélan-
gées, dans un panier, comme de la terre. Dans ces fleurs, dans
cette terre, des galeries sont creusées. Les galeries des hommes
coupent celles des femmes. Pour chaque galerie, il n'est qu'un 5
croisement. L'homme et la femme ne se rencontrent qu'une fois.

LE MARECHAL.—Il est six heures moins cinq.[66] Nous partirons sur les
dix heures. Je ne serai tranquille, je l'avoue, que quand je verrai
les iris bleus sur les blancs drapeaux d'Occident et les verrues du
cardinal de la Rosette. Tranquille est une façon de parler. Le car- 10
dinal, premier ministre d'Occident, que j'ose à lui me présenter
comme premier ministre aussi, quand je compare à la grandeur
effective de sa charge la petitesse de la mienne, je me fais l'effet
du rat se disposant à donner du compère au bœuf.[67]

Le Lieutenant et la Gouvernante apportent F... inerte. 15

LE MARECHAL.—Vous êtes folle, Madame! Vous êtes folle! Vous ne
songez tout de même pas à mettre ce particulier dans la chambre
de la princesse!

LA GOUVERNANTE.—C'est la meilleure de la maison. Nous sommes sur
le point de partir. Et, dans l'état que le voici, le pauvre enfant, 20
que pourrait-on craindre de lui?

LE MARECHAL.—A-t-il passé?[68]

LA GOUVERNANTE.—Tenez-le ferme, lieutenant! Quelle misère!

LE LIEUTENANT.—La balle s'est écrasée sur la queue de sa perruque.
Si les balles étaient pointues, de tels accidents n'arriveraient 25
pas. Les balles entreraient tout droit.

LA GOUVERNANTE.—Sale charcutier! Tirez-lui ses bottes... Doucement... Doucement... Maréchal, voulez-vous, je vous prie, tendre
le paravent, que nous accommodions le malade.

---

[66] *There is a total lack of communication between the marshal and the
princess, as earlier there was none between him and the lieutenant.*
[67] **je me fais... bœuf** I look like the rat which pretends to be the equal of
the ox. *This is an unusual use of* **donner du** *to call someone.*
[68] **passé** passed away

LE MARECHAL.—A quoi sert d'avoir tout appris, tout, de savoir quatre
   ou cinq langues, d'être le premier ministre d'un royaume où
   il y a, j'en conviens, plus de bouleaux et de marécages que de
   lampadaires et de monuments, et me voilà qui pousse le para-
5 vent et qui, bientôt, tiens le pot d'un godelureau...[69] Si le cardinal de la Rosette me voyait! Vous savez qu'ils ont adopté la
   baïonnette triangulaire, en Occident. Quels cerveaux!

ALARICA.—Il est jeune. Il ne songeait qu'à vivre.

LA GOUVERNANTE.—La cuvette! Passez-moi la cuvette!

10 LE MARECHAL.—Il y songeait peut-être trop. Pour moi, quand je suis
   là, portant cette cuvette, comme si je fusse l'ordonnance de ce
   fricoteur,[70] c'est, sans doute, afin que je me rende bien compte
   que nous, les grands personnages, nous avons du mal à nous
   garder hors de la rubrique commune[71] et que la main la plus
15 illustre s'adapte comme la plus rustique à la solidité des objets.

LE LIEUTENANT.—La balle est tombée, par derrière, dans le bâillant
   de la jaquette. Je l'ai!

LA GOUVERNANTE.—Ne criez pas comme ça! Vous allez l'exténuer.

LE LIEUTENANT.—Elle pourra, de nouveau, servir.

20 LA GOUVERNANTE.—Ses paupières... Ses paupières remuent...

LE LIEUTENANT.—Il ne fut sans doute qu'assommé. Il ne tardera pas
   à reprendre ses sens. Le bougre en est grandement pourvu.

LE MARECHAL.—En somme, il ne passe pas. C'est ennuyeux. Un
   homme mort n'est plus un homme. Mais un homme vif, dont
25 les paupières remuent, dans la chambre de la princesse, le jour
   qu'elle se marie...

F... —J'ai sommeil. Quelqu'un m'a donné du gourdin sur la nuque.
   J'ai vu mille soleils. J'ai sommeil. Sommeil, sommeil.

LE MARECHAL.—Qu'est-ce qu'il raconte?

---

[69] **godelureau** (*colloquial*)   young buck
[70] **fricoteur** (*military slang*)   goldbricker
[71] **rubrique commune**   common herd

F... —Ah! C'était beau. Des violons volaient à l'entour des soleils. Les soleils ruisselaient, comme du sable, dans une grande... dans une... Des chemins se croisaient dans ce sable, dans ces soleils... Il y avait, dans chaque chemin, une dame, ou un cavalier. Je veux dormir.

LA GOUVERNANTE.—Il s'endort paisiblement, le sourire sur la lèvre.

ALARICA.—S'il est hors de danger, rien ne saurait justifier qu'il reste dans ma chambre.

LA GOUVERNANTE.—Alarica!

ALARICA.—On l'aurait tué, peut-être me serais-je tuée. Mais les lois de la vie ne sont pas les lois de la mort. S'il vit, qu'il parte. Monsieur le Maréchal!

LA GOUVERNANTE.—Alarica... Qu'est-ce qui te prend?

ALARICA.—Monsieur le Maréchal, vous vous taisez?

LE MARECHAL.—Je ne me tais pas. Je me consulte.

ALARICA.—Je suis princesse héritière de Courtelande, deux cent mille habitants, et, dès ce soir, je serai reine d'Occident, dix fois plus...

LE MARECHAL.—Sans compter les rouges, les noirs...

ALARICA.—...et je n'ai pas le pouvoir, je n'ai même pas le pouvoir de faire mettre hors de ma chambre quelqu'un qu'il me déplaît d'y voir.

LA GOUVERNANTE.—Chut... Il dort... Un ange.

LE MARECHAL.—Nous répandrions l'événement, nous aurions sur le dos[72] le bourgmestre, le tribunal, l'électeur. Est-ce bien le moment de risquer de faire tourner la mayonnaise?[73] (*Vers le Lieutenant.*) Au point où nous en sommes, si ce mariage nous pétait dans la main, nous serions des enfants, mon cher, des enfants. Allez faire préparer la voiture. (*Le Lieutenant sort.*) Le cœur me pince et le ventre me glace à la pensée de Monseigneur de la Rosette. Les princes se marient entre eux, d'un

---

[72] **nous aurions sur le dos**   we'd be saddled with
[73] **faire tourner la mayonnaise**   to spoil everything

sexe à l'autre. Moi aussi, je vais me marier. Mais ce qui m'attend,
franchi le fleuve, c'est les verrues du cardinal, et je me sens tout
aguiché, tout ému...

Il sort.

5 LA GOUVERNANTE, *à la princesse.*—Mettons-nous dans le lit quelques
instants encore avant que nous nous apprêtions. Alarica, tout à
l'heure, tu m'as surprise, tu sais. Méchante jamais tu ne fus. Tu
l'aurais renvoyé, dans la neige, ce pauvre garçon, avec son cou
presque rompu, ses jambes toutes tremblantes? Est-ce sa faute,
10 si les balles ne sont pas pointues?

ALARICA.—Méchante je ne suis pas, mais l'injustice m'indispose. Un
homme doit agir et conquérir debout. Je redoute une perfidie
chez celui qui procède les pieds au niveau de la tête.

LA GOUVERNANTE.—Telle est, pourtant, la posture que dicte la plus
15 grande joie de l'amour.

ALARICA.—Et cet homme, s'il n'est pas le roi, s'il a pris, dans mon
cœur, un instant et peut-être à jamais, la place du roi, il a volé
le roi, et tu sais que je veux, que j'aurais voulu être l'épouse la
plus limpide, la plus droite.

20 LA GOUVERNANTE.—Ton mariage n'est pas encore consommé. Ne te
mets pas martel en tête.[74] Maintenant, récapitulons. A la
frontière occidentaise tu prends livraison de tes dames d'honneur, Lucie de Boissangel, Hermine de Pompelane, Françoise
de Chazouran, Roberte d'Iffimeur. Après, le marquis de Bris-
25 sac,[75] avec ses cuirassiers, t'escorte jusqu'à Sistrebourg, où tu te
trouveras en présence du roi d'Occident. Ma petite chérie...
La rencontre aura lieu en l'hôtel du gouvernement militaire.
« Madame, te dira le roi, béni soit le jour où, à la plus belle
comme à la plus digne des princesses, le glorieux bonheur m'est
30 consenti d'offrir le tribut de mon regard, avant que je lui
accorde l'appui de mon bras et qu'avec elle je partage la
grandeur de ma situation et les tendresses de la famille. »
A toi.[76] C'est à toi. Réponds.

[74] **ne te... tête**　don't worry
[75] *These many imaginary names indicate Audiberti's inventiveness.*
[76] **à toi**　your turn

ALARICA.—« Sire, nulle faveur ne pouvait m'être plus précieuse... »
Foin![77] Foin! Tu me l'as fait répéter dix mille fois. Ça com-
mence à me sortir par les yeux. Réciter, d'abord, c'est mentir.
Mentir m'irrite très fort.

LA GOUVERNANTE.—Surtout, mon lapin bleu, ne roule pas les r.[78] Ils 5
te jugeront sur ton accent.

ALARICA.—Je les jugerai sur le leur.

LA GOUVERNANTE.—Les ministres respectifs de l'un et l'autre
royaume parapheront le contrat. Le mariage aura lieu à minuit,
dans la cathédrale, Et, dès le lendemain, c'est-à-dire demain, tu
pars pour Montrouge, ta capitale d'Occident. Là, toute une 10
semaine, les fêtes se dérouleront, toute une semaine, toute la
vie. A ton père, qui nous suit à une journée et qui te rejoindra
là-bas, tu apparaîtras dans toute la gloire de ta féminité com-
plète et de ta fraîche royauté.

ALARICA.—Mon père... Je redoute, pour lui, toutes ces ornières, toute 15
cette neige. J'espère qu'il viendra sans sa béquille.

LA GOUVERNANTE.—Il en a besoin.

ALARICA.—Je n'en suis pas sûre. Une canne lui suffirait. Entre mon
père et moi rien jamais ne fut d'un peu malaisé, d'un peu tordu,
que cette béquille.[79] Je voudrais qu'il s'en passe. Il pourrait s'en 20
passer.

LA GOUVERNANTE.—Sur elle il s'appuie.

ALARICA.—Il appuie sur elle. Franche elle n'est pas.

LA GOUVERNANTE.—Ton père, en sa jeunesse, c'était un gaillard.[80]
S'il avait une béquille, elle était de feu. Il est devenu sage. 25

ALARICA.—Devient-on sage de ce que l'on devient vieux, ou vieillit-on
à force de sagesse? Est-ce qu'on meurt de ce qu'on n'a plus
rien à faire, ou n'a-t-on plus rien à faire par cela même qu'on
est mort? 30

---

[77] **Foin!** Enough!
[78] *a common error of Eastern Europeans in pronouncing French*
[79] *This crutch symbolizes her father's impotence. Alarica despises anyone*
who is not self-sufficient.
[80] **gaillard** a strapping young man

LA GOUVERNANTE.—Il me semble que l'on meurt à l'instant que l'on
n'a plus rien à faire. Que l'on meure prouve, en effet, que l'on
n'avait plus rien à faire.

ALARICA.—Puisqu'il n'est pas le roi, celui qui m'embrassa, pourquoi
n'est-il pas mort? Je l'aime, sans doute, à jamais. Mais je ne le
verrai plus. Je serai une épouse droite, une reine limpide. Pourquoi, pourquoi n'est-il pas mort celui qui m'embrassa, qui troua
notre porte?

LA GOUVERNANTE.—Pendant huit ans, ni de jour ni de nuit, je ne t'ai
quittée. Prétendrai-je que je te connais? Une petite, petite fille,
mais, qu'on la gratte, sous les joujoux, sous les caprices, que
trouve-t-on? Le diamant. Ton cœur est dur.

ALARICA.—Dur? Non. Pur. Je veux qu'il soit pur.

LA GOUVERNANTE.—Repose-toi, cerise. Ta robe, aujourd'hui, va peser
le diable.[81]

Silence.

ALARICA.—Je réfléchis. D'abord, cet homme, tu le chasses. Ensuite,
tu le dorlotes. Ton fils, il serait ton fils, tu ne te remuerais pas
plus.

LA GOUVERNANTE.—Mon fils? Il l'est.

ALARICA.—Comment?

LA GOUVERNANTE.—Les hommes sont les fils des femmes.

ALARICA.—Des jeunes filles, alors, les jeunes hommes sont les amants,
même à distance et sans qu'on vous ait présentée?

LA GOUVERNANTE.—Je crains qu'il en soit ainsi. Mais on est davantage la mère d'un homme entre tous, et de plus près la maîtresse
de celui qui vous ferme dans ses bras.

ALARICA.—Dans ses bras me fermera-t-il?

LA GOUVERNANTE.—Qui?

---

[81] **va peser le diable**   will be devilishly heavy

ALARICA.—Le roi, mon époux.

LA GOUVERNANTE.—Le principal est qu'il en ait. Repose-toi. Nous n'avons plus que quelques minutes.

On frappe à la porte.

LA GOUVERNANTE.—Qui est là?

UNE VOIX, DERRIERE LA PORTE.—C'est le roi.

Fin de l'acte premier.

ACTE DEUXIEME

*Même lieu. Mêmes personnages. L'acte s'enchaîne avec
l'acte précédent. On continue à frapper à la porte de la
chambre de la princesse.*

LA GOUVERNANTE.—Quoi? Qu'est-ce que c'est?

5 ... —Le roi, vous ai-je dit. C'est le roi qui est à votre porte.

LA GOUVERNANTE.—Quel roi?

... —Le roi Parfait, dix-septième du nom. Le cardinal de la Rosette,
mon ministre, est avec moi.

LA GOUVERNANTE.—Ça, c'est le bouquet.[1]

10 ... —Je suis Parfait, roi d'Occident.

LA GOUVERNANTE.—La princesse n'est point levée encore.

... —Je laisse la parole au cardinal.

UNE AUTRE VOIX.—Nous avons fait force de brides,[2] précisément,
pour surprendre la princesse avant l'heure du lever. Mais que
15 la princesse daigne se hâter de nous permettre de pénétrer.

ALARICA.—La porte n'est pas close.

LA GOUVERNANTE.—Tu perds l'esprit. Attends au moins que je me
mette debout. Cette fois, sans erreur, c'est le roi. Tu t'en
souviens, de ton texte?

20 *Entrent le roi Parfait et le cardinal de la Rosette.*

*Le roi d'Occident est en vert, avec des bottes. Petite per-
ruque. Tendance à l'embonpoint. Le cardinal est en habit
de voyage. Il porte un manteau sur le bras.*

Tous deux s'inclinent.

---

[1] **ça, c'est le bouquet** (*colloquial*)   that tops everything
[2] **nous avons fait force de brides**   we galloped hard

PARFAIT.—Oh! Qu'elle est jolie!

LE CARDINAL.—Et si jeune! Une enfant!

PARFAIT.—Mademoiselle, veuillez ne voir, dans le soin que je pris
d'abréger votre voyage, que mon empressement à rendre, pour
moi, plus prochain l'instant de contempler ma charmante, ma   5
jolie cousine.

ALARICA.—Je suis sensible à votre hâte, mon cousin. Elle m'agrée
beaucoup, beaucoup. Madame Toulouse est ma gouvernante.
Elle est d'Occident. C'est elle qui me paracheva dans votre
langue et dans vos manières.   10

LE CARDINAL.—Vous avez su, Madame, sauvegarder cette merveille
et rien, quand on y pense, rien ne serait plus déplaisant que la
traverse où vous seriez de lui interrompre vos soins alors qu'on
peut se demander si vraiment elle a dépassé l'âge de les recevoir.

ALARICA.—Oh! Mais je n'ai pas l'intention de me séparer de Tou-   15
louse. Il ne manquerait plus que ça!

LA GOUVERNANTE.—Votre Altesse, si l'intérêt de votre fortune l'exige,
moi, je suis prête, sans amertume ni rancœur, à me retirer à
jamais de la présence de Votre Altesse.

LE CARDINAL.—Pas si vite, ma mie.[3] Pas si vite. Le feu n'est pas au   20
moulin.[4]

LA GOUVERNANTE.—Ne serait-il point décent que Sa Majesté nous
accordât le loisir de nous vêtir?

LE CARDINAL.—Recouchez-vous, Madame, recouchez-vous. Les
matins sont froids.   25

LA GOUVERNANTE.—Là-bas, en Courtelande, ils sont encore plus
froids.

LE CARDINAL, au roi.—Une âpre contrée, Monseigneur. C'est bien ce
que je pensais. Hormis la pluie, ils n'ont rien.[5]

ALARICA.—Nous avons du bois.

---

[3] ma mie   archaic form of mon amie
[4] le feu n'est pas au moulin   there's no rush
[5] The Cardinal's supercilious tone seems designed to irritate Alarica.

LE CARDINAL.—Le bois, dans les pays civilisés, sert à faire des meubles, mais où les mettre, les meubles, quand on n'a pas de maisons et vous ne devez pas en avoir beaucoup, de maisons, dans votre campagne sauvage! Le bois sert aussi à faire des navires, mais ils marcheraient comment, sans un peu de mer?

ALARICA.—Nous avons des fleuves.

LE CARDINAL.—Vous plaisantez.

LA GOUVERNANTE.—Il ne m'en coûte pas peu d'intervenir bien au delà des droits de ma condition, mais j'ai trop longtemps servi la famille de Son Altesse et Son Altesse elle-même, et j'ai trop vécu en Courtelande, depuis que la Courtelande, cessant d'être une république palatine,[6] devint une monarchie à l'ombre du trône du roi Célestincic...

LE CARDINAL.—Assez! Assez! Pour qu'il y ait de l'ombre, d'abord, il faut qu'il y ait du soleil.

ALARICA.—Mais nous en avons! L'été, j'ai les bras tout noirs. Et nous avons aussi un théâtre, avec un péristyle grec,[7] une route postale et une école primaire de cavalerie.

LE CARDINAL.—C'est une enfant! Vous oubliez à qui vous parlez. Le roi d'Occident possède quatorze palais principaux, totalisant trois cent quarante-quatre mille lieues de couloirs et de vestibules. Notre flotte comporte cinquante-trois vaisseaux de ligne...

ALARICA.—Je n'oublie pas à qui je parle. Je sais que je parle à mon fiancé.

LE CARDINAL.—Fiancé! Fiancé! Méfions-nous des mots qui disent d'avance, pour ainsi dire, ce qu'ils veulent dire, et qui le tuent dans l'œuf, des mots qui sont une musique, une propagande, une fumée. Ah la la! Qui s'obstine à ne chercher, ici-bas, que le bonheur, celui-là s'expose à rencontrer, sur sa route, d'abord l'ennui et, plus tard, le remords. Femme de roi, croyez-moi, c'est un état pour lequel il convient d'avoir de fortes épaules.

---

[6] **palatine** palatinate, *formerly a vassal country completely dependent on a foreign royal power*
[7] **avec un péristyle grec** with a gallery of Grecian pillars, *considered a sign of elegance*

ALARICA.—Je suis fille de roi, Monseigneur. Je ne pense pas qu'il vous appartienne[8] de m'instruire dans une matière qui m'est plus familière qu'à vous.

LE CARDINAL.—La Courtelande n'est royale que depuis que les grandes puissances en ont ainsi décidé, il y a huit ans, deux fois quatre huit.

PARFAIT.—Monseigneur de la Rosette!

LE CARDINAL, *imitant le roi.*—Monseigneur de la Rosette! Monseigneur de la Rosette! Elle[9] me fait bouillir.

PARFAIT, *à la princesse.*—Qu'avez-vous? Vous pleurez?

ALARICA.—Je n'ai rien. Laissez-moi.

LE CARDINAL, *au roi.*—Surtout, n'allez pas vous laisser ramollir. Les larmes de la femme moisissent le cœur de l'homme.

PARFAIT.—Mignonne... Mignonne... Ne vous désolez pas. Que puis-je faire pour vous plaire? Demandez-moi ce que vous voudrez.

LE CARDINAL.—Vous entendez? Le roi—plaignez-vous!—le roi vous accorde tout, tout—hormis ce qui ne lui appartient pas, ce qui ne lui appartient pas au point qu'il pût en disposer comme un bourgeois de son bien.

PARFAIT.—Cousine, vous êtes plus jolie, vous êtes bien plus jolie que je l'espérais, que je le redoutais. Je vous aurai au moins dit cela.

ALARICA.—Sire...

LE CARDINAL.—Le roi n'a pas tout dit.

PARFAIT.—Monseigneur, je préférerais que ce fût vous.

LE CARDINAL.—Ce n'est pas moi qui me marie.

PARFAIT.—Ce n'est pas moi non plus.

LE CARDINAL.—Vos atermoiements empirent la blessure qu'il vous faut faire. Allez-y. N'ayez pas peur.

---

[8] **qu'il vous appartienne**   that it is fitting for you
[9] **elle**   *refers to Alarica whose answer surpassed that of the Cardinal in elegant impudence*

PARFAIT.—Mademoiselle, si les rois avaient un cœur pour de bon, le mien serait, en ce moment, du raisin écrasé dans le fond d'un panier. Voilà ce que serait mon cœur, si les rois avaient un cœur. Mais il paraît qu'ils n'en ont pas, vu que céans[10] je me dispose à vous faire bien du chagrin.

LE CARDINAL.—Forcez! Forcez!

ALARICA.—N'allez pas plus avant. J'avais compris dès que j'ai vu cet homme.

LE CARDINAL.—Permettez. Je suis cardinal...

ALARICA.—Je ne les verrai pas, les iris d'Occident. Je ne recevrai pas la couronne. Je ne connaîtrai jamais les visages de mesdames de Boissangel, de Pompelane, de Chazouran, d'Iffimeur. Légère comme une déesse, portée par mon mari et suivie par ma robe, je n'entrerai pas, je n'entrerai pas dans la cathédrale. Je ne les dénombrerai pas, les cuirassiers, les navires, les vestibules. De loin, de bien loin, on l'a fait venir, la pauvre bête, au juste endroit où l'attendait le piquant de la dague.

Le roi s'agenouille, en sanglotant, au pied du lit.

PARFAIT.—Je ne puis rien contre la convenance administrative. Elle dispose de ma personne, de ma viande.

LE CARDINAL.—Entrez dans le détail. N'hésitez pas.

PARFAIT.—L'Espagne me menace sur mes frontières du Sud. Ses felouques canonnières[11] ont bombardé mes cultivateurs de maïs. Le Danemark, lui, me taquine par le haut. Les régiments danois à toque rouge défilent, pour me narguer, toute la semaine...

LE CARDINAL.—Y compris le lundi.[12]

PARFAIT.—...à courte portée de mousquet de mes forteresses du Nord.

LE CARDINAL.—L'Espagne met une égale et constante promptitude à nous proposer la guerre et à nous tendre l'amour. Ses îles afri-

---

[10] **céans**   here and now
[11] **felouques canonnières**   *small, light warships of the Mediterranean*
[12] *In France nearly everything closes on Mondays.*

caines, chargées d'artillerie, nous barrent la route de l'or, et,
sans or, ma chère, comment se battrait-on? Comment vivrait-on?
Or, le roi d'Espagne a une sœur.

ALARICA.—Mercédès.

LE CARDINAL.—Ah! Vous savez (*Au roi.*) Elle est au courant. (*A la*   5
princesse.) Mes compliments! Mercédès est encore fille.[13] Tant
que nous fûmes à couteau tiré[14] avec l'Espagne, il eût été délicat
d'envisager des épousailles qui, pourtant, eussent confirmé une
tradition séculaire. Par ses ancêtres, en effet, le roi d'Occident
contient trois bonnes pintes de sang castillan. Le roi devenant,   10
petit à petit, tout à fait d'âge à se marier, il fut décidé qu'il se
jetterait à l'eau,[15] et c'est pourquoi, ma belle,[16] nous eûmes
l'honneur de demander votre main à monsieur votre père. La
politique comporte plus d'un étage et chaque étage un certain
nombre d'appartements. Vous êtes assez grande pour me suivre.   15
A vrai dire, le mariage espagnol n'avait pas cessé de me trottiner.[17]
Il semblait, cependant, que je dusse en faire mon deuil,[18] non
pas tant à cause de la guerre avec ces délicieux[19] Espagnols—
cette guerre, à force de se perpétuer, tourne à l'académie, à la
constellation[20]—qu'en raison de nos difficultés avec le souverain   20
de Danemark, lequel, comme vous devez également le savoir,
est, par les femmes, le propre grand-père du roi d'Espagne, et,
par conséquent, de Mercédès. Le Danois nous en voulait beaucoup de notre attitude dans l'affaire des peaux de morue, et
Mercédès n'eût jamais rien fait qui pût chagriner le bonhomme.   25
Ils se tiennent,[21] dans cette famille, c'est effrayant! Tout compte
fait,[22] la peau de morue peut être remplacée, avec avantage,
par de la toile gommée.[23] Nous laissons au Danemark les mains

[13] **fille**   unmarried
[14] **à couteau tiré**   at sword's point
[15] **il se jetterait à l'eau**   he would plunge in
[16] **ma belle**   *a very familiar form of address*
[17] **n'avait pas cessé de me trottiner**   was still dancing about in my head
[18] **en faire mon deuil**   to give it up
[19] **délicieux**   charming
[20] **cette guerre... constellation**   *that is to say, the war is becoming some-*
thing as traditional as an academy, as permanent as the stars
[21] **ils se tiennent**   they stick together
[22] **tout compte fait**   all told
[23] **toile gommée**   sparadrap, *a gum cloth used for bandages*

libres pour la morue et nous mettons l'Espagne dans nos draps.[24]
Vous me suivez toujours? Mais qu'y a-t-il?

Alarica demeure silencieuse.

Petit à petit elle se met à chanter.[25]

5
     Sti via préchouiss ta ngarok
     Dra nagocène polista
     Dak amour sbinviaïe miarok
     Fala roui mi sta.

     E di ga liala mano
10
     Prodjionnié biélou sgondjiane
     Padmiliaguinn stroudtsnano
     Madavlia gorapandjiane.[26]

LA GOUVERNANTE.—Ma douce... Ma colombe... Noisette d'or, tu me
fais peur.

15 LE CARDINAL.—Que nous chante-t-elle là?

LA GOUVERNANTE.—Une chanson qu'en Courtelande ils avaient faite
pour ses épousailles.

LE CARDINAL.—Que dit cette chanson?

LA GOUVERNANTE.—La chanson dit que la saison du blé, *préchouiss,*
20
vient après la saison du froid, *ngarok* et que l'amour, *amour,*
fleurit au cœur de la fille du roi. Une grande marguerite pousse
sur la terre grise. Tous, les pauvres, les malheureux, tous ont le

[24] **nous mettons... draps** we shall marry Spain. *There are historic references
here, but Audiberti has actually reversed the situation that existed when, on
the insistance of the Duc de Bourbon, Louis XV broke his engagement to the
Infanta of Spain and was forced into a marriage of political expediency with
Marie Leczinska, daughter of King Stanislas of Poland. Audiberti might also
have been thinking of Marie Mancini whose marriage with Louis XIV was
prevented by Cardinal Mazarin. It is perfectly possible that the latter served as
a model for King Parfait's Cardinal.*
[25] *It is not surprising that Alarica breaks into song. It is customary among
Eastern Europeans to express their joys or sorrows by singing.*
[26] *Modern dramatists, like the surrealists, are admirers of Lewis Carrol and
especially of his Jabberwocky. They have a penchant for creating imaginary
languages. Another good example of this is to be found in René de Obaldia's*
Génousie.

droit de se nourrir dans le cœur de la marguerite. Le cœur de cette fleur est le pain du bonheur. La chanson dit encore...

LE CARDINAL.—Le droit des gens et la musique ne sont pas plus faits pour aller ensemble que le sang et la pisse.[27] (*Méprisant.*) Stroudtsnano!

> *La princesse, d'une voix de plus en plus basse, continue à fredonner.*

PARFAIT.—Continuez... Continuez à me massacrer de douleur. Encore un peu de cette déchirante musique et je me fais sauter la cervelle jusque sur votre couverture. (*La princesse se tait.*) Je ne veux pas que vous souffriez. Ne souffrez point. Il ne serait pas trop de mon sang pour noyer vos larmes.

LE CARDINAL.—Mademoiselle, nous ne sommes pas des brutes. Vous allez voir. (*Il frappe sur sa serviette.*) Nous vous avons apporté la donation sans frais ni taxe de deux châteaux en Occident, l'un, non loin de la mer océanique, l'autre dans la province où viennent les primeurs.[28] De plus, nous vous remettons, pour votre père...

> *Le Maréchal, en habit de fête, frappe à la porte et entre aussitôt.*

LE MARECHAL.—Maintenant, Mesdames, le moment est là. Il faut vous apprêter. Je ne serai tranquille, décidément, que lorsque j'aurai vu les iris d'Occident et les verrues du cardinal.

LE CARDINAL.—Regardez-les, mon camarade! Quand vous en aurez vu d'aussi belles![29]

> *Le Maréchal demeure stupide.[30]*
>
> *Il s'agenouille devant le roi.*

---

[27] **pisse**   urine. *The Cardinal's style is a combination of extreme refinement and crudity.*
[28] **primeurs**   early vegetables
[29] **quand vous... belles**   let me know if you ever find finer ones
[30] **stupide**   stunned with surprise

LE MARECHAL.—De votre personne, Sire, je suis l'indigne serviteur.[31]
Mon heureuse, ma divine surprise à voir Votre Majesté réduire
les attentes du protocole ne pouvait être distancée que par celle
que Votre Majesté m'aurait causée en démentant le pli de sa
lignée,[32] qui est de tempérer la puissance par la bonté, qui est
aussi de savoir, et de manifester, que l'esprit domine tout au
point qu'il n'a rien à craindre du cœur, si le cœur, parfois, passe
devant lui.

LE CARDINAL.—Je disais, Monsieur le Maréchal de la noblesse, que
nous allions vous remettre, pour le souverain de Courtelande,
primo, une lettre, et, secundo,[33] une lettre de change,[34] qu'est-ce
que vous en dites? sur les frères Ziegler, de Dresde. La lettre
de change est de quarante-quatre écus[35] d'Occident, c'est-à-dire,
à marché ouvert, trois cent mille florins[36] de Courtelande, qui
vous permettront, braves gens! d'ajouter une colonne aux quatre
du péristyle du théâtre en votre métropole de paille et de pluie.

LE MARECHAL.—C'est un régal?

LE CARDINAL.—C'est un congé.

LE MARECHAL.—Oh! Oh! Si les nations avaient une figure, je dirais
que la Courtelande vient de recevoir un camouflet. Monsieur le
ministre, m'expliquerez-vous?

LE CARDINAL.—Nous épousons l'Espagne et la féconderons.

LE MARECHAL.—Mais cette petite?

LE CARDINAL.—Cette petite épousera qui elle voudra. Les hommes
ne manquent pas, dans la chrétienté.

LE MARECHAL.—La décision du cabinet d'Occident nous crée un
trouble profond et nous porte un grand préjudice.

LE CARDINAL.—Bourgeois et bourgeoises, vilains et vilaines[37] se flai-

---

[31] *This very formal greeting contrasts with the Cardinal's very familiar tone*
[32] **en démentant... lignée**   in going against the grain of his lineage
[33] **primo... secundo**   first of all... second of all
[34] **lettre de change**   bill of exchange
[35] **écus**   *former French coins*
[36] **florins**   *former Dutch coins*
[37] **vilains et vilaines**   common people

rent, se choisissent à loisir. Il en va tout autrement pour les têtes couronnées. L'opportunité gouvernementale appareille le masculin au féminin sans se soucier des sentiments individuels. Votre princesse a de la chance. Répudiée avant le sacrement,[38] mais émoustillée par l'odeur du cierge, elle redevient vacante, alerte, futée.

PARFAIT.—Je tremble de honte et de peine. Il est temps que nous nous retirions.

LE MARECHAL.—La Courtelande n'est qu'une patrie étroite, c'est entendu, mais la puissance est une bête nomade. Il advient qu'elle se dégoûte d'une place pour s'établir dans une autre. Etes-vous bien sûr, Monsieur le ministre, que vous n'aurez jamais à compter avec un peuple que présentement vous mortifiez d'autant mieux que vous l'aviez traité avec des égards inattendus?

LE CARDINAL.—Le plus clair de l'histoire, c'est que mes navires, pour la plupart, sont au radoub.[39] La paix avec l'Espagne, je regrette d'avoir à la payer de la déconvenue d'un tendron.[40] Je regrette, mais je persiste.

LE MARECHAL.—Mais elle, la pauvrette! Elle existe. Elle a une âme. Elle a un corps. Elle n'est pas qu'un nom dans un contrat glacé.

LE CARDINAL.—Vous avez dit qu'elle a un corps. C'est bien ce que vous avez dit?

LE MARECHAL.—Certes...

LE CARDINAL.—Tant pis pour vous. Tant pis pour elle. Sur le corps de la jeune personne, puisqu'on est allé jusqu'à le mettre, tout chaud, dans le débat, j'ai, là, quelque chose... (Il frappe sur sa serviette.) Il s'agit de la déposition d'une converse[41] du couvent de Sainte-Flamande, à Stettin,[42] où la princesse Alarica, dans son enfance, passa quelques années. D'après cette déposition, reçue par notre consul, la princesse aurait...

---

[38] **sacrement**   wedding
[39] **au radoub**   in dry dock
[40] **tendron** (*colloquial*) young lass
[41] **converse**   lay sister
[42] **Stettin**   *a city in Poland*

LA GOUVERNANTE.—Mon Dieu! Qu'est-ce qu'on va nous sortir...

LE MARECHAL.—Je m'élève contre ces procédés.

PARFAIT, *au cardinal.*—Croyez-vous qu'il soit utile, vraiment...

LE CARDINAL.—La princesse aurait les doigts de pied qui se tiennent.[43] Et ce n'est pas tout... Ce n'est pas tout...

Il se penche à l'oreille du Maréchal.

LE MARECHAL.—Quoi? Votre Excellence a-t-elle vérifié?

LA GOUVERNANTE.—Je connais la princesse. Elle est saine comme
l'œil.[44] Elle est aussi claire que Dieu.

PARFAIT.—Monseigneur, je vous convie à répéter la voix haute ce
que vous venez de filtrer.[45]

LE CARDINAL.—Pour diverses raisons vous ne sauriez l'entendre.

ALARICA.—Monsieur le ministre!

LE CARDINAL.—C'est à moi que vous parlez?

ALARICA.—Monsieur le ministre, considérez, je vous prie, qu'un ministre représente le degré le plus élevé du domestique, et qu'il
est, par conséquent, le domestique le plus certain, le moins
contestable, en dépit de ses mâts[46] et de ses vestibules[47] et du
tonnerre qu'il emprunte pour organiser la mort. Tant que ne
furent sur le tapis[48] que la vicissitude des peuples et même ma
carrière, je me suis contenue. Mais qu'on touche à mes doigts
de pied, je saute. Des doigts de pied de femme comme les
miens, vous n'en avez peut-être jamais vu. Tenez, mon brave,
goûtez-les. Vous m'en donnerez des nouvelles.[49]

---

[43] **les doigts... tiennent**   webbed toes, *that is to say, toes which are not clearly
separated*
[44] **saine comme l'œil**   sound as a bell
[45] **filtrer**   *from the expression* **laisser filtrer une nouvelle**   to leak a story
[46] **mâts**   *because the cardinal has been talking about his navy*
[47] **vestibules**   *The ideas of ministers and antichambers always seem to go
together.*
[48] **sur le tapis**   under consideration
[49] **vous... nouvelles** (*colloquial*)   they're really something

Elle promène ses jambes nues sous le nez du cardinal.
Le Maréchal et la Gouvernante tentent de réprimer l'em-
portement d'Alarica, qui est debout sur son lit et qui
saute.

ALARICA.—Palpito! Gorgino![50]

LE CARDINAL.—Qui appelez-vous ainsi?

ALARICA.—Mes petits oiseaux de devant.[51] Mes rossignols de neige,
mes écureuils dorés. Gorgino! Palpito! Peut-être a-t-on dit aussi,
mes petits, que vous battez de l'aile,[52] ou que vous inclinez
votre queue vers la terre. Pauvres petits lapins, petits choux,[53]
petits vous. Toi, Palpito, blanc comme la nuit, tu contiens le
petit grain noir de lune[54] près du grand soleil rosissant. Toi,
Gorgino, toi le plus près du cœur, toi le chapeau d'ivoire et de
satin de mon cœur...[55]

Elle arrache sa chemise. La Gouvernante et le Maréchal
s'efforcent de l'en empêcher. Ils gravissent le lit, qui
s'écroule à moitié. La fille leur échappe.

PARFAIT, *accablé.*—Ces imprévus dépassent mes réserves.

ALARICA.—Il n'y a pas que Palpito. Il n'y a pas que Gorgino.
Il y a aussi... Il y a aussi... (*Au cardinal.*) Vos agents masqués
vous ont sans doute appris que celui dont je veux parler se tient
bien mal[56] dans sa cabane de fenouil et qu'il oublie parfois de
clouer ses volets.

LE CARDINAL.—Elle est folle. Attrapez-la! Mais attrapez-la! Tenez-la
bien. (*Au roi.*) Le danger que la Providence et ma vigilance

---

[50] **Palpito** *and* **Gorgino** *imaginary names derived from* **palpiter** *or* **palper**
and **gorge.**
[51] **Mes petits oiseaux de devant** *a not unusual image in French. Apollinaire*
in Les Mamelles de Tirésias *had referred to breasts as* **oiseaux de ma jeunesse.**
[52] **vous battez de l'aile** *you flutter*
[53] *See p. 36, note 49.*
[54] **petit grain noir de lune** *moon-shaped beauty spot*
[55] *In much of Audiberti's work there is a strongly sensual strain and an effec-*
tive exploitation of erotic imagery.
[56] **se tient bien mal** *misbehaves. This personification of the sexual parts is*
reminiscent of D.H. Lawrence's Lady Chatterly's Lover.

vous épargnent, Sire, vous le mesurez, maintenant. Tenez-la
donc! Ah!

Alarica de nouveau se glisse et s'enfuit.

Le Cardinal.—Foutus[57] maladroits!

Alarica danse, provocante, entre les autres, qui s'essouf-
flent. Elle vient près du cardinal.

Alarica.—Cardinal de la Rosette, vous avez peut-être des jambes
aussi. Mais vous faites bien de les cacher. Les miennes n'ont pas
peur du soleil des regards. Vous voulez m'attraper? Mais il ne
tient qu'à vous.[58] (*Elle se jette contre lui.*) Je vous brûlerai
jusqu'à l'os.

Le Cardinal.—Si seulement je me rappelais l'exorcisme. Excipiens...
Ex planeta... De cordibus... Chimera... Retro... Retro.[59]

La Gouvernante.—Remets ta chemise, ma prune, ma sorbe. Il fait
froid.

Alarica.—Froid? Comment pourrait-il faire froid? Nous sommes
près, tout près, du sublime Occident. Je flambe. Nous flambons.

La Gouvernante.—Mets tes pantoufles, tout au moins. Viens, petit,
que je te les mette. Tu risques le rhume.

Alarica.—Je ne suis pas de celles qui crèvent comme ça.

*La Gouvernante et le Maréchal essaient de lui jeter au
vol la chemise sur le corps. Alarica s'échappe encore.*

Le Cardinal.—Une reine nue comme une jument, voilà la calamité
que nous épargnera l'ange gardien de l'Occident. Certes, je ne

---

[57] **foutus** (*colloquial*)   blasted
[58] **il ne tient qu'à vous**   it's just up to you
[59] **Excipiens...: Retro**   withdraw... out of our planet... from our hearts... behind. *These are fragments of Latin exorcisms. The cardinal wants to say* **Vade
retro, Satana**   Get thee behind me, Satan.

suis pas un enfant de chœur.[60] Mais je frémis jusqu'au tréfonds de ma tripe.[61] La vergogne...

ALARICA.—Bien davantage encore frémiriez-vous si vous saviez le spectacle où vous allez être accepté.

LE CARDINAL.—Mais malheureuse! Pour autant que je m'y connaisse, vous n'avez plus rien à montrer. 5

ALARICA.—Si.

LE CARDINAL.—Quoi?

ALARICA.—Le dedans (*Elle va vers le roi.*) Messire, baillez-moi[62] votre couteau et vous verrez mon suave cœur. Vous verrez mon cœur et vous aurez peur. Ou, plutôt, vous-même, fendez-moi. 10 Cela se passait ainsi dans le temps.[63] Vous pourrez, mon cœur, le jeter aux chiens.

LE CARDINAL.—Et, en plus, elle a l'air de lire des romans!

PARFAIT.—Que faut-il que je fasse? Désignez-moi vos ennemis. Je suis votre homme. 15

ALARICA.—Quels ennemis une fille pourrait-elle avoir... Nous n'avons tous qu'un ennemi, le vinaigre du monde... Toulouse! Toulouse! Qu'est-ce que tu fais? Tu me laisses là, dans le froid. Donne-moi vite ma robe. (*Toulouse s'approche avec la chemise et la robe.*) Non!... Non!... La robe seulement. Messieurs, ne me regardez pas.[64] 20

LE CARDINAL.—Il est bien temps!

ALARICA.—Je suis toute confuse.

LA GOUVERNANTE.—Passe d'abord la tête. Tu parleras après.

25

ALARICA, *sous la robe.*—Je vous en prie... Ne me regardez pas.

LE CARDINAL.—Il n'y a plus rien à voir.

---

[60] **enfant de chœur** choirboy, *in French a symbol of naïve innocence*
[61] **jusqu'au... tripe** to the very depths of my guts
[62] **baillez-moi** (*archaic*) give me
[63] **dans le temps** formerly
[64] *Alarica suddenly escapes from her trance and returns to reality.*

PARFAIT.—Elle vous a dit de ne pas la regarder. Monseigneur la
Rosette, vous pouvez être sourd à la voix de l'innocence per-
sécutée mais il ne vous est pas permis de refuser d'entendre
votre roi.

5   LE CARDINAL.—Votre Majesté le prend avec moi sur un ton...[65]

PARFAIT.—Je m'avise en cette minute que la plus grande couardise
consiste à éprouver sa puissance sur la faiblesse d'autrui. (*Il
montre la princesse.*) Voyez-la toute secouée, toute chétive.
Vous êtes un chenapan.

10   LE CARDINAL.—Le lieu et l'instant, mon cher garçon, se prêtent-ils à
cette sortie?[66] Dieu sait sous quelle forme elle parviendra dans
les mains des journalistes, des philosophes. Vous auriez été
mieux inspiré d'attendre que...

PARFAIT.—Vous avez fricassé[67] toute cette affaire. Il vous faut main-
15   tenant l'avaler. Puissiez-vous en étouffer!

ALARICA.—De rose et d'azur l'église est drapée. Devant le fleuve
brillent les cuirassiers.

PARFAIT.—Alarica! Alarica! (*Il montre le cardinal.*) Notre mariage,
pardon! pardon! notre mariage ne fut manigancé par le cardinal
20   qu'afin de chatouiller, d'accélérer la conclusion de notre accord
avec l'Espagne. Dès le commencement, c'était une comédie.
Voilà la vérité!

ALARICA.—La vérité... Quelle drôle de chose, alors, la vérité...

PARFAIT.—Je voudrais être ce cuirassier, là-bas.

25   LE CARDINAL.—Quel cuirassier?

PARFAIT.—Je ne sais pas. N'importe lequel des cuirassiers devant le
fleuve. Ils ont trois sols[68] par jour. Le soir, ils fument la pipe.
Leur marmite sent bon le mouton. Si le service les ennuie, ils

---

[65] **le prend... ton**   is being very haughty with me
[66] *The Cardinal is being very familiar with the king. It is obvious that he is
the power behind the throne.*
[67] **vous avez fricassé**   you cooked up
[68] **sol**   *an old coin*

n'ont qu'à filer du royaume. Moi-même, ici, j'échappe au roi. Je m'échappe![69]

LE CARDINAL.—Ce ne sont pas les frontières, mon fils, qui délimitent un royaume, mais la crainte d'offenser Dieu, c'est-à-dire l'ordre, c'est-à-dire, jusqu'à nouvel ordre, et dans n'importe lequel des Etats de la chrétienté, le roi.[70] Qui manque à cette crainte perd la vie. C'est net. En attendant, je mangerais bien un morceau.

LE MARECHAL.—Nous n'avons nous-même rien pris. En bas nous attend notre déjeuner. Café. Jambon. Cervelas.

PARFAIT, à la princesse.—Chérie! Chérie! A dix lieues Stuttgart. A vingt lieues, Hanovre. Après, la campagne... La plaine... La nuit... Nous sommes en paix avec l'électeur de Saxe. Ma cavalerie n'aurait aucune raison de franchir la frontière germanique. C'est respectable, une frontière. D'ailleurs, bien avant que le cardinal ait pu rejoindre mon frère et le prévenir, je serai loin, piquant vers l'Est et nargue au roi![71] (A la princesse.) Vous montez, naturellement? Vous prendrez le trotteur du cardinal. Venez. Nous partons.

ALARICA, s'agenouille devant le cardinal.—Mon père, je vous prie de me pardonner. Je vous ai grandement manqué. Je croyais que c'était les autres.

LE CARDINAL.—Les autres?

ALARICA.—Oui, je croyais que la maladresse, la souffrance concernaient les autres. Moi, j'étais faite pour la santé, pour la victoire. Idiotka![72]

PARFAIT.—Chérie! Chérie! Nous partons.

ALARICA, au cardinal.—Monseigneur, il est fréquent, il est reconnu que l'adversité mûrit le tempérament. Le mariage auquel on avait songé m'apparaît, en effet, comme un songe. Quand

[69] **Je m'échappe!** *Now it is the king who dreams.*
[70] *a statement of the doctrine, disputed in the 18th century, that the king is God's representative on earth*
[71] **nargue au roi** *a fig for the king*
[72] **Idiotka!** *It is not surprising that at this moment Alarica uses a word from her own language to reproach herself.*

l'impératrice Elisabeth[73] fit venir la jeune et misérable Catherine de Zerbst[74] pour la donner, comme épouse, à son fils et
assurer par ce moyen l'éternité du trône de Russie, elle agit en
mère prudente, en souveraine avisée. Mais l'on aurait tort de
conclure du succés de Catherine à l'inévitable, à la mathématique
vertu des mariages de ce genre. Quand le roi d'Occident vient
dans le moment de s'unir,[75] il doit le faire à la hauteur de
son destin et sans que souffre la clarté de ses ancêtres. Sa vie
n'est à lui qu'autant qu'il la dévoue à la conservation d'une
gloire et d'une grandeur qui ne s'alimentent que de leurs
propres espèces. Lui ne saurait épouser que l'Espagne,
l'Autriche ou l'Angleterre, nations importantes, nations fruc-
tueuses. Les lions se marient dans le trou des lions. Dieu m'est
témoin que je m'exprime sans rancune et sans ironie. (*Au roi.*)
Vous êtes loin de me trouver laide et vos vaisseaux finiront par
sortir du...[76]

LA GOUVERNANTE.—...radoub...

ALARICA.—Notre mariage ne vous eût pas davantage froissé dans
votre goût particulier qu'il n'eût contrevenu à l'opportunité
politique. Non. La faute, la seule faute, eût été que Votre
Majesté aventurât le lustre de tant de combats et de grands
hommes, tout l'Occident romain, les iris et la croix, dans une
alliance avec une princesse, moi, dont le père, il n'y a pas si
longtemps, donnait des leçons de salade. Oui, quand nous
étions dans la pénurie, que nous nous baladions de capitale
en capitale avant que le Congrès de Dantzig ait nommé papa
roi de Courtelande avec un traitement, je ne vous apprends rien,
prélevé à la ronde sur les caisses noires des principaux gouver-
nements, papa, pauvre papa! gagnait quelques florins à montrer
aux amateurs trente-six qualités de salade, à la Turque, à la

---

[73] **Elisabeth**   *Elizabeth Petrovna, daughter of Peter the Great*
[74] **Catherine de Zerbst**   *Catherine II, daughter of the Duke of Anhalt-Zerbst,
whom Elizabeth brought from Stettin to marry Peter III. Catherine had her
husband assassinated and became empress of Russia. She is known as Catherine
the Great because she consolidated the Russian Empire and brought culture
and civilization to the court.*
[75] **s'unir**   to marry
[76] *Alarica hesitates because* **radoub**   dry dock *is a technical term with which,
as a foreigner, she is not familiar.*

Génoise, à l'Ecossaise,[77] à l'huile de noisette, aux feuilles de
cerisier, que sais-je! Il possédait un nécessaire portatif. Quelquefois nous n'avions rien d'autre à manger que la salade
de la leçon. (*Au roi.*) Mon ami, je suis sûre que vous avez
compris. Votre générosité, votre chevalerie vous ont poussé à
me défendre avec l'ardeur qui promut,[78] jadis, vos aïeux, vers
l'Orient, vers le Sépulcre.[79] Mais ces incomparables qualités
perdraient leur substance si l'excès de la passion devait les tourner contre le prestige du royaume dont elles sont les gardiennes
autant qu'il est, lui, leur asile. Je suis d'un Orient marécageux,
noir. Chiens et canards compris, ma capitale compte deux mille
habitants. Il faut nous dire adieu. Franchement. Sans regret.[80]

LE CARDINAL.—Vos paroles, Madame, ont rafraîchi ma complexion,
laquelle est portée à la pétulance, à la goinfrerie. Je me demande si je ne ferais pas mieux d'aller m'enterrer dans un
capuchon,[81] dans un monastère. Votre père donnait des leçons
de salade? Et le mien! Vous vous imaginez ce qu'il faisait, le
mien? Il jouait du biniou[82] pour que le lait vienne aux génisses.
(*Il s'essuie les yeux.*) Le Danemark nous met le couteau sur la
gorge. Et l'Espagne, vous comprenez, l'Espagne... Mais nous
n'allons pas tout recommencer. Nous nous sommes assez
écorchés comme ça.

PARFAIT.—Alarica! Ne tardez plus. Ensemble nous chevaucherons,
vers votre plaine orientale, non pas en quête d'un sépulcre,
mais d'un berceau. Etes-vous prête?

ALARICA.—Je ne suis prête qu'à la joie de vous quitter.

PARFAIT.—La joie?

ALARICA.—La joie. Je dis bien. La joie. Il faut que j'aille m'appri-
voisant à l'idée que nous devons l'un de l'autre nous départir,

---

[77] **à la Turque... à l'Ecossaise**   in the fashion of Turkey, Genoa, and Scotland
[78] **promut**   propelled
[79] **Sépulcre**   the Holy Sepulchre *in Jerusalem, the goal of the Crusades*
[80] *The clear-sighted, strong princess, victim of politics whose necessity she
understands and accepts, faced with a weak prince ready to give up everything
for his passion is also the central theme of Montherlant's* La Reine morte.
[81] **capuchon**   *the cowl worn by friars*
[82] **biniou**   Breton bagpipes

et que cette farouche idée me devienne joie et force de joie,
puisqu'elle éclaire la voie de votre meilleure vie.

LE CARDINAL, *au Maréchal.*—Si nous les laissions quelques instants
ensemble? La pauvrette, je m'en avise maintenant, a couvert
plus de quatre cents lieues à la rencontre d'un abominable
couac.[83]

LE MARECHAL.—Nous eûmes si froid, dans la voiture, qu'il nous fallut
nous faire des masques avec des bas percés de trous.

LE CARDINAL.—Dans ces conditions, il me paraît d'élémentaire
justice qu'Antilopa...

LE MARECHAL.—Alarica, Monsieur le ministre... Alarica...

LE CARDINAL.—Que cette princesse étrangère dispose de quelques
loisirs pour prendre congé. Je ne veux pas risquer que mon
souvenir lui reste puant. Et puis je voudrais voir un peu votre
cervelas.

*Le cardinal, la Gouvernante et le Maréchal sortent. La
princesse, derrière eux, ferme la porte. Puis elle court
sur le roi. Elle se place contre lui. Elle met sa tête sur
l'épaule du roi et lui caresse le bras langoureusement.*

ALARICA.—Amour!

PARFAIT.—Mademoiselle... Mademoiselle Alarica.

ALARICA.—Vous êtes beau. Vous êtes bon.

PARFAIT.—M'en voulez-vous beaucoup? L'Histoire est difficile à
fabriquer. Les historiens, c'est nous autres. Mais nous ne travail-
lons pas la plume à la main. Nous écrivons avec nos vivantes,
nos douloureuses corpulences.

ALARICA.—Laissez-moi vous regarder. Laissez-moi vous tripoter.
Parfait dix-sept, roi d'Occident. Ma fille, tu n'as pas perdu ta
journée.[84] Tu as mâché pas mal de neige[85] mais te voici récom-

---

[83] **couac**   discordant note; *that is to say, a fiasco*
[84] **tu n'as pas perdue ta journée**   it was worthwhile
[85] **tu as... neige**   much that you did was useless

pensée. Vous êtes froid, sur les médailles. Mais votre joue est
chaleur. Tantôt, j'étais folie. Dans ma mesquine Courtelande...

PARFAIT.—Mademoiselle!

ALARICA.—...les paysans disent: « Quand la tempête parle, la muraille
écoute.» Ma tempête parlait. Votre muraille écoutait. Que   5
pensait-elle de moi?

PARFAIT.—Si vous étiez folle, j'étais fou. J'étais fou. J'étais fou de
vous. Je le suis toujours.

ALARICA.—Un roi ne doit pas être fou. Ne pensez plus à cette fille!

PARFAIT.—Toute ma vie j'y penserai. Toute ma vie, oui, toute ma   10
vie, Alarica, je vous verrai. Jamais vous ne vous éteindrez. Je
vous regarde et je me vois. Je me vois qui vous regarde, et non
point seulement ici et maintenant, mais demain et plus tard,
dans mes palais, dans mes conseils, dans le tombeau. Le mal
que je vous fis commence à se fermer. Celui que vous me faites   15
se met juste à s'ouvrir. Je vous ai blessée. Vous m'avez tué, si
c'est tuer quelqu'un que lui ravir la liberté. Je vais vous voir sur
les verrues du cardinal. Je vais vous voir entre les yeux de
l'Espagnole.

ALARICA.—Une fille de mon espèce vaut-elle pour de bon que pour   20
elle un homme de bien se meurtrisse? Je viens d'un pays barbare. Nous ne sommes chrétiens que depuis le douzième siècle.
Notre langue est parlée dans des endroits de l'Inde. Vous êtes
jardin, moi broussaille.

PARFAIT.—Vous! Broussaille! L'âme la plus délicate, la plus fine...   25
Vous vous efforcez de vous noircir devant moi, mais d'une ruse
si naïve les ressorts me sautent aux yeux, si bien que je ne puis
être votre dupe sans devenir, du même coup, votre complice.

ALARICA.—Broussaille je suis.

PARFAIT.—Plaisanterie! Plaisanterie qui m'assassine!   30

ALARICA.—Je me suis mise nue.

PARFAIT.—Vous vous êtes mise nue comme un enfant. Vous êtes mon
enfant. Vous êtes l'innocence. Vous êtes la vérité. Si je pouvais
vous boire, je boirais la vérité.

ALARICA.—Venez ici. Allons, venez. En ce moment le cardinal et le Maréchal s'empiffrent vis-à-vis, tout en prenant soin de ne pas mordre sur leurs dents qui branlent. C'est le moment d'en profiter. Mettez vos lèvres sur mes lèvres.

5 PARFAIT.—Alarica, quoi que vous fassiez, quoi que vous disiez, vous ne parviendrez pas à me persuader de votre turpitude. Je discerne dans vos feintes l'unique vœu de votre cœur, qui est d'endormir ma blessure.

ALARICA.—Embrasse-moi.

10 PARFAIT.—Votre vérité, ce sont vos larmes. Eh! qu'elles coulent, ces larmes adorables. Ne les déguisez pas sous le masque des vices.

ALARICA.—Radoub!

PARFAIT.—S'il vous plaît?

ALARICA.—Radoub![86] Crétin! Enfin, d'où sortez-vous? Tu n'aimes pas
15 les femmes? Très bien, mon ami. Je n'en ferai pas une maladie.[87] En attendant, nous sommes là, vous avec votre chair, avec la mienne moi, qui ne demandent qu'à s'occuper.

PARFAIT.—Continuez. Continuez. Vous m'amusez. Vous me tourmentez et vous m'amusez. Vous usez de mots dont le sens vous
20 fuit.

ALARICA.—Décidément, vous n'entendez rien aux princesses de par chez nous. Nous poussons dans[88] les soldats, nous, dans les chevaux. Nous savons en naissant nous servir d'un cheval et d'un homme. Et ne me fatiguez pas avec vos sermons et vos airs.
25 Non content de m'avoir fait traverser la Germanie tout entière pour, aussitôt, me renvoyer dans mes quartiers, vous vous obstinez, en outre, à me dépouiller de ma réalité, à m'imposer une figure qui n'est pas la mienne. Enfin, que vous ai-je fait? Tu me prends, oui ou non?

30 PARFAIT.—Ma sœur...

[86] *Alarica now misuses* **radoub** dry dock *as a synonym for* **crétin** stupid idiot.
[87] **je n'en... maladie** I won't get upset about it
[88] **nous poussons dans** we grow up among

ALARICA.—Dans toute le plaine où l'œil est oblique,[89] et jusque sur les montagnes, là-bas, qui nous séparent de la Chine et de la Turquie, il n'y a pas une princesse, vous m'entendez, pas une tsaritsa, pas une souveraine, mariée ou non, chrétienne ou païenne, qui ne possède un amant familier, un trousseur[90] bien choisi toujours prêt à répondre.

PARFAIT.—Pas vous, Alarica... Pas vous.

ALARICA.—Le mien, il me suit dans tous mes déplacements. Sans lui, je crèverais de froid. Nulle froidure ne résiste à l'échauffement d'un couple bien vert.[91] Vous voulez le voir?

PARFAIT.—Combien vous vous donnez de mal! Mais vous avez beau faire. Le mal n'est pas en vous.

ALARICA, *vers le paravent.*—Toi, là! Hé! Là! Toi, là derrière! Lève-toi! Quel paresseux!

F..., *apparaît, dépoitraillé, sans bottes.*—J'ai dormi comme du plomb. Le cou me fait mal. (*Il tourne la tête de droite et de gauche.*) C'est ce choc.

ALARICA.—Sans doute as-tu rêvé trop fort. Mets-toi là, mon chéri. Livre-moi ton cou. Je sais la manière de le rendre souple.

Elle le masse.

F..., *montre le roi.*—Monsieur est de vos amis?

ALARICA.—Monsieur? Ah! J'oubliais. C'est le roi!

F... —Le roi?

ALARICA.—Oui. Le roi. Le roi d'Occident. Cuirassiers. Vestibules.

F... —Mais...

Il veut se lever.

ALARICA.—Allons. Reste tranquille. Deux minutes. Deux minutes seulement. Quand on s'agite trop la nuit (*petit rire*) il faut

---

[89] où l'œil est oblique   *that is to say, in the East*
[90] trousseur (*very vulgar*)   lover
[91] vert (*colloquial*)   licentious

savoir, ensuite, se tenir coi. Les mêmes mains, tour à tour, peuvent dispenser le trouble et le calme.

PARFAIT.—Alarica, vous jouez, n'est-ce pas? Ils cassent tout, les enfants, quand ils jouent. Monsieur, peut-être êtes-vous un gentilhomme. De toute façon, je vous conjure de me répondre sans détour. Pour la princesse, au juste, vous êtes quoi?

> *Alarica se penche sur F... qu'elle baise aux lèvres. Le roi, de son gant, se frappe la cuisse.*

ALARICA.—Par ma bouche, Seigneur, il vous a répondu.

PARFAIT.—Monsieur, je vous ferai pendre.

F... —Trop léger je suis. (*Il dessine une corde dans l'air.*) Elle cassera. D'ailleurs, je ne comprends rien à ce qui se passe. Fusillé, pendu, baisé, je parcours des états bien divers.

ALARICA.—Il veut dire que, de notre rugueuse patrie jusqu'en cette province d'où l'œil découvre déjà la flèche de vos cathédrales renommées, nous avons fait du chemin. Nous sommes loin, mon petit... Fernand, mais patience! Nous allons rentrer. Je vous l'avais dit, Majesté. Nous autres, les dames sauvages, nous avons comme ça, tout le temps, sous la main, un beau garçon pour nous donner de l'aise. (*A F...*) Je vais te renouer le velours de ta queue. (*Au roi.*) Vous, Monsieur, il est temps que vous rejoigniez votre ministre. (*Elle montre F...*) Nous deux, nous allons nous agrafer devant que de retourner dans notre lande malotrue.

PARFAIT.—Alarica, vous ne partirez pas. Je suis là pour vous l'interdire!

ALARICA.—Me l'interdire? Vous... Mais à quel titre?

PARFAIT.—Je suis le roi. Vous l'oubliez trop.

ALARICA.—Le roi? Le roi de quoi? Pas celui de mes bras, dans tous les cas. Nous sommes chez l'électeur de Saxe.

PARFAIT.—Mes armées ont conquis la Saxe nul ne sait plus combien de fois. Les frontières sont faites pour qu'on les saute. Hop! Hop là!

ALARICA.—Bien avant que vous ayez eu le temps d'alerter vos cuirassiers, ces bons cuirassiers qui devaient, vous vous rappelez?
me saluer du sabre au matin de mes noces, lui, moi, nous serons
loin. Vos cuirassiers, allons, ne me poursuivront pas jusque dans
ma capitale de paille et de pluie. Et ma voisine l'impératrice   5
Catherine, comment pensez-vous qu'elle supporterait leur
piétinement occidental et catholique aux abords de son
domaine? Des cuirassiers, mon garçon, elle en a, elle aussi, et
qui ont de grosses cuisses.

PARFAIT.—Je vous en prie. Je vous en supplie. Nous ne sommes pas   10
des ennemis. Ce qui fut dit, oublions-le. Effaçons-le. A Sistrebourg, à quatre lieues d'ici, la cathédrale mesure quarante
toises[92] de haut. Les cathédrales sont bâties de bonne pierre.
Les cathédrales dominent, les cathédrales surplombent la fourberie des fumées, les coudes du vent.[93] Il est fidèle et solide non   15
moins le métal de mes cuirassiers. Les talons qui chaussent mes
dames sont les piliers de mon style et de mon règne.[94] Les
talons des dames qu'en principe nous destinions à votre maison
sont toujours bravement plantés sur le pavé, de l'autre côté du
fleuve. Le monde n'a pas bougé. Pour qu'il persiste à ne point   20
bouger, pour qu'il nous attende, un mot de ma main suffira.
La cérémonie aura lieu. Vous serez reine d'Occident. Avez-vous
une plume, de l'encre?

ALARICA, à F... —Mon petit Fernand—ça te va bien, Fernand, ça te
va comme un gant[95]—tu ne manqueras pas de me faire souvenir,   25
quand nous passerons à Dresde, d'acheter plusieurs mesures de
tissu de soie. (Au roi.) En Courtelande nous ne fabriquons rien,
hormis des râteaux. Ah! Il y a aussi des paysannes qui peinturlurent[96] des œufs. C'est tout.

PARFAIT.—Dans mon royaume la soie et le satin ruissellent comme   30   ·
ailleurs la Vistule[97] et puis le Danube. Dans mon royaume les

---

[92] **toises** *formr units of measure a little over six feet*
[93] **les coudes du vent** the gusts of wind, *caught in the winding alleys of a
medieval town*
[94] *Parfait means to say that he leans on women. The role of women in the
courts of Louis XIV and Louis XV was a vital one.*
[95] **ça te... gant** that fits you perfectly
[96] **peinturlurent** (*colloquial*) paint, daub color on
[97] **Vistule** *a river in Poland*

artistes illustrent des plafonds aussi copieux que le firmament.
Dans mon royaume...

ALARICA.—Je vais me mettre en amazone.[98] Sortez.

PARFAIT.—Alarica! Je vous épouse. Vous m'entendez! Vous me comprenez? Je vous épouse. Epouser... Comme ça... (*Il fait un geste
des doigts.*) Vingt millions de sujets. Cinquante-trois vaisseaux
de ligne. Soixante forteresses. Des châteaux plus nombreux que
chez vous les bouleaux. Des cathédrales dont on ne peut rien
dire. Il faut les voir. Et des bosquets et des théâtres. C'est à
moi. C'est à vous. Nous oublions, n'est-ce pas? Nous effaçons?

ALARICA.—Je vous ai dit de sortir.

PARFAIT.—Alarica, rien ne s'est passé. Rien ne se passe jamais que
ce qu'on tolère qui se soit passé. Pas même il ne sera besoin de
soustraire une journée au calendrier. Nul retard n'endommage
encore le programme. Notre démêlé s'est accompli à l'insu des
chroniques. Alarica de Courtelande, moi, Parfait, dix-septième
du nom, roi d'Occident, de Burgondie et des Vascons, je vous
demande à genoux de me faire la grâce d'être mon épouse,
d'être la reine.

ALARICA.—Une puce, voilà ce que vous vous acharnez à faire de moi.

PARFAIT.—Quoi?

ALARICA.—Soit! Mais si j'accepte de bondir, comme une puce, par-
dessus ma décision la plus récente, pour me retrouver dans ma
disposition d'auparavant, ce n'est pas pour vous faire plaisir,
car, de vous faire plaisir, le goût m'a passé, mais afin d'épargner
à mon père l'avanie de mon retour. J'entrerai dans votre maison.

PARFAIT.—Vous m'en voyez tout enjoué.

ALARICA.—Nous allons nous partager vos cathédrales, vos vestibules,
vos cuirassiers. J'apprendrai à votre peuple à se faire des
souliers d'écorce, à manger du chien, à prendre des bains de
sueur avec des pierres dans un four.[99]

PARFAIT.—Je ne sais comment vous dire...

---

[98] **amazone**   *that is to say, naked*
[99] *Alarica is referring to the sauna.*

Entrent le cardinal et le Maréchal.

LE CARDINAL.—Oui, mon cher, le passé a moins d'importance que l'avenir. De la part d'un monarchiste fondamental, cette affirmation, je vous l'accorde, a de quoi surprendre. Néanmoins, je la maintiens. L'avenir l'emporte sur le passé. Si nous désirons (je n'envisage, bien entendu, que la perspective terrestre) nous emparer de l'avenir, le racoler, il nous faut, sans cesse, consolider nos institutions afin qu'elles vaillent pour le lendemain comme pour la veille elles ont valu et que leur dureté garantisse leur durée. Ha! Ha! Depuis Charlemagne, nous faisons tour à tour avec l'Espagne la guerre et l'amour, et avec l'Italie aussi mais l'Espagne et l'Italie, c'est la même romance,[100] la même gargoulette...[101] Pourquoi ne pas continuer?

LE MARECHAL.—Un temps viendra, Monsieur le ministre, où l'immensité magnétique de nos espaces déshérités vous attirera, vous aspirera.

LE CARDINAL.—Un temps vient toujours. Il suffit d'attendre. (*Au roi.*) Mon fils, avez-vous bien rompu?[102] La rupture, dans l'escrime sentimentale, c'est la botte[103] des cornes, des cornes de l'escargot, la défense de l'homme. Les bras de la femme s'avancent. Les cornes de l'homme reculent.

PARFAIT.—Monseigneur, j'ai l'honneur de vous annoncer mon mariage.

LE CARDINAL.—Votre mariage?

PARFAIT.—Je me marie avec la princesse Alarica. Et puis ne me cassez pas les oreilles de reproches et de sentences. Il n'est si mauvais cuisinier qui ne s'entende à déguiser sous un grand fracas de vaisselle l'indigence de ses menus. Depuis que je vis, je n'entends que vous. Je ne suis pas votre cheval.

LE CARDINAL.—Sire...

---

[100] **romance**   sentimental song
[101] **gargoulette**   *a Spanish water cooler*
[102] **rompu**   broken off, *a term also used in fencing*
[103] **botte** (*fencing term*)   lunge. *Audiberti cleverly combines fencing imagery with sentimental imagery, adding to it the unusual element of the snail.*

PARFAIT.—Je vous ai par trop entendu, vous dis-je. Que vous soyez si
mal luné[104] que de persister dans votre projet maniaque et de
vous entêter à me farcir la cervelle avec votre Espagnole, je
vous déclare sournois, libertin, prévaricateur, décousu, oui, mon
ami, moi, vous, et je vous renvoie dans votre purin.[105] Vous avez
compris?

LE CARDINAL.—C'est parfaitement clair. (*A la princesse.*) Dans trois
heures, Madame, nous serons en Occident. Nous serons dans
votre royaume. Mon dévouement est à vos pieds.

ALARICA.—De mon petit ami,[106] que ferez-vous?

F... —C'est vrai. J'existe, tout de même. On ne parle jamais de moi.

LE CARDINAL.—Plairait-il à Votre Majesté de m'instruire de ce qu'elle
prévoit quant au petit ami de Son Altesse?

PARFAIT.—Qu'il aille se faire pendre.

ALARICA.—Lui? Jamais de la vie. Je le veux près de moi. Il est
assez bel homme pour faire un colonel. (*Au roi.*) Quoi? Vous
boudez? Vous me blâmez. Je ne vois pas ce qui vous chiffonne.[107]

LE CARDINAL.—Un colonel de plus ne nous ruinera pas.

ALARICA.—Il partagera notre lit. Ainsi nul ennemi ne saura vous
atteindre, qui d'abord n'ait passé sur le corps de Firmin.

F... —Quoi?

ALARICA.—...pardon! de Fernand. Et passer sur son corps, c'est
passer sur le mien.

PARFAIT.—Cela suffit. Venez, Monseigneur. Nous rentrons. (*Avant
de sortir.*) Alarica, que vais-je devenir?

ALARICA.—Ce que vous allez devenir? Vous voulez savoir ce que
vous allez devenir?

PARFAIT.—Oui...

---

[104] **que vous... luné** (*colloquial*)   if you are in such a bad temper
[105] **purin**   liquid manure pit
[106] **petit ami**   boyfriend
[107] **ce qui vous chiffonne** (*colloquial*)   what's eating you

ALARICA.—Mon cher, c'est simple. Vous deviendrez (*soudain furieuse et exaltée*) ce que je veux que tu deviennes. (*Elle présente son miroir à Parfait.*) Regarde!

PARFAIT.—Votre miroir? Vous vous disposez à me f·ıre un sortilège?

ALARICA.—Un sortilège? Ce miroir est pareil à tous ceux de la terre 5 mais c'est moi qui le tiens et je suis la fatalité de la vie. Je te parle avec la voix de la fatalité de la vie. Regarde. Peu à peu tu te disloques. Tu dégoulines. Tes maîtresses te mangent comme de la viande. Tes ossements vivants pourrissent sous ta peau. (*Le roi, bavant, crispé, s'affaisse, s'effondre.*) Et maintenant, 10 sortez tous... tous... tous...

Le Cardinal traîne dehors le roi inanimé.

ALARICA *s'assied sur un fauteuil.*—J'ai peur de n'avoir pas su... Je suis brisée.

LE MARECHAL.—Rassurez-vous... Il y aura toujours du vinaigre dans 15 la salade.

Fin de l'acte deuxième.

ACTE TROISIEME

Même décor.

Alarica et Fernand sont sur le lit d'Alarica.

Ils achèvent de s'habiller.

ALARICA.—Tu n'es pas encore prêt. Il est bientôt huit heures. Tu m'entends? Huit heures, bientôt!

F... —Quoi?

ALARICA.—Faut-il que je te secoue?

F... —D'habitude, je ne me lève guère qu'aux abords de midi. Boire du vin! Jouer aux cartes!

ALARICA.—Débauché! Paresseux! Moi, c'est différent. Le matin, je galope, je tire à la carabine.

F... —Vous repartez aujourd'hui?

ALARICA.—Bien sûr... Il va falloir un à un repasser tous ces villages, tous ces fleuves, et les ponts et les toits. D'avance, j'en ai mal au cœur. Et lui, le roi... Je l'ai bousculé. Je lui ai fait voir le miroir... Je parlais comme ça, comme une bête... J'étais une bête... Je sais qu'il a du chagrin. Comprenez-moi. J'ai fait ce que j'ai pu pour qu'il me croie une garce, et, même, pour être, pour de bon, méchante, mais je redoute de n'avoir pas su m'y prendre.

F... —Ne vous tourmentez pas pour le roi. Il les aura, va! les petites, la vérole. C'est pas malin, de deviner. Le sort de l'homme est bien connu. Les petites, la vérole... Maintenant, va[1] falloir que je songe à rentrer.

ALARICA.—Tu as été auprès de moi dans une mauvaise passe.[2] Je me suis servie de toi. Je t'ai fait jouer un rôle. Mais j'ai tenu que

---

[1] **va** *F's speech is coarse and informal. He often drops the subject pronoun (here* **il**) *or, in the case of negative sentences the* **ne**.
[2] **dans une mauvaise passe** in a tight spot

76

la réalité vienne, au plus vite, alimenter la comédie, l'alimenter,
la démentir. Je ne regrette rien. J'ai perdu avec toi mon honneur
de fille. Disons que tu m'as donné mon honneur de femme, si
c'est un honneur que d'être conforme à sa nature physique.
Non, mon ami, je ne regrette rien. J'aurais mieux aimé, vous le   5
savez, connaître le destin d'une épouse limpide. J'aurais été
loyale au roi, fidèle à Dieu. Mais puisque le roi n'a pas pu, et
ses raisons ne sont ni louches ni mesquines, puisqu'il n'a pas
pu gravir avec moi toutes les marches de l'autel, je juge équitable de t'avoir donné la joie de mon corps, à toi qui, le premier,   10
non sans courage, vins à moi pour me prendre aux lèvres. Je ne
pense que du bien de vous. Ne pensez pas de mal de moi. Vous
m'aviez embrassée. Je suis pour la droiture, toujours, pour la
vérité. Vous m'aviez embrassée. Vous m'aviez serrée. J'étais
déjà votre maîtresse. Le crime eût été que le roi d'Occident   15
malgré tout m'épousât. Il faut que le monde soit clair. Si les
cœurs étaient clairs, le monde serait clair. Mais que fait ma
gouvernante? Je lui avais dit d'être là, comme d'habitude, à
sept heures. Pauvre Toulouse! Peut-être n'ose-t-elle pas devant
moi venir, et me regarder. Que j'aie un amant, elle a dû n'en   20
pas fermer l'œil. Elle s'est trouvé une chambre, m'a-t-elle dit,
dans les combles,[3] je ne sais où. Elle a dû périr de froid.

F... —Vous me faites rire. Où voulez-vous qu'elle ait dormi, sinon
avec le Maréchal?

ALARICA.—Quoi?   25

F... —Vous n'êtes ni une femme, ni une fille. Vous êtes un nourrisson. Vos yeux, c'est des miroirs, c'est pas des yeux. Refléter,
d'accord. Mais voir, mais piger,[4] plus personne!

ALARICA.—Qu'est-ce que vous me chantez?[5] La gouvernante et le
Maréchal? Toulouse et Silvestrius? Mais il a septante ans! Vous   30
savez, je veux bien, vous savez faire l'amour mais vous n'entendez rien à la vie!... Ma bonne Toulouse, avec sa chaufferette![6]
Et ce pauvre Maréchal qui ne mâche que du mou.

---

[3] **dans les combles**   in the attic
[4] **piger**   to catch on
[5] **Qu'est-ce... chantez?**   Who are you kidding?
[6] **chaufferette**   footwarmer

F... —Vous m'agacez. Vous me donnez des agacements dans le bras qui sert à planter les tartes.[7] Je n'entends rien à la vie! Si c'est pas malheureux! Moi qui... Tout ce que vous méritez, c'est que je vous laisse patauger dans vos idées comme un peigne dans la soupe,[8] mais, dans un sens, vous vous êtes tortillée pour moi, tu m'as donné ta fleur, quoique, les femmes, c'est pas ça qui manque. On dirait du cresson. Où ça mouille, ça pousse. A Madrid, je me rappelle, le coup des obsèques du grand amiral, qu'est-ce que j'ai pu rigoler...

ALARICA.—Bien. Il se peut que je ne sois pas encore très instruite. Je répugne néanmoins à penser que la gouvernante et le maréchal...

F... —Eux, c'est rien. C'est l'abécédé.[9]

ALARICA.—Le monde est clair, plus clair que vous croyez. Retenons-nous de le troubler de soupçons et de racontars.[10] Ne soyons pas indiscrets. Je penserai toujours à vous.

F... —Oh! Il n'y a pas de quoi.

ALARICA.—Mais enfin... Vous êtes étrange. Vous ne semblez plus le même! Vous ai-je déplu? Vous ai-je ébranlé?

F... —Vous m'agacez. Vous m'agacez de plus en plus. Je ferais mieux de la fermer, ma grande gueule, mais il y a des moments où même les saints ne peuvent plus se contenir, et je ne suis pas un saint, vous le savez de première main, et quand je vous vois vous acharner à vous mener vous-même en barque,[11] quand je vous vois, avec votre regard, comment dites-vous? limpide, avec votre cœur farci de justice, quand je vous vois vous enfon-cer dans le mensonge, dans le nuage, non que vous mentiez,

---

[7] **vous me...tartes** you really make me want to smack you
[8] **un peigne dans la soupe** *This is a complex image. The comb is out of place in soup because, as a spoon, it is useless. At the same time it is a symbol of filth* (*in French one says* **sale comme un peigne**). *This metaphor also evokes the idea of a hair in the soup. Another interpretation is possible if one thinks of the little-known meaning of* **peigne** *sea mollusk, related to the scallop.*
[9] **c'est l'abécédé** it's as simple as ABC
[10] *Although Alarica had seen her fairy-tale plans ruined through political machinations and although she had revealed the existence of evil to Parfait, she herself is not yet disillusioned.*
[11] **mener vous-même en barque** to paddle your own boat

halte-là! je n'ai pas dit ça! mais parce que vous n'arrêtez pas de
prendre le faux pour le vrai, de choisir le faux, de préférer le
faux, j'ai envie de la prendre, votre tête, votre clochette de
muguet, votre tasse de lait de biche, et de la poser, crac, devant
la vérité, la véritable vérité. Maintenant, il se peut aussi que,   5
malgré votre bêtise, j'ai un peu de... (*geste de la main*) pour
vous, un peu de... Foin![12]

ALARICA.—La vérité... La véritable vérité... Mais il me semble que,
cette nuit...

F... —Cette nuit? Qu'est-ce qui s'est passé, cette nuit? Vous avez   10
reçu l'homme? Et après? Toutes les filles, un jour ou l'autre,
reçoivent l'homme. L'intelligence n'entre pas forcément avec la
clarinette.[13] Regardez-moi. Vous m'avez dit: « Je penserai
toujours à vous. »

ALARICA.—Ne m'avez-vous pas dit: « Le soleil virginal de votre   15
bouche m'éblouit. Ce soleil virginal me donne soif, soif qu'il
me donne encore plus soif. Quand je m'y serai désaltéré, je
brûlerai de bonheur, et il n'y aura, dans mon royaume, pas assez
de clairons, pas assez de clochers pour que ma joie y soit en
suffisance célébrée. Je commanderai que, dans les rivières,   20
même les saumons se mettent à chanter... » Ainsi vous me
parliez aux premières minutes.

F... —Pas les clairons! Pas les saumons!

ALARICA.—Quoi?

F... —Pas les clairons. Pas les saumons. Mais les tambours. Mais les 25
goujons. Oui, les clairons à la place des tambours. Et les goujons, rappelez-vous, les goujons, pas les saumons. D'ailleurs,
le texte est là. (*Il tire de sa poche un manuscrit qu'il parcourt.*)
C'est marqué les goujons. Ridicule, d'accord! mais je n'y suis
pour rien.   30

ALARICA.—Quel est le sens de tout ceci?

---

[12] *See p. 45, note 77.*
[13] **clarinette** *obviously a sexual image. This is a play on the age-old notion
that carnal knowledge brings with it understanding.*

F... —Mais regardez-moi. Regardez-moi bien. Pas avec les yeux du
dehors mais avec les yeux du dedans. Vous ne voyez rien? Vous
ne sentez rien?

ALARICA.—Vous voulez dire que vous me récitâtes un texte qu'on
5   vous prépara?

F... —Un écrivain en est l'auteur, un philosophe. Un nommé... Je ne
me rappelle même plus...

ALARICA.—Vous teniez un emploi.[14] Pour le compte de qui?

F... —Vous pouvez vous vanter qu'il faut vous les mettre, les points,
10   non seulement sur les i, mais dessous, et tout autour. Je
m'appelle Roger La Vaque. A propos... Fernand... D'où ça vous
est venu, de me jeter Fernand? Je suis dans la police. Ah! Et
puis, pas de mépris! L'Occident est un grand peuple. Il a besoin
d'une police raffinée.

15   ALARICA.—La police... Mais qu'est-ce que la police...

F... —Ils voulaient être sûrs, en Occident, que ça tiendrait, que la
rupture tiendrait. Le cardinal, (*il soulève son chapeau*) le cardinal désirait qu'un scandale carabiné[15] anéantît, de toute
façon, votre mariage, au cas où vous vous fussiez obstinée. Je
20   fus envoyé ici, en mission, afin de vous compromettre. Remar-
quez que si mon numéro avait foiré, vous auriez tout de même
été mouchée.[16] Les roues de votre carrosse, en effet, avaient été
assaisonnées.[17] Jamais vous n'auriez franchi le fleuve. Jamais.
Ou, alors, à la dérive.[18] Mais ça ne pouvait pas foirer. Ça ne
25   pouvait pas. C'était réglé comme les manœuvres d'une frégate.
Elle est bien faite, la police.[19] Ceux-là qui vous diront que le
hasard est dedans, demandez-leur un peu qu'ils aillent voir
comment ça se passe, quand par exemple on est sur des im-

---

[14] **vous teniez un emploi**   you were doing a job
[15] **carabiné**   violent. *This is a nautical term, usually used to describe a storm.*
[16] **si mon numéro... mouchée**   if my act had been a flop, you would have
been had anyway
[17] **assaisonnées**   fixed. *Now that he no longer has a role to play, F. uses the
slang of the underworld.*
[18] **à la dérive**   adrift
[19] **la police**   *The police has always fascinated Audiberti. He deals with the
problem at length in* Marie Dubois.

primeurs de libelles et que, dans chaque imprimeur, il y a un commis de chez nous qui nous apporte au bureau les épreuves dès qu'elles tombent.[20]

ALARICA.—Attendez!... Attendez!... Vous fûtes envoyé pour séduire moi?

F... —Vous l'avez dit. Enfin vous avez parlé juste...

ALARICA.—Dites... Vous ne m'aimiez pas?... Vous ne m'aviez jamais vue?

F... —Comment voulez-vous?... En partant, j'étais même assez monté contre vous...[21] Toute cette sérénade libertine et philosophique à me loger dans la cervelle.[22] Ces phrases qui commencent par la fin![23]

ALARICA.—Ainsi, partout, l'on triche. Partout, l'on fait comme si... C'est insupportable. C'est horrible.

F... —Vous-même, ne trichiez-vous pas, quand vous faisiez la folle, jetant vos bras dans l'air avec vos doigts de pied, appelant Gorgino?

ALARICA.—Ma tricherie était pour le bien, pour l'amour.

F... —Tous ceux qui trichent, c'est pour un bien, c'est pour l'amour, pour l'amour de leur porte-monnaie, par exemple.

ALARICA.—Ainsi, ainsi rien n'était franc? Le roi mentait.

F... —Là, pardon! Le roi d'Occident, petite imbécile! c'est un cercle rond.[24] Un cercle rond ne peut mentir, même que dedans il y ait tout ce que vous voudrez, des verrues, des mouches.

ALARICA.—Vous mentiez.

F... —Je travaillais. Je travaillais de mon métier.

---

[20] In fact censorship was a serious problem in 18th-century France and the police was actively employed in the very function described by F.
[21] j'étais... vous   I was worked up against you
[22] F. refers to the love declaration which he had to memorize.
[23] The inverted sentences that F. refers to are typical of Audiberti's own syntax. The author never hesitates to make fun of his style. In Le Maître de Milan there is a novel within a novel which is a satire of his own prose.
[24] un cercle rond   that is to say, a zero

ALARICA.—Votre cœur était faux.

F... —Mes membres, ma cocotte, avaient le poids.

ALARICA.—Le monde est ignoble.

F... —Vous ne le réparerez pas avec des larmes ni des clameurs.

5   *Entre la Gouvernante.*

ALARICA.—Toulouse! Toulouse! Mon amie! Ma meilleure amie!

LA GOUVERNANTE.—Tu as du tintouin,[25] ma pimprenelle?[26] Ils t'ont
fait mal? Mais je suis là. Ma pimprenelle... Ma saucisse...[27]
Ecoute. Nous allons retourner, tout de suite, dans ton pays,
10   dans ton pays qui m'adopta. Nous rencontrerons l'équipage de
ton père. Tous ensemble nous rentrerons. Que de pique-niques!

ALARICA.—Mon père... Il était si content, il était si fier qu'en Occident
je devienne reine, Majesté... Son propre royaume, du coup,
prenait un éclat... Il y tient tant, à son triste royaume de bou-
15   leaux et de marécages! Tu te souviens, quand si longues, l'année
dernière, furent les pluies, comme il allait, mon père, poussant
hors de l'écurie inondée les étalons de la ferme. Il en oubliait
sa béquille, enfin! Et quand nous le vîmes enseigner lui-même
à ses sujets à se servir d'un soc de fer... Il est digne du règne,
20   des honneurs.

LA GOUVERNANTE.—Tu vas retrouver ce père si bon. Ma roucoulante!
Ma corniche![28]

ALARICA.—

Je suis la reine de Saba.[29]
Je suis sur la haute montagne.
25

---

[25] **du tintouin** (*archaic*) troubles
[26] **pimprenelle** burnet, *an aromatic root. Here used as a term of endearment.*
[27] **saucisse** *here used as a term of endearment*
[28] **corniche** *here used as a term of endearment*
[29] *According to the Old Testament* (I Kings 10) *the Queen of Sheba, accom-
panied by her retinue, went to see Solomon and was greatly impressed by his
wisdom. They exchanged lavish gifts. This reference provides an ironic counter-
point to Alarica's own voyage to see a most disappointing king.*

Mon armée en bloc m'accompagne
Vers Dieu, pour qu'il me couronnât.

Je suis la reine de Saba.
De mon oreille à ma cheville
Le bijou tremble sur la fille.   5
Mais la montagne retomba.

Je suis la reine de Saba.
Je suis dans le trou, dans la fange.
Le serpent me mange. Il me mange
Je suis le serpent...   10

LA GOUVERNANTE.—Oh! La vilaine chanson.

ALARICA.—C'est la chanson qu'elles m'ont enseignée.

LA GOUVERNANTE.—Qui donc, ma poule?

ALARICA.—Les heures... Les heures qui se sont écoulées depuis les
moutons,[30] hier, de notre réveil. Et puis non! Jamais! Jamais je   15
ne m'y ferai! Jamais! Je crèverai plutôt que de m'y faire.

LA GOUVERNANTE.—Quelle mouche te pique?[31] Est-il digne de toi,
ma mie,[32] que tu témoignes un tel dépit pour ce vieux trône qui
te passe sous le nez?[33] D'autres princes existent, le valaque, le
boulgre...[34]   20

ALARICA.—Il s'agit bien du trône, du boulgre, du valaque! C'est
au mensonge, c'est au mal que jamais je ne me ferai. Rien ne
tient. Rien ne vaut. Chaque bouche est un piège. Tous les bras
se cassent en deux dès qu'on les touche. (A la Gouvernante.)
On a même truqué[35] les roues de ma voiture.   25

LA GOUVERNANTE, à F... —Vous avez parlé? Salaud![36]

[30] **moutons**   *which she was counting at the beginning of the play*
[31] **Quelle mouche te pique?**   *What's gotten into you?*
[32] **ma mie**   *archaic form of* **mon amie**
[33] **qui te passe sous le nez**   which slipped out of your hands
[34] **le valaque** *and* **le boulgre**   *adjectives for imaginary countries that seem
real because they are derived from actual nations.* **Boulgre** *comes from Bulgaria
and* **valaque** *from Wallachia, the Danubian principality which was to become
Rumania.*
[35] **truqué** (*colloquial*)   fixed
[36] **salaud**   son of a bitch

F... —Charogne![37]

LA GOUVERNANTE.—Je vous signalerai.

F... —Je vous crache aux fesses.

LA GOUVERNANTE.—Voyou![38]

5   F... —Maquerelle.[39]

LA GOUVERNANTE.—La forfaiture,[40] vous savez ce que ça coûte! Vous
n'aviez qu'à disparaître. Pourquoi êtes-vous resté? Pour la tor-
turer? Pour tout démolir?

F... —C'est elle qui m'a retenu. Et vous n'avez rien fait pour que je
10   parte.

LA GOUVERNANTE.—Que pouvais-je faire? Elle entrait dans le jeu
jusqu'au cou, et plus haut. Elle n'a que dix-neuf ans. C'est
une fillette. Leurs tétons[41] sont durs comme du marbre mais
leur cervelle, du poulet, de la lavande! J'aurais tenté de
15   l'empêcher de se... enfin, avec vous, là... elle se serait doutée...

F... —Et, pendant ce temps, vous n'étiez pas fâchée, vous, d'aller
vous faire harnacher par ce polichinelle.[42]

LA GOUVERNANTE.—J'ai tort de vous parler. Vous êtes de l'ordure.

F... —Et vous, ma commère, qu'est-ce que vous êtes? Moi, cette
20   petite, je ne l'avais jamais vue. (*La Gouvernante hausse les
épaules, fait mine de se retirer. Il la saisit, la maintient.*) Non!
Non! Tu m'écouteras. C'est inutile d'avoir l'air. D'elle, moi, je
m'en fichais. Mais toi, espèce de grande vermine, toi, pendant
des années...

25   LA GOUVERNANTE.—Ne l'écoutez pas... C'est un bandit...

F... —Des années, des années, tu l'as soignée, tu l'as bercée, et tant
qu'il ne s'agissait que d'envoyer en Occident des rapports sur la

---

[37] **charogne**   *another strong term of abuse. Its literal meaning is* carcass.
[38] **voyou** rat
[39] **maquerelle** bawd
[40] **forfaiture** breach of duty
[41] **tétons** breasts
[42] **vous n'étiez pas... polichinelle** you didn't mind being mounted by that
buffoon (*the Marshal*)

politique, sur la cavalerie, sur l'agriculture, je veux bien qu'il n'y ait rien à dire, c'était ton condé,[43] chacun a le sien, mais quand tu en es venue à l'accompagner jusqu'ici en sachant ce qui l'attendait, la bécasse,[44] et lorsque je pense que la balle qui n'entre pas, c'est de toi, c'est une idée de toi, la balle, le para- vent... quel vice!... je rougis, oui-da, Mademoiselle! je rougis de la corporation policière. Foin!

LA GOUVERNANTE.—Vous m'avez brûlée.[45] Vous serez fusillé.

F... —Je sais... Je suis foutu.[46]

ALARICA, à F... —Le lieutenant était-il du complot?

LA GOUVERNANTE, à F... —Répondez. Ne vous gênez pas... Je prends note.

F... —Il en était sans en être. Il croyait, pour de bon, qu'il s'agissait d'amour et que j'étais sincère. On lui a donné quarante francs. (A la Gouvernante.) A propos, ces petits frais, nous les por- terons sur votre note, ou sur la mienne? Il est vrai que, main- tenant...

LA GOUVERNANTE, à Alarica.—Je suis au service du roi d'Occident. Je vous ai, néanmoins, tendrement aimée. (La Gouvernante, sur le point de sortir, se retourne.) Oui, j'ai béni mon roi. Oui, je vous ai chérie. Il y a l'amour. Il y a les amours. Les amours, ah! les sales oiseaux! les amours vont guerroyant l'un contre l'autre au dedans de l'amour au dedans de mon cœur. A force de se battre ensemble ils détruisent ce misérable cœur. Mais d'autres cœurs fleurissent de tous les côtés. L'amour va bien.

Elle sort.

F... —Je suis foutu. Cette punaise ne me ratera pas. Voilà où ça con- duit, le sentiment.

---

[43] **condé** (*underworld slang*)   an exceptional authorization from the police, *usually delivered in return for information*
[44] **bécasse**   stupid goose
[45] **vous m'avez brûlée** (*colloquial*)   you gave me away
[46] **je suis foutu** (*colloquial*)   I've had it

Alarica et F... demeurent longuement immobiles. Soudain,
on frappe à la porte. Ils se taisent.

UNE VOIX DERRIERE LA PORTE.—C'est le roi!

ALARICA.—C'est mon père!

5   ... —Alarica, c'est moi. C'est le roi.

Entre Célestincic de Courtelande, béquille, manchon,
moustaches, cinquante ans, pastilles.[47]

CELESTINCIC.—Alarica! Mon enfant! Mon petit enfant! Ah! Je suis
content de te voir.

10   ALARICA.—Le roi d'Occident ne m'a pas voulue.

CELESTINCIC.—Je sais. Je sais. J'ai vu le Maréchal, en bas, sur le
perron. Il a commencé à me raconter mais j'étais trop content
de te voir, trop pressé. Surtout, ne te tourmente pas. Ce mariage,
au fond, c'était trop beau. Et trop de beauté, tu sais ce que ça
15   veut dire? Ça veut dire un peu de laideur. Ne te tourmente pas.
Nous avons une neige épaisse de six pieds. Le mois d'avril, par
conséquent, sera magnifique. Magnifique. Un bal de fleurs et
de papillons.

ALARICA.—La neige est profonde comme une tombe et le mois d'avril
20   n'est pas encore là.

CELESTINCIC.—Tu es nerveuse, Alarica. Oh! Je comprends. Je comprends. Mais, encore une fois, je t'en conjure, ne t'appesantis
pas sur un passé malsain. Dans tous les cas, le préférable, le
meilleur, c'est ce qui arrive, c'est ce qui se passe. Crois-moi, ils
25   t'auraient déçue, les occidentistes. Oh! gentils, comme ça, ils le
sont, gentils, polis, tout ce que tu voudras mais, sous leurs den-
telles, sous leurs opérettes, ça grouille. Et puis, nous ne perdons
pas tout. Les deux châteaux... Les trois cent mille florins...

ALARICA.—Vous êtes au courant? Déjà?

---

[47] **pastilles**   always eating lozenges, *which some old men use constantly to*
guard against bad breath

CELESTINCIC.—Ce bon Maréchal, en bas, m'informa. Avec ces trois
cent mille florins, cinq cent mille si nous vendons les deux
châteaux, j'achète des guêtres pour toute l'armée et j'engage un
orchestre pour nous jouer du Mozart. La la li li la la. J'ai bien
songé à consacrer cette fortune à poursuivre l'assèchement des   5
marécages mais, avec leurs écumoires, leurs bidons, leurs char-
rettes, leurs barils, nos pauvres diables de serfs et de manœuvres
en auraient jusqu'à la fin du monde. Sous notre territoire s'accu-
mule toute la pluie de la terre. L'orchestre, plutôt! Notre théâtre
a besoin d'un orchestre. Çà! mon petit, de l'allégresse! Nous   10
allons voyager tous les deux, tous les deux.

F... —Moi, je m'en vais. Que faire d'autre? Vienne... Bruxelles... Mais
ils me rattraperont comme ils voudront.

ALARICA.—Restez... Si vous veniez avec nous?

CELESTINCIC.—Qui est cet homme? Que fait-il dans ta chambre?   15

ALARICA.—Venez donc avec nous.

CELESTINCIC.—Je t'ai demandé qui est cet homme et, dans ta
chambre, ce qu'il fait.

ALARICA, à F... —Ce n'est pas si mal que ça, vous verrez. Là-bas,
pour un garçon comme vous, jeune, fort, et, au fond, distingué,   20
il y a de quoi passer le temps, je vous assure. Nous avons les
plus beaux coursiers du continent. (A son père.) C'est une
espèce de député du monarque d'Occident. Il est dans la poli,
dans la politique. (A F...) L'espace... L'horizon...

F... —Tout est plat...   25

ALARICA.—Les villes à bâtir... Les routes à concevoir... Le printemps
est un bal de fleurs et de papillons.

F... —Ça continue. Toujours le sentiment, les fables...

CELESTINCIC.—Alarica, je préférerais que nous nous épanchions sans
témoin.
                                                                     30
ALARICA.—Il m'a aidée dans l'infortune. A mon tour, je le soutiendrai.

F... —Mais, encore une fois, comme quoi, vous m'emmèneriez?

ALARICA.—Notre royaume a besoin d'officiers, de physiciens. (*A son père.*) Nous avons gagné des tas de florins. On peut lui ouvrir un petit compte.

F... —Je ne suis pas noble. Mon père est mort aux galères. Ma mère est blanchisseuse. Blanchisseuse de fin,[48] il est vrai.

ALARICA.—La noblesse prend sa source dans l'ambition et l'énergie.

F... —Je sais lire, ça oui, mais avec du temps. Maintenant, des idées, si c'est ça qui vous excite, j'en ai. Les gendarmes, par exemple. Le public, des fois, nous confond avec eux. Les gendarmes, c'est des rustiques![49] Devant que de[50] porter les galons[51] blancs, ils n'ont chez leurs parents, jamais vu de pain blanc.[52] Ces couillons-là[53] mènent leur enquête sans quitter leur casque et leur plumet cramoisi.

ALARICA.—Vous leur apprendrez la ruse.

CELESTINCIC.—Il m'est ardu, Alarica, de te faire une gronderie, d'autant plus ardu que bien peu de fois tu me donnas prétexte à des sévérités. Mais je ne tolérerai pas que tu te flattes d'une prérogative dont je dispose seul. Ne viendront dans ma maison que mes propres invités. Sdourndo zak pravoudnié refus d'obéissance pachimlaro stom!

ALARICA.—Aboussima zdanavor majorité légale abrassounié zak fardomi![54]

F... —Je le disais bien. Je suis foutu.

ALARICA.—Je t'emmène.

F... —Mais comme quoi, finalement?

ALARICA.—Tu seras ma maîtresse.

---

[48] **de fin**   of fine linen
[49] *In France the Parisian policemen are* **agents de police** *and are insulted when called* **gendarmes,** *the designation for provincial police.*
[50] **devant que de**   *replaces in colloquial speech* **avant de**
[51] **galons**   stripes (*of a noncommissioned officer*)
[52] *White bread, as opposed to dark, is a symbol of refined city life.*
[53] **couillons** (*very vulgar*)   jerks
[54] *Alarica and her father lapse into their own language in order to discuss private matters in front of F.*

F... —Quoi?

CELESTINCIC.—Que me faut-il entendre?

ALARICA.—Ma maîtresse. Mon favori. Mon partageur[55] musclé. Ce qu'il me faut de chair virile pour être un homme tout à fait.

CELESTINCIC.—Alarica, maintenant, c'est trop. A Stettin tu retourneras, dans le couvent de ton enfance. Tu y diras des rosaires tant que le poignet te fasse mal.

ALARICA, à F... —Tu es de haute taille. Tu caresses bien.

F... —Je n'ai pas envie de devenir votre esclave. A Montrouge, des femmes, j'en ai, comment vous dire? j'en ai par fourgons entiers.[56] Vous, quand vous me tiendrez, je vois ça d'ici, vous ne me lâcherez plus. Pas une seule fois, vous ne me permettrez d'approcher une femme, une autre, pour un peu me distraire, oh! sans rien faire de mal...

ALARICA.—Mon peuple compte au moins cent mille femmes.

F... —Elles ont le nez plat.

ALARICA.—Tu le leur tireras.

F... —Leurs yeux ressemblent à des trous de tirelire.[57]

ALARICA.—Quand elles te verront, elles les ouvriront comme des canons pleins d'avidité.

CELESTINCIC, se met debout.—Monsieur, je vous ordonne de sortir de ma fille. Si vous ne m'obéissez pas, je vous ferai mettre en état d'arrestation. Toi, ta gouvernante te conduira dans le couvent. Mais corbleu![58] où est-elle, à la parfin,[59] cette soupière de ventregris[60] de gouvernante? A l'ordinaire, il est impossible de s'en dépêtrer.

---

[55] partageur   an ironic expression for someone who will share all the goods of another
[56] j'en ai... entiers   I have wagonloads of them
[57] tirelire   piggy bank. In other words, they have narrow eyes.
[58] corbleu   a mild oath
[59] à la parfin   a more emphatic form of à la fin
[60] ventregris   an unusual oath which is very reminiscent of the more familiar ventrebleu, but which is actually derived from one of Henri IV's favorite curses, ventre-saint-gris

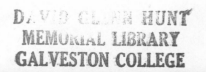

ALARICA.—Ma gouvernante cuisine[61] les roues. Ma gouvernante tricote les balles. Avant tout, ce qu'il faut, c'est que coure le mal. Le mal court.[62] Vous le voyez? Comme il court bien! Furet![63] C'est un plaisir. Le crime...

5   CELESTINCIC.—Quel crime? Quoi encore?

ALARICA.—Le crime serait de prétendre l'arrêter.

CELESTINCIC.—D'arrêter qui?

ALARICA.—Le mal. D'arrêter le mal, quand il court. Je ne commettrai pas ce crime, sûr que non!

10   CELESTINCIC.—Tu délires.

F... —Moi, je comprends ce qu'elle dit.

CELESTINCIC.—Ce roi d'Occident est une crapule. Quand je vois ce qu'a fait de toi sa félonie...

ALARICA.—Le roi d'Occident est un très grand roi. Vous n'êtes,
15   vous, qu'un petit roi d'oies. Vous régniez sur des oies, mon ami. Mais patience... Patience...

CELESTINCIC.—Cette belette de gouvernante, le maréchal, mes postillons, les officiers, les autorités de la Saxe doivent constater la folie de la princesse de Courtelande.

20   *Il va vers la porte.*

ALARICA.—Le mal court. Furet! Furet! Surtout, qu'il coure! S'il se fixe, fût-ce un instant, il s'épaissit, comme le mauvais de la

---

[61] **cuisine** (*colloquial*) is fixing

[62] **courir** *used throughout this passage and in the title of the play in the sense of* to run its course (*like a disease*)

[63] *Alarica's repeated cry* **Le mal court... furet** *is based on the children's song which begins:* **Il court, il court le furet / le furet du bois joli.** **Furet** *is also a children's game similar to "hunt-the-slipper." The contrast between the innocent world of childhood and the universe of evil evoked by this cry is striking. In addition,* **furet** *has clear sexual overtones, especially for Audiberti. In* Le Maître de Milan *he describes a woman's sex as* "**un furet, plein de lait, de sang et de cruauté.**"

pluie.[64] Qu'il doive, quelque jour, s'arrêter, que ce soit à l'extrémité définitive de sa vitesse, de sa force!

CELESTINCIC *appelle dans le corridor.*—Messieurs.

Entrent le Maréchal et le Lieutenant.

CELESTINCIC.—Messieurs, vous me voyez dans une grande peine.

LE MARECHAL.—L'événement est dur. Ils ont préféré l'Espagne. La grandeur les travaille.

CELESTINCIC.—Non... Ce n'est pas cela... Ce n'est pas que cela. Ma fille... Ma pauvre fille... Vous connaissez la princesse. Dès sa plus tendre enfance elle manifesta, par une exubérance du meilleur aloi,[65] la générosité de son tempérament. Plus tard, sa gaîté, sa tendresse, l'ouverture de son cœur, la promptitude de ses mouvements firent mes délices.[66] Jamais d'une bassesse, d'une perfidie, jamais de l'ombre d'un mensonge elle n'eut à s'accuser. Aujourd'hui, cette créature admirable, la tête dérangée par le malheur, m'insulte. Elle m'insulte dans la présence de cet homme, que je vous prie d'arrêter, Lieutenant... Messieurs, j'ai le regret de vous apprendre que, pour quelque temps, la princesse demeurera close.[67] (Il faudrait pourtant que cette gouvernante soit là!)

ALARICA.—Vous vous trompez...

CELESTINCIC.—Je ne veux pas vous écouter. Maréchal, faites quérir, par les postillons, un médecin, deux ou trois femmes de chambre. Nous avons de l'argent. Faites venir du monde, le plus de monde possible.

ALARICA, *à F...* —Ta place t'attend dans un cadre important.

F... —Paré, ma goulue.[68]

---

[64] **le mauvais de la pluie** thick of the storm. *This is an unusual use of* **mauvais,** *which here indicates the moment during the course of a storm when the rain falls so heavily that it seems thick.*
[65] **du meilleur aloi** most genuine
[66] **firent mes délices** were a delight to me
[67] **close** in seclusion
[68] **paré, ma goulue** ready, baby. **Paré** *is a military expression and* **goulue** *a very vulgar term of endearment.*

Il va se mettre devant la porte, la main à l'épée.

CELESTINCIC, *à F...* —Vous êtes arrêté.

F... —D'accord. Je suis arrêté. Je ne bouge pas. Vous non plus.

ALARICA, *à Célestincic.*—Vous vous trompez. Vous mettez de l'huile
de chanvre[69] en place d'huile d'olive jusque dans la salade qu'à
vous-même vous servez. Vous vous trompez pour ne pas voir
que je vous trompe. Je n'ai fait que mentir dès mon premier
bonjour.[70]

CELESTINCIC.—Elle est folle. Finissons-en!

LE MARECHAL.—Ce qu'elle dit semble intéressant.

ALARICA.—N'ayant jamais menti, j'ai sans trêve menti. J'ai respiré le
mensonge, sué le mensonge, marché, mangé, chanté le mensonge. Toute ma vie ne fut qu'une feinte. Monsieur de la
Béquille,[71] je vais vous le prouver.

CELESTINCIC.—Alarica, mon petit, mon enfant, tu me fais peur. Lieutenant, il faut lier la princesse.

LE LIEUTENANT.—Je me demande où elle veut en venir.

LE MARECHAL.—Les signes vont se précisant. Lorsque l'impératrice
Catherine[72] escamota son mari, pour le déposer, il y avait, tout
autour des acteurs de ce drame historique, comme une odeur
de phosphore et de violette.[73] Mon ami Mogroutoff—Mogroutoff
ou Souzanoff?—me l'a souvent répété. Il me semble percevoir
un atome de phosphore.

LE LIEUTENANT.—Que me conseillez-vous?

[69] **chanvre** hemp. *The inedible oil from hemp is used in making soaps and paints.*
[70] **dès mon premier bonjour** from the day I first said good morning
[71] **Monsieur de la Béquille** *a brutal way of addressing her father*
[72] **Catherine** Catherine the Great. *See p. 64, note 74.*
[73] **une odeur de phosphore et de violette** *These are odors symbolic of death and of a new beginning as the Marshal later on specifies. But questioned about the exact relationship between these odors and their significance, Audiberti replied* "Et pourquoi de violette? Je n'en savais rien. Raisons phonétiques plutôt qu'olfactives, sans doute."

LE MARECHAL.—La tortue.

LE LIEUTENANT.—La torture?

LE MARECHAL.—Non... Non... La tortue... Beaucoup de lenteur.

LE LIEUTENANT.—Re?

LE MARECHAL.—E.   5

ALARICA.—Jusqu'ici, elle n'aura servi, en fin de compte, ma vie, ma
si pure, ma si droite vie, qu'à masquer le présent ouragan de ma
férocité. Ma férocité se démasque. Tout le mal que je n'ai pas
fait, je vais le faire d'un seul coup. La plaine s'ouvre. Que
jaillisse la montagne des eaux noires! Fernand!   10

F... —J'étais imbécile, avec mes gendarmes. Mes amis, il y a mieux
à faire, mille fois mieux. Tenez. Vous avez plein de marécages,
n'est-ce pas?

CELESTINCIC.—Je vous interdis...

ALARICA, vers Célestincic.—Silence!   15

LE MARECHAL.—Laissez-le s'expliquer. C'est un occidentiste. Ils ont
inventé la baïonnette triangulaire.[74]

F... —Vos marécages, hé bien, qui nous empêche de planter dedans
d'énormes tuyaux de fer blanc,[75] je dis bien, de fer blanc,
comme le fer blanc des gouttières, afin de rassembler toute l'eau   20
dans une vallée et que, de là, elle se rende dans les fleuves!

LE MARECHAL.—C'est en tout point ce que je m'éreinte à préconiser
depuis que nous avons ce royaume...

CELESTINCIC.—Vous avez l'audace d'approuver ce galvaudeux?

LE MARECHAL.—J'approuve le bon sens. Et je goûte le vent.[76]   25

F... —Sur les marécages, le blé poussera. L'Angleterre n'en produit
guère. J'y suis été. Elle nous en prendra quinze bateaux par an.
Il nous faudrait un port. (Vers Alarica.) C'est bien dit?

[74] The French were, in effect, the inventors of the bayonet.
[75] fer blanc   tin plate
[76] je goûte le vent   I can tell which way the wind is blowing

ALARICA.—Je te soulève. Je t'inspire. Fais résonner ta voix forte. Mon homme, va![77]

F... —Les bateaux anglais viendront prendre le blé dans le port moscovite le plus proche de nous. L'impératrice Catherine nous en louera un.

LE MARECHAL.—Prodigieux! Totalement prodigieux!

F... —Elle nous en louera un. C'est obligé. D'abord elle palpe[78] le bail. Ensuite, à mesure que d'argent et de crédit nous nous enflons, elle se met, la brave Catherine, elle se met à nous vendre du cuir, des fourrures, du thé. A notre tour, avec l'argent de notre blé, nous achetons, en Angleterre, des machines...

CELESTINCIC.—Messieurs, le roi de Courtelande vous enjoint de l'assister à mettre fin à ces extravagances.

LE MARECHAL.—Attention. La violette rejoint le phosphore...[79]

ALARICA.—Messieurs, la reine de Courtelande vous délie du serment prêté entre les mains de ce béquillard pastilleux.[80] La reine de Courtelande vous conseille de jurer fidélité à moi-même et, par-dessus le marché, à ce beau garçon que, désormais, je promeus[81] mon cheval, mon danseur, mon tuteur, mon filleul et mon cavalier. Les blés seront hauts, désormais, là-bas, sur notre contrée mal notée.[82] Nous aurons des hôpitaux, des caserne-ments, des instituts. Je m'en moque. Je ne recherche pas la puis-sance pour la puissance mais il se trouve que je suis la fille d'un souverain et que le renversement de mon âme du côté du mal qui est le bien, du mal qui est le roi, je ne puis l'accomplir de plus mémorable, de plus exemplaire manière qu'en revendiquant la puissance, par l'assassinat si c'est nécessaire.

LE LIEUTENANT.—Qu'est-ce qu'on fait?

---

[77] **Mon homme, va**   come on, man. *Alarica is adopting the coarse style of F.*
[78] **palpe** (*colloquial*)   receives
[79] **la violette rejoint le phosphore**   *The signs of the king's downfall are becoming clearer.*
[80] **pastilleux**   smelling of lozenges
[81] **promeus**   promote (*a very rare form of* **promouvoir**)
[82] **mal notée**   of ill repute

LE MARECHAL.—Il n'y a rien à faire. La béquille en a dans l'aile.[83]
Il faudra faire changer la grande initiale au fronton du théâtre.[84]
Ça pue le phosphore et la violette, l'agonie et le commence-
ment.

ALARICA.—Engendrer signifie que l'on douta de soi pour accomplir   5
sa vie. L'enfant détruit le parent.

CELESTINCIC.—Je ne consens pas qu'on me détruise. Je ne me laisserai
pas déposséder. Je sais me battre. Je me suis déjà battu!

LE MARECHAL.—Il est battu. (*Au Lieutenant.*) Un conseil. Ne
bougez pas.   10

CELESTINCIC.—Maréchal! Lieutenant! Mes postillons! Mes soldats!

ALARICA.—Les granges craqueront de blé. Nous aurons des canons,
des douaniers, des prêtres. Les enfants prieront à genoux devant
mon image.

LE MARECHAL.—Vive Sa Majesté la reine. (*Au Lieutenant.*) Allez-y.   15

LE LIEUTENANT.—Vive Sa Majesté la reine! Et lui, sous quel titre
faut-il l'acclamer?

LE MARECHAL.—Bravo, Monseigneur! Bravo, le grand maître du
sec![85]

LE LIEUTENANT.—Bravo! Bravo, Monseigneur! Hourra, le grand sec!   20

CELESTINCIC.—Je vous ferai pendre par mes soldats. Je protesterai
devant les puissances. (*A F...*) Canaille, je vais te casser la tête.

LE MARECHAL, *à Célestincic.*—Restez donc tranquille. Il vous
empalera comme un pigeon.

CELESTINCIC.—Qu'est-ce que je vais devenir?   25

LE MARECHAL.—Vous avez toujours votre nécessaire, n'est-ce pas,
pour la salade?

CELESTINCIC.—Ma petite fille. Ma petite... Quand elle a marché la
première fois, je tremblais, derrière elle... Elle est allée d'un

---

[83] **en a dans l'aile**   has been winged. *In other words, the king has been hit.*
[84] *It will be necessary to replace the initial of the king by that of Alarica.*
[85] **le grand maître du sec**   *because he wants to dry up the swamps*

fauteuil à une table. Mes yeux, je crois, la tenaient debout,
comme des bras. Plus tard... Quand elle avait mangé sa soupe,
elle retournait l'assiette. Elle lui donnait un baiser. Ma petite
fille... Ma petite. Elle avait une poupée bleue. Comment, comment a-t-elle pu... Ma petite...

ALARICA.—Le mal court.[86]

Fin.

[86] *This final cry does not necessarily imply the total triumph of evil. Audi-*
berti has pointed out that there is a pun on **court** *brief and* **court** *is running its*
course. He has explained that Alarica is perhaps expressing the wish "**que le**
mal *soit* **court,** **et que lui succèdent l'amour et la bonté.**"

questions

1. Quelle est l'atmosphère qu'Audiberti veut créer au début de la
   pièce? Par quels moyens transforme-t-il cette atmosphère?
2. Pourquoi Alarica refuse-t-elle d'essayer de séduire le roi Parfait?
3. Dans quel sens Alarica est-elle « la fatalité de la vie »?
4. Dans quelle mesure les mots suivants d'Alarica expriment-ils les
   intentions de l'auteur: « ...j'ai tenu que la réalité vienne, au plus
   vite, alimenter la comédie, l'alimenter, la démentir »?
5. Pourquoi Alarica veut-elle garder F... auprès d'elle?

LE VOYAGE

de

GEORGES SCHEHADE

GEORGES SCHEHADE
(1910-   )

Le 30 janvier 1951 Georges Vitaly présenta au petit Théâtre de la Huchette *Monsieur Bob'le,* première pièce de Georges Schehadé. Lors de cette création Max-Pol Fouchet fut un des rares critiques à voir juste. Il décrivit la pièce comme « un ballet d'impondérables » et il dit de son protagoniste que « ...c'est un vieux sage, un poète, qui captive, envoûte, enchante la petite ville de Paola-Scala où il vit ». Par contre les autres grands critiques, surtout Robert Kemp, Jean-Jacques Gauthier et Léon Treich, toujours méfiants à l'égard de tout ce qui est nouveau, l'attaquèrent avec une ironie féroce. Leur réaction hostile reflétait celle de la plupart des spectateurs qui se montrèrent complètement fermés à la poésie de Schehadé. Cette incompréhension se traduisit peut-être le mieux dans le mot acerbe de la romancière Elsa Triolet: « Je me suis ennuyée ce soir-là, au théâtre de la Huchette, comme dans le hall d'une gare: le train n'arrivait pas. » Pourtant *Monsieur Bob'le* eut des défenseurs, notamment les surréalistes, André Breton, René Char, Benjamin Péret et Henri Pichette, et deux hommes de théâtre, Gérard Philippe et Jean-Louis Barrault. Malgré les efforts de ce dernier qui monta, respectivement, au Théâtre de Marigny et au Théâtre de France, *La Soirée des proverbes, Histoire de Vasco,* et

99

Le Voyage, ce poète libanais d'expression française ne réussit jamais à s'imposer au public parisien.

Cette série d'échecs immérités s'explique par la nature même de la poésie de Schehadé. Le tendre esprit de fantaisie qui l'anime, cette candeur ineffable qui fait sourire, ce jeu léger de caprices qui se rit de la logique, se résument dans le « whimsey » que les Anglais apprécient dans le *Peter Pan* de J. M. Barrie, et qui reste si étranger aux Français qu'ils n'ont pas même trouvé de mot pour l'exprimer. Tout comme Monsieur Bob'le, aux propos vagues et aux conseils incertains, le dramaturge semble purifier et éclairer la matière qu'il manie. Habitant d'un univers imbu de poésie, il en rapporte des images si transparentes qu'elles paraissent opaques, si simples qu'elles transmuent notre monde banal. Ce que le garde-malade Soubise dit de Monsieur Bob'le pourrait s'appliquer à son créateur: « Il dessine avec la main des fleurs, des formes bizarres. Il transpire des images. »

A Paola-Scala on est ainsi très loin du monde de l'absurde. Dans ce petit village « ...tout... a un aspect ordinaire: les gens, les maisons, la petite ruelle que remplit la carrure d'un cheval ». Là tout est à la fois ennui et bonheur. Et quand Monsieur Bob'le, après avoir assuré la tranquillité de son village d'adoption, doit partir, il laisse derrière lui *Le Trémandour,* livre de proverbes et de maximes que les habitants pourront consulter à n'importe quelle occasion. Une fois à l'étranger il envoie des messages ambigus qui permettent à la population de se passer de lui. De cette première pièce se dégage le merveilleux quotidien que l'on trouve dans certaines toiles de Vermeer et que Schehadé avait déjà dépeint dans ses premières poésies.

L'harmonie qui caractérise l'univers de Schehadé provient de cet accord parfait entre les hommes et les choses. Elle rappelle celle que « l'ensemblier » devrait assurer dans *Intermezzo* de Giraudoux. Elle s'exprime par l'impossibilité de distinguer le « tic-tac » d'une horloge des pulsations du cœur de Monsieur Bob'le. En ce sens Schehadé s'éloigne dans cette pièce d'un thème cher aux avant-gardistes: celui du temps vu dans ses rapports avec l'homme et représenté soit par une horloge sans aiguilles (*La Parodie* d'Adamov) soit par une horloge folle (*La Cantatrice chauve* d'Ionesco). Dans *Les Violettes* aussi la pendule est détraquée, mais il suffit de lui sourire pour qu'elle reprenne sa marche.

Le monde féerique que nous révèle Schehadé est constamment menacé, car sur lui planent sans cesse, pareilles à une malédiction, des forces destructives. Autour de la forêt ensorcelée, habitée par Marguerite et son père César, dans *L'Histoire de Vasco*, volent des corbeaux, symboles de la mort. Ce domaine sacré sera violé par l'irruption du lieutenant Septembre, qui apporte la guerre et qui représente une poésie puissante et sombre. De même, dans *Les Violettes* la venue du professeur Willy H. Kufman engendre le malheur de la pension Borromée. A partir de ce moment Schehadé nous fait entendre que l'amour qui avait été un passe-temps innocent devient un sentiment nocif. Ce savant, personnification du diable, finira par obtenir le concours de tous les membres de la pension, qui l'aident à fabriquer une bombe meurtrière avec de l'extrait de violettes.

Dans cet univers constamment en péril se trouvent cependant des anges gardiens qui se chargent de la défense des faibles. Ainsi Monsieur Bob'le protège les habitants de son village. Monsieur Strawberry veille au bien-être des employés de son magasin tandis que Madame Borromée assure celui de ses pensionnaires. Néanmoins, ces personnages bienveillants ne constituent pas une garantie absolue contre le mal. Le sort de ce monde lumineux dépend d'individus qui semblent eux-mêmes avoir besoin de protection. Ils se ressemblent tous: Christopher, petit employé qui cherche le dépaysement par le truchement d'un voyage et qui trouve moyen de réhabiliter le criminel Wittiker; Argengeorge rêveur et pourtant capable de recréer son amour; Vasco, le petit perruquier peureux aspirant à mériter celle qu'il aime et sauvant sa patrie. Ces êtres à l'âme pure ont pour ancêtres Parsifal, Don Quichotte et le Prince Muishkine de Dostoïevski. Héros naïfs et inconscients ils ne savent pas ce qu'ils font et ils traversent le monde pareils à des somnambules. Ils appartiennent tous à la race des simples d'esprit appelés peut-être à sauver l'humanité. Malheureusement, à l'exception de Christopher, qui trouve son salut dans l'amour, ils sont tous voués à la mort.

Cette mort qui rend éternelle leur pureté est aussi une forme de salut, mais dont les suites peuvent être soit bienfaisantes soit néfastes. L'agonie de Monsieur Bob'le a pour résultat la conversion d'un ancien ivrogne, qui ira à Paola Scala remplacer le saint défunt. Par contre le décès du protagoniste de *L'Emigré de Brisbane*, revenu dans son village natal et mort avant d'avoir vu personne, provoque des drames meurtriers. L'inutilité de cette mort est soulignée par l'auteur dans la dernière scène où on apprend que l'émigré s'était trompé de village.

Les dénigrements des critiques de Schehadé n'ont pu porter atteinte au charme de son théâtre qui rappelle en certaines façons les impromptus d'un autre poète-dramaturge méconnu, Jules Supervielle. Tout comme *Le Songe d'une nuit d'été* de Shakespeare, les féeries nostalgiques et ingénues de Schehadé sont des rêves qui demeurent, car comme la mer que décrit Paul Valéry elles ne sont autre chose que ce « tumulte au silence pareil ».

ŒUVRES DE SCHEHADE

THEATRE

Monsieur Bob'le (Paris, Gallimard, 1951).
La Soirée des proverbes (Paris, Gallimard, 1954).
Histoire de Vasco (Paris, Gallimard, 1957).
Les Violettes (Paris, Gallimard, 1960).
Le Voyage (Paris, Gallimard, 1961).
L'Emigré de Brisbane (Paris, Gallimard, 1965).

POESIES

Rodogune Sinne (Paris, G.L.M., 1947).
L'Ecolier sultan (Paris, G.L.M., 1950).
Les Poésies (Paris, Gallimard, 1952).

OUVRAGE A CONSULTER

Richard, Jean-Pierre, « Georges Schehadé », *Onze études sur la poésie moderne* (Paris, Aux Editions du Seuil, 1964)

LE VOYAGE

à Jean-Louis Barrault

personnages

Monsieur Strawberry
Christopher
Georgia
Cheston
La Cliente
Reverend Pere Lamb
Matelot Jim
Diego
Madame Edda
Lieutenant Cox
Lieutenant Lory
Matelot Max
Matelot Fish
Matelot Maxy

Quartier-Maitre Alexandre
 Wittiker
Premier Inconnu
Deuxieme Inconnu
Amiral Punt
Jane
Commandant Greench
Capitaine Wisper
Senhor Panetta
Cocolina
Don Alfonso
Aspirant James Hogan
Commandant Gordon
Le Perroquet Caldas

L'action se déroule aux environs de 1850 dans le port de Bristol, en Angleterre.

PREMIER TABLEAU

Intérieur d'un magasin anglais. Au mur, une grande plaque de cuivre:

> ## Veuve Wilson Tauby et Fille
> BRISTOL[1]
>
> ## BOUTONS EN TOUS GENRES
>
> *Maison fondée en 1760*
> *Successeur Henry Strawberry*

Plus bas, sur le même mur, un écriteau de moindre dimension:

> ## PAS DE CREDIT
>
> *sauf pour les Ecclésiastiques*

Comptoirs disposés en demi-cercle. A droite, une grande fenêtre donnant sur la mer et le port. On aperçoit, à travers cette fenêtre, des bateaux aux longues cheminées, toutes droites, des navires aux mâts nets et enchevêtrés.

Au lever du rideau, Christopher,[2] face à la baie, regarde obstinément la mer. Georgia l'observe tendrement. Monsieur Strawberry surveille le travail de ses commis. C'est un homme entre deux âges,[3] agité, méticuleux et, au demeurant, fort brave.

[1] **Bristol** *an important British port and industrial city*
[2] *The author probably named his hero after Saint Christopher, patron of travelers.*
[3] **entre deux âges** middle-aged

104

SCENE I

MONSIEUR STRAWBERRY, CHRISTOPHER, GEORGIA, CHESTON,
UNE CLIENTE.

MONSIEUR STRAWBERRY.—Christopher, monsieur Christopher, mon
cher garçon, laissez donc tranquille la mer! Je vous jure qu'elle   5
ne changera pas de place.

CHRISTOPHER, *il reprend son travail et range des boutons sur le
comptoir.—...*

MONSIEUR STRAWBERRY.—Merci. (*Avisant Georgia dont les yeux ne
quittent pas Christopher.*) Mademoiselle Georgia, je vous en   10
prie, cessez de regarder monsieur Christopher comme si c'était
un cadran solaire... à longueur de journée![4]

GEORGIA, *elle reprend aussitôt son travail.—...*

MONSIEUR STRAWBERRY.—Merci. (*A Cheston qui l'écoute, bouche
bée.*) Et vous Cheston, ne faites pas un sort à chacune de mes   15
paroles.[5] Ne vous cramponnez pas à tout ce que je dis. Vous
avez mieux à faire, monsieur Cheston; je vous en prie.

CHESTON, *il reprend, à son tour, son travail.—...*

MONSIEUR STRAWBERRY.—Merci. (*Il se promène, de long en large,[6]
dans le magasin et parle tout seul.*) Le négoce est, avant tout,   20
une amabilité. Une sorte, comment dire... de miroiterie affable.
Vous me saluez (*Il s'incline.*) et je suis à vous. En ce qui nous
concerne, nous allons beaucoup plus loin: les rapports de la
Maison Tauby avec sa clientèle sont des échanges... spirituels.
Vous me donnez, et je vous le rends.[7] Rien ne ressemble plus   25

---

[4] **à longueur de journée**   all day long. *This is a typical Schehadé image in
that it is extremely simple and yet most unusual. Georgia is implicitly compared
to the sun which shines on the sun dial* (*Christopher*).
[5] **ne faites... paroles**   don't take everything I say for gospel truth
[6] **de long en large**   back and forth
[7] *Commerce as a basis of British life is a theme found throughout French
literature. In his* Lettres philosophiques (*Dixième Lettre—« Sur le commerce »*)
*Voltaire deals with this subject and its relationship to England as a maritime
power.*

aux boutons, en effet, que les pièces de monnaie... vous comptez,
je compte aussi. Ni poids, ni balance. Une perfection dans les
doigts, de part et d'autre,[8] suffit. On raconte qu'une tzigane,
venue de Sandringham,[9] portait sur son habit des pièces
d'argent en guise de boutons. Bel exemple d'interférence,[10] qui
mérite d'être souligné.

*Pendant que monsieur Strawberry disserte à perte de
vue,[11] Christopher, insensiblement, délaisse son travail et
fixe de nouveau la mer. Georgia regarde Christopher; et
Cheston, bouche ouverte, écoute monsieur Strawberry.*

MONSIEUR STRAWBERRY.—Il y a autre chose aussi. Au point de vue
de la morale, les boutons, quelle nécessité! Comme les médailles
saintes, dont ils empruntent la physionomie, ce sont les au-
xiliaires de la vertu. Ils dissimulent, ils cachent.[12] Entre nous,
tout à fait entre nous (*Il crie.*) sans les boutons, qu'est-ce qu'on
n'aurait pas vu!...

*Christopher, Georgia et Cheston, en entendant l'éclat de
voix de monsieur Strawberry, se remettent fébrilement à
leur travail. Monsieur Strawberry avance et regarde de
près l'écriteau: « PAS DE CREDIT, sauf pour les Ecclésiastiques. »*

MONSIEUR STRAWBERRY, *il parle avec lui-même.*—« Pas de crédit,
sauf pour les ecclésiastiques. » (*Il réfléchit.*) La teneur de cet
écriteau me paraît, tout à coup, bien légère. Tous les citoyens
sont égaux. La discrimination est inadmissible. Je vais rectifier.
« Pas de crédit, même pour les ecclésiastiques. » Oui. Puis,

---

[8] **de part et d'autre**   on both sides
[9] **Sandringham**   *a village in Norfolk, England*
[10] **interférence**   *an expression in physics describing two waves which rein-
force or neutralize each other when they meet. This term has spiritualistic
overtones. Strawberry wants to emphasize the almost mystic aspects of commerce. This is the attitude which Schehadé parodies in the last part of this
act.*
[11] **disserte à perte de vue**   talks endlessly
[12] *Strawberry's comparison—holy medals are concrete signs of virtue, while
buttons serve to hide vices—is hardly logical. Strawberry's moral code is a
rather ambiguous one.*

quelle leçon! Le commerce exige de pareils sacrifices. On n'est pas Anglais pour rien. Je suis convaincu que notre chère clientèle appréciera cette mise au point démocratique. (*Il jette un coup d'œil autour de lui et aperçoit Cheston qui l'écoute.*) Qu'en pensez-vous, Cheston?

CHESTON.—Vive l'Angleterre![13]

MONSIEUR STRAWBERRY.—Merci. C'est tout à fait ça.

On entend le bruit d'un carillon: la porte s'ouvre; entre une cliente.

MONSIEUR STRAWBERRY, *il va à sa rencontre et s'incline.*—Bonjour, Madame.

LA CLIENTE, *elle rectifie, timidement.*—Mademoiselle.

MONSIEUR STRAWBERRY.—Bonjour toutes les deux.[14] Vous désirez?

LA CLIENTE, *un peu gênée.*—Des boutons... petits, et... qui ne soient pas trop froids.

MONSIEUR STRAWBERRY, *une seconde perplexe, mais se reprenant vite.*—Ah, je comprends. Excusez-moi. Georgia, miss Georgia, voulez-vous vous occuper de Mademoiselle. (*Il s'éloigne et dit, en passant, à Cheston, à mi-voix:*[15]) C'est pour des boutons intimes.

La cliente règle le montant de son achat et s'apprête à sortir.

MONSIEUR STRAWBERRY, *il accompagne, jusqu'à la porte, la cliente.*— Toujours à votre service, Madame.

LA CLIENTE, *elle rectifie, timidement.*—Mademoiselle.

[13] *Cheston's answers sometimes have very little to do with the question, but his employer never seems to notice. Schehadé treats the theme of noncommunication lightly.*

[14] *This shallow but very human little joke is typical of Strawberry. One may like him for his warmth or be irritated by his antipoetic mind.*

[15] à mi-voix   under his breath

MONSIEUR STRAWBERRY.—Oh, deux beautés en valent une![16]

La cliente sort.

MONSIEUR STRAWBERRY, *il avance et regarde de près l'écriteau.*—Pas de crédit, même pour les ecclésiastiques! J'ai décidé. (*Il apporte une chaise, monte dessus. Avec un pinceau et de l'encre, il se met à barrer consciencieusement le mot « sauf » pour le remplacer par le mot « même ».*)

GEORGIA, *s'approchant de Christopher qui regarde à travers la fenêtre.*—Un vapeur qui entre dans le port et ramène ses voiles (*Elle montre du doigt.*) là-bas! (*Après un temps.*) Il y a des gens qui vont être heureux de se retrouver. J'en suis émue. Pas vous, monsieur Christopher?

MONSIEUR STRAWBERRY, *debout sur la chaise.*—Donnez-moi une règle, Cheston.

CHRISTOPHER, *il répond à Georgia.*—C'est le *Nancy;* il revient de Norvège.[17] Je le reconnais.

GEORGIA, *avec mélancolie.*—Aux bateaux qui arrivent, vous préférez ceux qui partent, n'est-ce pas, monsieur Christopher?... Comme celui-ci, qui est tout blanc et qui renvoie de la fumée.

CHRISTOPHER.—C'est le *Silver-India.* Je le reconnais. Et celui-là qui débarque ses marchandises à quai, c'est l'*Emerald.*

MONSIEUR STRAWBERRY, *qui a grimpé sur les barreaux de la chaise.* —Tenez bien la chaise, monsieur Cheston, ou je risque de m'écrouler.

GEORGIA, *montrant la rade et les bateaux.*—Tout cela, bien sûr, est joli à regarder, mais je suis mélancolique, très mélancolique de voir que vous allez chercher si loin le bonheur, alors qu'il est... ici, tout près.

CHRISTOPHER, *il regarde, surpris, Georgia.*—...

---

[16] *This nonsensical expression reminds one of the common saying* un bon conseil en vaut deux. *Such deliberate distortion of banalities is typical of the contemporary theatre.*
[17] **Norvège**   Norway

GEORGIA, *elle se reprend.*—Je ne parle pas de moi, mais de votre patrie, l'Angleterre.

MONSIEUR STRAWBERRY.—Assez discourir sur les bateaux, d'autant plus que je suis dangereusement perché et que le sujet m'énerve. (*Un instant après.*) Miss Georgia, apportez-moi un plumeau 5 pour nettoyer la « raison sociale ».[18]

Monsieur Strawberry—qui a fini de rectifier l'inscription sur la pancarte—donne alors un coup de plumeau sur la grande plaque de cuivre « MAISON TAUBY ». Puis, aidé de Cheston, il descend de la chaise. 10

MONSIEUR STRAWBERRY, *allant à Christopher.*—Où est-ce que vous avez vu l'*Emerald?* Montrez-moi ça, mon garçon. (*Il sourit de contentement en apercevant le bateau que lui montre Christopher, mais aussitôt il ajoute sévèrement.*) Je ne me réjouis pas de contempler ce navire pour les mêmes motifs que vous, 15 Christopher. A bord de l'*Emerald*, il y a une cargaison d'ébène, dents de morses,[19] carapaces de tortues, destinée à la fabrication des boutons. A ce titre, seulement, cet esquif nous intéresse. Nous ne sommes pas légers au point de rêver d'aventures, et de... liberté! devant le premier véhicule maritime. Comme s'il n'y 20 avait pas assez de liberté dans votre pays, l'Angleterre. Qu'en pensez-vous, Cheston?

CHESTON.—Une île a besoin d'être ravitaillée.

MONSIEUR STRAWBERRY.—C'est tout à fait ça. Merci. Allons, monsieur Christopher, comptez-moi, avec sympathie, une douzaine de 25 boutons perlés pour Lady Lind qui doit encapuchonner sa litière.[20] Et laissez donc la mer se balader comme une perdrix grise qui n'a pas le sentiment de ses responsabilités.

CHESTON.—Pour la première fois, monsieur Strawberry, je ne pense pas comme vous. Je trouve que la mer est belle, et qu'un commis 30 de magasin peut honnêtement la regarder, entre deux achats effectués par des clients anglais.

---

[18] **raison sociale**   trade name
[19] **dents de morses**   walrus teeth
[20] **encapuchonner sa litière**   cover her litter

GEORGIA.—Et moi, si vous le permettez, je dis que la mer qui abonde en coraux, nacre et coquillages, est notre principal fournisseur. On peut donc l'admirer... commercialement, sans faillir pour cela à son devoir de commis dévoué.

5   MONSIEUR STRAWBERRY.—Je suis d'accord. Mais, monsieur Christopher pense-t-il comme vous?

GEORGIA, *elle répond faiblement, pour Christopher.*—Oui.

MONSIEUR STRAWBERRY, *allant à Christopher.*—Pensez-vous sincèrement, mon garçon, que la mer est notre associée et que, eu
10   égard à cette situation, vous lui devez de l'amitié (*Il hausse les épaules.*) ...et quelques épanchements? Rien de plus!

CHRISTOPHER.—Sans doute, Monsieur.

MONSIEUR STRAWBERRY.—Eh bien, je déclare la réponse de monsieur Christopher, peu satisfaisante. (*Après un temps.*) Aimez-vous
15   la mer, Cheston?

CHESTON.—Bien sûr, et même je la chéris.

MONSIEUR STRAWBERRY.—Vous entendez, monsieur Christopher? Nous aimons tous la mer, mais comme une image...[21] et non comme une femme de mauvaise vie![22]

20   GEORGIA.—Oh!

MONSIEUR STRAWBERRY, *crescendo:*—Une veuve exubérante... mal pavée...[23] et pleine d'ouvertures de toutes sortes, si j'ose dire...

GEORGIA.—Oh!

MONSIEUR STRAWBERRY.—...pour les fuites de l'esprit! Alors que
25   l'emploi que vous exercez, en vendant des boutons, est symbole de clairvoyance, fermeture; en bref de moralité. Nous aimons la mer, oui. Mais comme une image, monsieur Christopher...[24]

---

[21] *This passage gains in clarity when one thinks of the expression* **sage comme une image** *commonly used to describe a virtuous child.*
[22] **femme de mauvaise vie**   loose woman
[23] **mal pavée**   badly paved *because the ocean is rough*
[24] *These seemingly simple statements are actually complex. Strawberry means that he loves the ocean not as a means of debauch of the imagination, but as an image which does not menace the* **fermeture** *and* **clairvoyance** *represented by the buttons.*

> *A ce moment, on entend venir du port le cri bref d'une sirène.*

CHESTON, *il ajoute aussitôt:*—...avec un sifflet.[25]

MONSIEUR STRAWBERRY, *il rit, bon enfant,*[26] *de la repartie de Cheston.*—Ho ho ho... (*Après un temps, complètement détendu:*) Allons-y, au travail. (*En passant près de Christopher:*) Et ne me jugez pas plus stupide que je ne suis, mon garçon.[27]

> *Georgia, Cheston et Christopher vaquent à leur travail, ouvrant des boîtes, comptant des boutons, les empaquetant, etc...*

SCENE II

LES MEMES, *et le* REVEREND PERE LAMB.

On entend un carillon. La porte s'ouvre. Entre le Révérend Père Lamb.

MONSIEUR STRAWBERRY.—Oh!... Révérend Père Lamb, il y a si longtemps... (*Il n'achève pas sa phrase.*) J'espère que vous venez pour une visite...

REVEREND PERE LAMB.—Pour un achat, monsieur Strawberry, et pour une visite, sans savoir exactement par quoi commencer. Le fait est, qu'achat et visite sont également importants.

MONSIEUR STRAWBERRY.—Asseyez-vous.

---

[25] *A play on the* sirène *which interrupts Strawberry and on the familiar French saying* couper le sifflet à quelqu'un *to shut someone up. In other words, just like a model child who through an unexpected misdeed contradicts his parent's praise, so Strawberry's tame ocean suddenly startles him by the sound of the siren.*

[26] **bon enfant**   good naturedly

[27] *This is also a warning to the audience. Strawberry is very similar to Monsieur Bob'le: his apparent simplicity is not stupidity.*

REVEREND PERE LAMB.—Nous commençons par l'achat ou par la visite?

MONSIEUR STRAWBERRY, *très amical:*—Par la visite, voyons!

REVEREND PERE LAMB.—Ce sera par l'achat, si vous le permettez.

5   MONSIEUR STRAWBERRY.—Comme vous voudrez.

REVEREND PERE LAMB.—A la réflexion, je préfère commencer par la visite, vous avez raison.

MONSIEUR STRAWBERRY.—Je vous l'avais bien dit, c'est plus amical.

REVEREND PERE LAMB, *après un temps.*—Voilà que je reviens à ma
10 première idée: l'achat.

MONSIEUR STRAWBERRY.—Eh bien, achetez, Révérend Père Lamb.

REVEREND PERE LAMB.—J'ai pour vous une très grosse commande.

MONSIEUR STRAWBERRY.—Alors la commande? Très bonne idée.

REVEREND PERE LAMB.—Oui, c'est bien ça: la commande d'abord.
15 Mais... il y a cette visite...

MONSIEUR STRAWBERRY.—Commencez par où vous voudrez, Révérend Père Lamb, mais... finissez!

REVEREND PERE LAMB.—Sans y aller par quatre chemins,[28] je viens
vous parler de Christopher et de Georgia. (*Voulant le rassurer.*)
20 Ensuite, ce sera le tour de la commande.

MONSIEUR STRAWBERRY, *encourageant: il craint que le Père Lamb
ne reviennne à ses hésitations:*—Oui, oui. C'est très bien.

REVEREND PERE LAMB, *il approche sa chaise de celle de monsieur
Strawberry. Puis, sibyllin:*[29]—Il se passe dans votre magasin des
25 événements qu'un chat ne devrait pas ignorer... L'événement
étant: les souris... (*Après un temps.*) par rapport au chat.

MONSIEUR STRAWBERRY.—Je ne comprends pas.

REVEREND PERE LAMB.—Laissez-moi achever, mon bon ami. Tout à
l'heure, nous avons, à cause de vous, perdu beaucoup de temps.

---

[28] **sans y... chemins**   to come straight to the point
[29] **sibyllin**   mysteriously

(*Après un instant.*) Vous allez tout de suite me comprendre. (*Il rapproche encore sa chaise de celle de monsieur Strawberry et ajoute à voix basse:*) quand je dirai que c'est vous, le chat!

MONSIEUR STRAWBERRY, *à lui-même.*—Qu'est-ce que cette histoire?

REVEREND PERE LAMB.—Vous êtes dur d'oreille?[30]

MONSIEUR STRAWBERRY.— Je vous entends très bien, Révérend Père Lamb, mais je ne vous comprends pas. C'est toute la différence.

REVEREND PERE LAMB.— Eh bien, nous allons abandonner les ornements de l'allégorie et ceux des proverbes (*Avec une légère irritation dans la voix.*) pour être clair! monsieur Strawberry. Mais il est regrettable qu'un gentleman comme vous ne puisse apprécier ces méthodes de l'esprit dont le tact convient à notre affaire.

MONSIEUR STRAWBERRY, *voulant canaliser le débat.*—Il s'agit de Miss Georgia et de Christopher, m'aviez-vous dit?

REVEREND PERE LAMB.—Et je continue à vous le dire!

MONSIEUR STRAWBERRY.— Je vous écoute, Révérend Père Lamb.

REVEREND PERE LAMB.—Donc, dimanche après-midi, comme je me promenais du côté du port pour me dégourdir les jambes,[31] car il faisait un soleil exquis, presque chaud, un soleil qui semblait venir de nos colonies...

MONSIEUR STRAWBERRY.— Dieu garde le Roi![32] C'était, en effet, une très belle après-midi.

REVEREND PERE LAMB.—...j'arrivais à un endroit où le quai était désert, et qu'est-ce que je vis... (*Il s'arrête et semble poser une devinette à monsieur Strawberry.*) Et qu'est-ce que je vis?...

MONSIEUR STRAWBERRY.— Avec vous, Révérend Père Lamb, on ne sait jamais. Sans quoi j'aurais bien hasardé quelque chose.

---

[30] **Vous êtes dur d'oreille?**   Are you deaf?
[31] **me dégourdir les jambes**   stretch my legs
[32] **Dieu garde le Roi!**   *Lamb's mention of colonies kindles Strawberry's patriotism. Hence his* God save the King!

REVEREND PERE LAMB, *il poursuit.*—Je vis: Georgia!... en larmes qui
regardait l'étendue de la mer; comme une gravure de mélancolie. Georgia que le vent remuait comme un petit arbre.

Monsieur Strawberry tourne la tête et regarde du côté
5   *de Georgia; puis il rapproche sa chaise de celle du*
Révérend Père Lamb.

REVEREND PERE LAMB.—Et j'eus un choc: là (*il pose la main sur son
cœur, et dit:*) du côté du scapulaire.[33] Mon premier mouvement
fut d'aller vers elle; mais je changeai d'avis en disant: « Dieu
10 bénisse la douleur », et m'éloignai en pensant que ce n'était
peut-être qu'un caprice de jeune fille devant l'océan plein de
fantômes et de prénoms mélodieux.[34]

Monsieur Strawberry se retourne, et regarde un instant
Georgia.

15 REVEREND PERE LAMB.—Et je repris ma promenade de vicaire, bavar-
dant avec moi-même le long des quais, lorsque près d'un navire
ancré et qui sentait fortement le voyage, je vis... (*Il s'arrête de
parler et semble poser de nouveau, une devinette à monsieur
Strawberry.*) Qu'est-ce que je vis?... regardant la mer et lui
20 souriant, comme à un seul amour...

MONSIEUR STRAWBERRY, *il devine.*—Christopher!

REVEREND PERE LAMB.—...assis sur une barrique. Parfaitement.
(*Après un temps.*) De là à penser que ces deux jeunes gens
étaient en face d'une seule même chose qui les séparait, il n'y
25 avait qu'un pas. Mon esprit le fit et je rentrai chez moi perplexe.
(*Après un temps.*) Voilà ce dont je voulais vous faire part. A
vous d'en tirer les conséquences.

MONSIEUR STRAWBERRY.—Je vous remercie, Père Lamb. J'y penserai.

---

[33] **scapulaire**   scapular, *a badge of membership in a third order consisting of
a pair of small cloth squares joined by shoulder tapes and worn under the cloth-
ing on the breast and back*
[34] *A striking image because the common notion of the ocean and its eternal
victims is given a new extension. The* **prénoms mélodieux** *most probably refer
to the names of the beloved which the sailors call out just before drowning.*

(*Après un temps, tout en sourires.*) Maintenant, passons à la commande.

REVEREND PERE LAMB.—Mais, vous savez, j'ai beaucoup aimé Georgia lorsqu'elle pleurait, et j'ai bien aimé aussi Christopher quand il souriait.

MONSIEUR STRAWBERRY.—Oh! une promenade dans le port de Bristol, un dimanche... (*Il fait un geste vague pour montrer que la chose est sans importance. Puis:*) Passons à la commande.

REVEREND PERE LAMB, *il tire un papier de sa poche.*—Je vous préviens qu'elle sera substantielle et... paradoxale! Boutons de luxe et boutons de première nécessité. Tous ces objets, bien entendu, seront bénits avant d'être utilisés pour ne laisser aucune chance au diable. (*Il rit, puis il sort d'un étui ses lunettes et, dépliant le papier, il lit.*) Cinquante douzaines de boutons noirs, vernis. Cinquante douzaines de boutons noirs, laqués.

MONSIEUR STRAWBERRY.—Monsieur Cheston, prenez l'échelle. (*Après un temps, il répète, à l'intention de Cheston qui s'est juché sur l'échelle.*) Cinquante douzaines de boutons noirs, vernis. Cinquante douzaines de boutons noirs, laqués. De première qualité.

REVEREND PERE LAMB.—Oh, oui! car je vous assure que le Frère Trésorier va mordre dedans pour les essayer.[35]

Il fait la mimique de quelqu'un qui mord, puis il rit.

MONSIEUR STRAWBERRY, *levant la tête.*—Vous y êtes, Cheston?

REVEREND PERE LAMB, *il continue de lire la commande.*—Par autorisation spéciale de l'Evêque: Vingt douzaines de boutons perlés (*Après un temps:*)...pour nonnes émancipées!

Il lève les bras au ciel.

MONSIEUR STRAWBERRY.— Miss Georgia: Vingt douzaines de boutons perlés.

---

[35] *as one bites into a coin to see if it is good*

REVEREND PERE LAMB.—Trente douzaines de boutons nacrés pour surplis d'enfants de chœur (*Entre les dents:*) crétins...[36]

MONSIEUR STRAWBERRY, *à Georgia.*—Trente douzaines de boutons nacrés. Petite dimension. (*Puis, en guise de plaisanterie, au Révérend Père Lamb.*) Comment le Frère Trésorier va-t-il s'y prendre pour en éprouver la résistance?

Il fait la mimique de mordre, puis il rit.

REVEREND PERE LAMB, *il lit.*—Une douzaine de boutons émaillés, en forme de violette, pour le couvre-théière[37] de l'Evêque. Par ordre spécial de l'Archevêque.

MONSIEUR STRAWBERRY, *avec admiration, se levant et tournant autour de lui-même.*—Les pompes! les pompes! les pompes de l'Eglise!... (*A Christopher.*) Une douzaine de violettes en émail.

REVEREND PERE LAMB, *il tend la liste à Strawberry.*—Pour le reste, vous n'avez qu'à voir.

MONSIEUR STRAWBERRY, *il jette un coup d'œil sur la liste.*—Fort bien. (*Il tend la liste à Cheston.*) Vous compléterez, Cheston.

Cheston, Christopher et Miss Georgia déposent, au fur et à mesure, sur le comptoir, les petits paquets destinés au Révérend Père Lamb.

MONSIEUR STRAWBERRY.—Ah! Révérend Père Lamb, que j'ai été heureux de vous voir et combien j'ai apprécié votre vivacité d'esprit dans l'exposé de cette commande.

REVEREND PERE LAMB, *sévère.*—Souvenez-vous, plutôt, de la promenade de Christopher et de miss Georgia au bord de la mer. A mes yeux de chrétien, elle est plus importante que la théière de l'Evêque.

---

[36] **crétins**   good-for-nothings
[37] **couvre-théière**   tea cozy

MONSIEUR STRAWBERRY.—Je vous le promets. (*Apercevant les paquets destinés au Père Lamb.*) Tout y est, je crois.

REVEREND PERE LAMB.—Que faut-il débourser?

MONSIEUR STRAWBERRY, *après avoir regardé le papier que lui tend Cheston:*—Une guinée[38] (*Avec coquetterie:*) et une tierce,[39] qui pour vous sera une quarte, avec le rabais consenti. 5

REVEREND PERE LAMB.—Le Bon Dieu ne vous demande pas tant!

Il compte l'argent et le dépose sur la table.

MONSIEUR STRAWBERRY.—Miss Georgia, mettez le tout dans la même boîte, avec un beau ruban. 10

REVEREND PERE LAMB, *dont le regard s'est posé par hasard sur la pancarte.*—Mais... monsieur Strawberry... que vois-je? « Pas de crédit *même* pour les ecclésiastiques? »

MONSIEUR STRAWBERRY, *embarrassé, ne trouvant rien à dire.*—...

REVEREND PERE LAMB.—Et que signifie cette rature-là? 15

MONSIEUR STRAWBERRY.—Une mouche... une très grosse mouche.

REVEREND PERE LAMB.—Une mouche, mon bon ami, qui s'occupe de calligraphie?...[40] (*Après un temps.*) Les traditions se perdent dans cette maison. Je laisse la commande et reprends l'argent. (*Il marmonne.*) « Pas de crédit »! 20

MONSIEUR STRAWBERRY.—Révérend Père Lamb, je vous en prie...

REVEREND PERE LAMB.—Je repasserai demain pour voir si vous êtes devenu raisonnable. Adieu, Monsieur Strawberry!

Le Révérend Père Lamb sort.

---

[38] **guinée**   guinea, *a piece of English money worth a little more than a pound*
[39] **tierce**   terce, *a tax of one third which Strawberry will reduce to* **une quarte** a quarter
[40] **calligraphie**   penmanship

SCENE III

Les Memes, *moins le* Pere Lamb.

Monsieur Strawberry, *complètement découragé.*—Apportez-moi
une chaise, Cheston, un pinceau et de l'encre. Il va falloir
regrimper; mais avouez que l'amour de l'égalité ne donne pas
ses fruits. (*A lui-même.*) Une si belle commande!

*Monsieur Strawberry, aidé de Cheston, monte sur la
chaise pour barrer le mot « même » et le remplacer par
« sauf ».*

Monsieur Strawberry, *une fois son travail terminé, manifeste sa
mauvaise humeur en passant près de Georgia et de Christopher.*
—Alors, on se promène le long des quais, le dimanche. (*Il re-
garde Georgia.*) On pleure (*Il regarde Christopher.*) et on rit.
(*Il se ravise aussitôt.*) A titre privé, cela ne me regarde pas.
(*Il se lamente.*) Une si belle commande! (*Après un temps:*)
Avec un peu de chance, le Révérend Père n'aurait rien vu.
(*Après un silence.*) Allumez les lampes, miss Georgia. (*Il consulte sa montre.*) Il va faire nuit. Et donnez-moi la Gazette du
Commerce. (*Il s'installe à l'écart et déplie le journal. En lisant.*)
Cheston, vérifiez la caisse. Christopher et miss Georgia, établis-
sez le bilan des rentrées et des sorties.[41] (*Il tourne la page du
journal et bâille.*) Ah, mes chers enfants... (*Après un temps, à
lui-même.*) Tout à fait curieux, ce Père Lamb! (*Sans lever le
nez de son journal.*) Qu'en pensez-vous, Cheston?

Cheston.—Il reviendra. Etant moi-même célibataire, je vous le ga-
rantis. Car rien ne ressemble davantage à un célibataire qu'un
religieux... l'habit mis à part. En chemise, ils sont pareils.

Monsieur Strawberry, *il n'écoute pas, consulte sa montre, bâille et
marmonne.*—Tout à fait curieux, ce Père Lamb.

---

[41] **rentrées et des sorties**   credits and debits

Monsieur Strawberry, en lisant son journal, somnole puis, insensiblement, s'endort.

GEORGIA, *elle montre à Cheston, sur un papier, le relevé des ventes.*
—...

CHESTON.—Eh bien, c'est exact, miss Georgia. Avec mes compli-   5
ments!

Pendant que Christopher, Georgia et Cheston vaquent à leur travail et rangent les boutons dans leurs boîtes, on voit—à travers la grande fenêtre—les navires, brusque-ment, s'illuminer.   10

CHRISTOPHER, *à lui-même.*—Voici le port qui s'allume comme une rouge argenterie, et les lanternes et les fanaux... qui se balancent au gré du vent. (*Il rêve.*) Qui pourra écrire l'Histoire du vent!...

CHESTON, *très prosaïque, occupé qu'il est à ranger des boutons.*—   15
Comment peut-on écrire l'histoire du vent, monsieur Chris-topher, quand, soufflant lui-même, il arrache les feuilles[42] sur lesquelles on parle de lui? (*Après un temps.*) Miss Georgia, n'oubliez pas de remettre les boutons en écaille de tortue dans leur boîte. (*Après un temps.*) Le vent, c'est le vent.   20

GEORGIA.—Peut-être est-ce un esprit?

CHESTON.—Et quand, au coin d'une rue, il culbute votre chapeau et vous fait courir derrière?...

CHRISTOPHER.—Avec vous, monsieur Cheston, il est un peu railleur.

CHESTON.—Téméraire et vagabond, je dirais plutôt. Surtout lorsqu'il   25
s'enfle et courbe une ville en deux; les honnêtes gens compris. Mais je me garderais d'en penser du mal, car le vent... c'est l'ami de l'Angleterre.[43]

---

[42] **feuilles**   *a play on* leaves *and* sheets of paper
[43] *This is so because, in the time of sailships, England, as a maritime nation, was dependent on the wind. Cheston can see only the practical effects of the wind.*

GEORGIA, *elle enchaîne, mélancolique.*—Le pays que monsieur Christopher veut quitter.

CHESTON.—Monsieur Christopher veut s'établir ailleurs?... (*A Christopher.*) Mon jeune ami, vous voulez sérieusement quitter les pelouses et gazons de votre pays et vivre sous des lois étrangères?... Oh! c'est insensé! (*Après un temps.*) Heureusement que monsieur Strawberry dort.

CHRISTOPHER.—Ce n'est pas exactement cela. Ni le contraire. (*Après un temps.*) Mais, si on parlait du vent?

> *A ce moment, un coup de vent fait s'envoler des mains de monsieur Strawberry, assoupi, la Gazette du Commerce qui glisse par terre.*

CHESTON.—Tenez, regardez ce qu'il[44] fait de la *Gazette du Commerce*, de nos importations, exportations, et sans doute du discours du premier ministre!

GEORGIA, *à Christopher.*—J'aime le vent parce qu'il est plein de pensées et qu'il a la forme mobile des anges... suspendu à rien.

CHESTON.—Casseur d'assiettes![45] (*Ramassant la Gazette du Commerce et la brandissant:*) Illettré!

CHRISTOPHER.—Lui qui parle toutes les langues?... Qui écrit sur l'eau... qui écrit sur le sable...[46]

GEORGIA.—Avant l'alphabet.

CHRISTOPHER.—Et quelle fleur ne lui doit pas un peu de sa friandise et de son parfum en été, monsieur Cheston?

CHESTON.—J'ai dit ce que j'en pensais: n'était l'intérêt que lui porte l'Amirauté, je ne le fréquenterais pas tous les jours.

> *Cheston grimpe sur l'échelle et range des boîtes sur les rayons.*

---

[44] **il**   *refers to the wind*
[45] **casseur d'assiettes**   blusterer
[46] *referring to the ripples which the wind creates on water and sand*

CHRISTOPHER, *à lui-même, en regardant par la fenêtre.*—Qui pourra écrire l'histoire du vent...

GEORGIA, *à mi-voix.*—Et l'histoire de l'amour, qui lui ressemble.

CHESTON, *juché sur l'échelle.*—Consultez le baromètre, jeunes gens, il vous aidera.   5

> *Christopher et Georgia regardent la baie.*

GEORGIA.—Comme cette nuit est douce pour les navires...

CHRISTOPHER.—A travers les hublots brillent leurs lumières comme de l'or... enfermé.

GEORGIA.—Tous les trésors ressemblent à des lumières...   10

CHRISTOPHER.—Et l'amour de l'eau et du bois est le plus léger.

SCENE IV

LES MEMES, *et le* MATELOT JIM.

Le carrillon sonne. La porte s'ouvre, entre un matelot, un géant noir, casquette rejetée en arrière, jovial et exubé-   15
rant. Monsieur Strawberry—brusquement tiré de son sommeil—regarde avec ahurissement le personnage.

MATELOT JIM, *à l'assistance.*—Je vous salue! En particulier mon jeune ami monsieur Christopher.

> *Christopher sourit à Jim.*   20

MONSIEUR STRAWBERRY.—Bien sûr, bonjour. (*A lui-même:*) D'où sort-il ce gaillard-là,[47] capable à lui seul de défoncer dix portes!

MATELOT JIM, *il se présente tout en ne se présentant pas.*—Jim. Timonier à bord de *La Pandora.* Je suis entré dans cette bou-

---

[47] **ce gaillard-là**   this strapping fellow

tique pour acheter des boutons (*Il fait avec le doigt un cercle énorme.*) comme ça. Aussi grands que des assiettes. Et parfaitement blancs. Pour madame Jim. Vous connaissez, par hasard, ma femme?

5 MONSIEUR STRAWBERRY.—Il me semble que je n'ai pas cet honneur.

MATELOT JIM.—Elle est deux fois plus grande que moi et trois fois plus noire. Il faudrait qu'un jour vous lui rendiez visite. Elle est à cinq mille milles d'ici: une promenade! (*Il rit aux éclats.*) Ha ha ha... Et puis, c'est un malheur!

10 MONSIEUR STRAWBERRY.—?...

MATELOT JIM, *il explique.*—Madame Jim. (*Après un temps:*) Un malheur de bonne humeur et de gentillesse. (*Sans trop y croire.*) Mais elle m'ennuie!

Il se dirige vers Christopher et lui serre avec effusion la 15 *main.*

MATELOT JIM, *à monsieur Strawberry.*—Peut-on faire un bout de causette[48] avec un commis et lui faire perdre un peu de son temps sans pour cela mettre cet établissement au bord de la faillite?

20 MONSIEUR STRAWBERRY.—Le commerce n'exclut pas la courtoisie.

MATELOT JIM, *à Christopher.*—Pour en finir tout de suite avec madame Jim, donnez-moi une douzaine de boutons, les plus gros et les plus blancs.

CHRISTOPHER, *tout en le servant.*—Vous savez, je ne désespère pas de 25 connaître, un jour, madame Jim. Cinq mille milles ne m'effraient pas.

MATELOT JIM.—Elle vous accueillera comme un fils bien qu'elle soit une femme de couleur et vous... rouquin[49] comme un abricot. (*Il rit.*) Ha ha ha...

---

[48] **faire un bout de causette**   chat for a moment
[49] **rouquin**   carrot-topped

MONSIEUR STRAWBERRY.—Il rit aussi largement qu'un parapluie. Qu'en pensez-vous, Cheston?

CHESTON.—Tous les matelots, Monsieur, sont ainsi; ils ont un porte-voix au fond de la gorge, et l'habitude du vent.

MONSIEUR STRAWBERRY, *à Cheston et Georgia.*—Rangez les marchan-   5
dises sur les rayons. (*Il regarde sa montre.*) La journée est presque terminée.

> *Pendant que monsieur Strawberry échange les dernières*
> *répliques avec Cheston, Christopher empaquette la com-*
> *mande de Jim.*   10

CHRISTOPHER.—C'est votre paquet, Monsieur Jim.

MATELOT JIM.—Merci bien. (*Après un temps, à voix chuchotée,*
comme s'il craignait d'être entendu.) Alors à quand ce voyage?

CHRISTOPHER, *avec étonnement mais à mi-voix.*—Je vous attends, Jim.

MATELOT JIM, *à mi-voix.*—D'accord, mon garçon, mais j'ai débarqué   15
hier. Et il n'est pas question que *La Pandora* lève l'ancre de
sitôt. Charpentiers et calfats l'attendent avec des échelles. Un
bateau, lui aussi, a besoin d'être au sec. De temps en temps.

CHRISTOPHER, *le visage tendu, il chuchote.*—J'attendais votre retour,
Jim, et la belle saison pour partir. J'ai même acheté une malle   20
pour ça.

MATELOT JIM, *toujours à voix chuchotée.*—D'accord, mon garçon.
Encore faut-il qu'on se tienne sur quelque chose pour aller sur
la mer. Or, *La Pandora* va être mise en cale sèche.[50] C'est qu'elle
a reçu de rudes coups au ventre, avant d'atteindre vos sacrées[51]   25
îles!

CHRISTOPHER, *après un silence, toujours à mi-voix.*—Et moi qui
comptais les jours (*Avec amertume.*)... En comptant des boutons... pour ce voyage!

---

[50] **cale sèche**   dry dock
[51] **sacrées**   blasted

MATELOT JIM.—Vous me déchirez le cœur, monsieur Christopher.

CHRISTOPHER.—J'ai le pressentiment que je ne le ferai jamais.

MATELOT JIM, *toujours en chuchotant.*—N'allez pas si vite! (*Après un temps.*) Avez-vous, d'abord, l'argent?

5 CHRISTOPHER.—Bien sûr, Jim.

MATELOT JIM.—C'est que la mer, petit, c'est pour les riches, ou pour des matelots aux foulards pourris, comme moi.

CHRISTOPHER.—J'ai l'argent, Jim.

Il est suspendu aux lèvres de Jim.

10 MATELOT JIM.—Attendez, attendez un peu. Laissez-moi réfléchir. (*Brusquement son visage s'éclaire comme s'il avait eu une révélation.*) Le *Help-Horn!* (*Après un temps.*) Oui, le *Help-Horn* embarque, ces jours-ci, pour la Terre d'Australie... Il y a, peut-être, une belle occasion pour vous. (*A lui-même:*) Il faut
15 aller voir Peckerling et lui demander s'il peut arranger quelque chose... (*A Christopher.*) Brave homme, ce Peckerling, et timonier comme moi.

CHRISTOPHER, *toujours suspendu aux lèvres de Jim.*—...

MATELOT JIM, *il chuchote.*—Et le *Help-Horn* vaut dix fois *La Pan-*
20 *dora.* Au moins! (*A lui-même:*) Oui, le *Help-Horn* serait magnifique. (*A Christopher.*) Et trois fois plus haut que cette boutique. Un mangeur d'océans, un lion avec... un gouvernail. (*Il réfléchit.*) Une chance, réellement, pour vous. (*Il fait claquer sa langue et, d'un coup de doigt, rejette sa casquette.*) Et puis,
25 quel voyage!

CHRISTOPHER, *toujours à voix chuchotée.*—Jim, je vous en prie... (*Après un temps, voyant Jim prendre son paquet et s'apprêter à partir.*) Alors, on se retrouve, ce soir, à la Brasserie?

MATELOT JIM.—Impossible, mon garçon. Je dois passer à la Com-
30 pagnie et faire mon rapport sur la débilité de *La Pandora.* Il faut aussi que je déniche ce Peckerling pour parler de votre affaire. A demain plutôt, ici, avec la réponse.

CHRISTOPHER.—Jim... (*Il hésite, puis:*) Je voudrais voyager... en cabine.

MATELOT JIM.—?...

CHRISTOPHER.—Depuis longtemps je me prive de tout et j'amasse de l'argent pour ça. (*Après un temps.*) La mer mérite des égards.   5 Ce n'est pas un mendiant qui va lui rendre visite.

MATELOT JIM.—Merveilleux Christopher! (*Il retient son émotion et d'un ton bourru.*) A demain. Ça s'arrangera ou ça ne s'arrangera pas. (*Il serre la main de Christopher et, sur le point de le quitter, s'arrête et tire de sa poche une noix de coco avec une*   10 *touffe superbe qu'il lui tend.*) Tenez, j'allais oublier, j'ai apporté quelque chose pour vous. (*Il règle le montant de son achat. Apercevant l'écriteau « Pas de crédit, sauf pour les ecclésiastiques », il le montre du doigt à monsieur Strawberry.*) Et je pourrais ne pas payer. J'ai un neveu qui est pasteur... et des   15 plus dignes! Mais madame Jim serait furieuse d'apprendre que j'ai eu ces boutons pour rien. (*Il éclate.*) Je vous dis que c'est un malheur! Ha ha ha...

> *Le matelot Jim sort. Monsieur Strawberry, Cheston et*
> *Georgia entourent Christopher.*   20

CHRISTOPHER, *brandissant la noix de coco.*—Une noix de coco!

MONSIEUR STRAWBERRY, *avec méfiance.*—Végétal ou animal?... Et cette houppe?

CHESTON.—Tout ce que ne produit pas notre pays, l'Angleterre, semble plutôt inquiétant, Monsieur.   25

MONSIEUR STRAWBERRY.—C'est tout à fait ma pensée.[52] Merci.

> *C'est l'heure de la fermeture du magasin. Monsieur*
> *Strawberry décroche son manteau et arbore son haut-de-*
> *forme.[53] Cheston et Christopher en font autant. Georgia*
> *met son chapeau et sa pèlerine.*   30

---

[52] *Cheston is a reflection of Strawberry and the very antithesis of Christopher. Both Strawberry and Cheston are most suspicious of the coconut because it represents all that is exotic.*
[53] **haut-de-forme**   top hat

MONSIEUR STRAWBERRY.—Bonne journée en somme, à part cet incident avec le Père Lamb.

CHESTON.—Le Père Lamb est un brave homme: il reviendra.

MONSIEUR STRAWBERRY.—Alors, bonne journée à tous les points de
5   vue.

> *Monsieur Strawberry, suivi de Cheston, Christopher et*
> *Georgia, se dirige vers un panneau recouvert d'un rideau*
> *rouge et tire un cordon. Le rideau s'entr'ouvre. On aper-*
> *çoit un tableau représentant une très vieille femme*
10 *austère, sinistre, la tête serrée dans une sorte de bonnet*
> *de nourrice. Près d'elle se tient, debout, une fille d'âge*
> *mûr, au visage aussi peu avenant que possible. Monsieur*
> *Strawberry se découvre. Cheston et Christopher l'imitent*
> *aussitôt.*

15 MONSIEUR STRAWBERRY.—Comme d'habitude, chaque soir, une fois
notre travail accompli, nous allons avoir une pensée pour cette
veuve respectable et pour sa fille... qui ont fondé l'établissement... Je vous demande de vous incliner devant madame veuve
Wilson Tauby et sa fille Sarah, et d'honorer leur mémoire.
20   (*Après un temps.*) Mater et filia.[54]

CHESTON, CHRISTOPHER *et* GEORGIA, *ensemble.*—Mater et filia.

> *Monsieur Strawberry tire le cordon—et le rideau cache le*
> *tableau. Tous les personnages remettent leurs chapeaux.*

MONSIEUR STRAWBERRY.—Bonne soirée à tous.

25 CHESTON.—Bonne soirée, Monsieur.

GEORGIA.—Bonsoir, Monsieur.

MONSIEUR STRAWBERRY, *allant vers Christopher et le prenant à*
l'écart.—Voulez-vous me prêter, comment dites-vous... cette noix
de coco. J'ai envie d'effrayer madame Strawberry avec cette

---

[54] **Mater et filia** (*Latin*)   mother and daughter. *See p. 106, note 10.*

tête de singe![55] (*Il rit, bon enfant, à la pensée du tour qu'il va jouer.*) Ha ha ha...

RIDEAU

(Fin du premier tableau.)

[55] *By using the symbol of the exotic to perpetrate a practical joke, Strawberry reduces the significance of the symbol to proportions with which he can deal.*

DEUXIEME TABLEAU

Intérieur d'une brasserie fréquentée par des marins.
Mobilier rudimentaire. Au lever du rideau on voit, assis
à une table, face à un verre de gin, un matelot. Il parle
pour lui-même. La patronne de la taverne l'écoute de
temps à autre. Au fond de la pièce, perdus dans l'ombre
deux marins fument la pipe et jouent aux cartes, silen-
cieusement.

SCENE I

Diego, Madame Edda, le Lieutenant Cox
et le Lieutenant Lory.

Diego, *le dos tourné au public, il est en plein dans son histoire.—*
...Et c'est ainsi, madame Edda, que j'ai appris cette merveilleuse
langue. Grâce à un perroquet.

Madame Edda, *elle essuie des verres sans attacher aucune impor-*

Diego.—Oui, c'est un perroquet qui m'a appris à parler portugais.
(*Après un temps:*) Et, de Jack, mon nom devint Diego,[1] un
beau matin.

Madame Edda, *elle essuie des verres sans attacher aucune impor-*
*tance à ce que dit Diego.—*Ce n'est pas vrai.

Diego, *il parle pour lui-même:—*Il fallait voir avec quel scrupule,
quelle bonté, l'oiseau en question s'appliquait à m'instruire.

Madame Edda, *elle hausse les épaules.—*...

Diego.—Et combien mes progrès furent rapides en la matière. Avant
tout, mon perroquet—ou, si vous aimez mieux, le professeur—

---

[1] **Diego**   *the Portuguese form of* Jack

s'employa à me déboucher le nez pour me faire entrer dans le
canal de la prononciassiaon... (*Il prononce, à la portugaise, en
nasillant exagérément*[2] *les consonnes « on » des mots suivants:*)
Corassaon, prononciassiaon, constitussiaon.[3] (*Après un temps.*)
Il faut croire que je n'eus aucun mal à le suivre, car d'emblée   5
j'acquis un bel accent.

Il lève la main et montre trois doigts.

MADAME EDDA, *remplissant le verre de Diego.*—Cela fait trois gins,
Diego.

DIEGO, *il prononce du nez fortement.*—Salutassiaon![4] c'est ainsi qu'il   10
m'accueillait.

MADAME EDDA, *malgré elle, en passant près de la table de Diego.*—
Qui?...

DIEGO, *sans la regarder.*—Le perroquet, madame Edda, le perroquet!
C'était un puits de science, un être manifestement doué... gram-   15
maticalement. Je ne parlerai pas de son plumage: vert, orange
et du plus beau rouge, mais de son intelligence. (*Après un
temps.*) Salutassiaon, et je m'installais en face de sa cage... et
les cours commençaient.

MADAME EDDA.—C'est pas vrai!   20

DIEGO, *il se retourne, pour la première fois, vers madame Edda et,
d'une voix douce.*—Comment, ce n'est pas vrai?...

LIEUTENANT COX, *il interrompt sa partie de cartes et, s'adressant à
Diego.*—Où donc cela s'est-il passé?

DIEGO, *il se lève pour répondre au lieutenant.*—A Santos.[5]   25

LIEUTENANT COX.—A Santos? C'est donc vrai.

Il reprend sa partie de cartes.

[2] **en nasillant exagérément** in exaggerating the nasals of
[3] *These are not real Portuguese words, but French words pronounced the
way a foreigner would think their Portuguese equivalent should be spoken. So*
corassaon *is* **cœur** *in French and* **coração** *in Portuguese.*
[4] **salutassiaon** *from* **salut**. *The correct Portuguese equivalent is* **saudação**.
[5] **Santos** *a city in Brazil*

DIEGO, *il poursuit, se parlant toujours à lui-même:*—Salutassiaon... je répétais. Et il en fut ainsi pour tous les autres mots du vocabulaire. (*Il nasille fortement, avec des grimaces.*) Combinaissiaon, révolutiaon, institussiaon. Mon assiduité à l'étude fut, à la longue, récompensée. Un beau jour, sans crier gare,[6] j'avais au bout de la langue... une autre langue: le portugais.

Il lève la main et montre quatre doigts.

MADAME EDDA.—Ça fait quatre gins.

DIEGO.—Je bois à la santé de Caldas: mon professeur... et perroquet.

LIEUTENANT COX, *sans quitter des yeux sa partie de cartes.*—Si c'est à Santos, ça doit être vrai.

DIEGO.—A la santé de Caldas!

Puis, il met la main sur sa joue, se tait et semble rêver. Dos tourné au public.

Madame Edda se retire dans un coin de la taverne.

LIEUTENANT LORY, *ramassant les cartes.*—C'est bon, je vais régler l'addition, mais avouez que vous en avez de la chance, avec ces maudites cartes, lieutenant Cox!

LIEUTENANT COX.—Dites... (*Il montre Diego.*) ce matelot arrive de Santos. Si on l'interrogeait?

LIEUTENANT LORY.—Sur... le perroquet?

Il rit.

LIEUTENANT COX.—Sur la mort de Hogan. Cela m'intéresserait, plutôt, de savoir comment fut tué mon ancien maître d'équipage.[7]

LIEUTENANT LORY.—« Une histoire de beuverie[8] et de légitime défense » ont jugé les Tribunaux.

---

[6] **sans crier gare**   without warning
[7] **maître d'équipage**   boatswain
[8] **beuverie**   *archaic form of* **buverie**   drinking bout

Courtesy Photo Pic

LIEUTENANT COX, *haussant imperceptiblement les épaules.*—Oui...
Puisqu'ils acquittèrent le quartier-maître Alexandre. (*Pensif.*)
Pourtant, on dit que l'aspirant[9] Hogan a été tué d'une balle
dans le dos. (*Après un temps.*) Ah, cette balance de la Justice
—toujours la même—hideuse ou gracieuse selon l'humeur d'un
gentleman en perruque![10] (*Tout à coup, il siffle entre les dents,
très fort, pour attirer l'attention du matelot Diego. Voyant que
ce dernier est toujours perdu dans sa rêverie, il l'appelle.*) Hep!
Diego!...

Diego ne répond toujours pas.

LIEUTENANT LORY, *imitant le nasillement de Diego.*—Salutassiaon...

DIEGO, *brusquement debout, et d'une voix très douce.*—On dirait la
voix de Caldas...

Il cherche des yeux.
Les lieutenants Cox et Lory rient.

LIEUTENANT COX.—Par ici.

DIEGO.—Vous m'avez appelé?

LIEUTENANT COX.—Quand étiez-vous à Santos?

DIEGO.—L'été dernier.

LIEUTENANT COX.—Celui du Brésil ou l'été d'Angleterre?

DIEGO.—Celui du Brésil, Monsieur; quand c'est l'hiver chez nous.

LIEUTENANT COX.—Vous étiez matelot à bord de quel bâtiment?

DIEGO.—Le *Old Abraham.*

LIEUTENANT COX.—Vous devez avoir connu l'aspirant James Hogan.

DIEGO.—Oui, Monsieur.

LIEUTENANT COX.—Et le quartier-maître Alexandre aussi?... Alexandre Wittiker?

[9] **aspirant** midshipman
[10] *British judges wear wigs.*

DIEGO.—Oui, Monsieur. Je les ai bien connus.

LIEUTENANT COX.—Alors?... Vous n'êtes pas au courant du drame qui s'est déroulé en rade de Santos, l'été dernier?

DIEGO, *il ne répond pas.*—...

LIEUTENANT COX.—Le quartier-maître Alexandre et l'aspirant Hogan   5
étaient vos chefs, pourtant.

DIEGO.—Je ne sais pas, Monsieur.

LIEUTENANT COX.—Vous n'avez pas entendu dire que l'aspirant Hogan a été abattu dans une taverne, à la veille du départ de son navire?   10

DIEGO.—...

LIEUTENANT LORY.—Un matelot n'est pas un poisson; il parle, Diego, voyons!

DIEGO.—On a dit ça, Monsieur, mais je n'ai rien vu.

LIEUTENANT Cox, *il n'insiste plus.*—C'est bon. Merci.   15

Diego regagne sa place.

LIEUTENANT LORY.—Lieutenant Cox, il va falloir nous séparer. Je crois que la brise souffle dehors et que nous allons, cette nuit, appareiller chacun sur son bâtiment. (*Passant près de Diego.*) Bonne nuit, Diego... et comme vous avez raison de ne penser   20
qu'à votre perroquet!

LIEUTENANT Cox, *mi-amusé, mi-irrité.*—Sacré matelot, va![11]

LIEUTENANT LORY.—Vous voyez, lieutenant, que, tout compte fait, la Justice, à perruque ou à toque,[12] est une institution inestimable, puisqu'elle tranche pour nous toutes les questions... et   25
tourne définitivement la page. Avec elle, pas besoin de penser!

Il rit.

[11] **va**   *a familiar expression, the equivalent of* get along with you
[12] **toque**   *another type of headpiece which French magistrates wear*

LIEUTENANT COX.—Vous avez, sans doute, raison.

LIEUTENANT LORY, *il se dirige vers la porte avec le lieutenant Cox, puis serrant la main de ce dernier.*—Adieu, lieutenant Cox, et bon voyage!

5 LIEUTENANT COX.—Adieu, lieutenant, et bon voyage!

> *Ils sortent ensemble.*

DIEGO, *il appelle madame Edda en imitant la voix d'un perroquet:*— Madame Ed'da... madame Ed'da... (*D'une voix normale.*) Je m'en vais. L'argent est sur la table. (*Avant de sortir, il se retourne et dit en nasillant.*) Compromissiaon![13]

> *Il sort en titubant.*

SCENE II

CHRISTOPHER, MADAME EDDA.

Entre Christopher. Il est visiblement heureux.

15 CHRISTOPHER, *il appelle.*—Madame Edda... Madame...

MADAME EDDA, *apparaissant avec des bouteilles sous le bras.*—Monsieur Christopher, il semble que vous êtes en retard aujourd'hui.

CHRISTOPHER.—Figurez-vous que j'étais sur le point de vous apporter un joli présent... (*Il sourit.*) avec une touffe.

20 MADAME EDDA.—?...

CHRISTOPHER.—Que vous auriez mangé.

MADAME EDDA, *elle devine.*—Une noix des Indes!

CHRISTOPHER.—Oui. Mais mon patron, monsieur Strawberry, me l'a empruntée pour effrayer sa femme.

---

[13] **compromissiaon** compromise. *The correct Portuguese form is* **compromisso.**

MADAME EDDA.—Tant mieux, tant mieux, si cela peut vous valoir de l'avancement.

CHRISTOPHER, *il s'assied, tout à la joie de se trouver dans la taverne. Après un temps, pour dire quelque chose.*—Quelqu'un m'a-t-il demandé?

MADAME EDDA.—Non. Mais le lieutenant Cox a dit, si je m'en souviens bien: « Où est-il, ce jeune monsieur qui connaît par ouï-dire tant de choses sur la mer? »

CHRISTOPHER.—Et vous avez répondu, madame Edda?

MADAME EDDA.—Que vous étiez un employé consciencieux qui ne pouvait être ici qu'une fois son travail terminé, et après avoir dîné en famille.

CHRISTOPHER.—Et qu'a dit le lieutenant?

MADAME EDDA.—Que c'était très bien.

CHRISTOPHER, *il commande.*—Un gin.

MADAME EDDA.—Comment, vous ne buvez plus de bière?

CHRISTOPHER.—Un gin. Et même deux. C'est que... j'ai un secret à vous confier.

MADAME EDDA, *elle le sert et s'assied près de lui.*—Qu'y a-t-il, mon petit?

CHRISTOPHER.—Je crois... que je vais faire un voyage. Si vous saviez comme mon cœur bat. Et comme je rêve de tous les côtés!

MADAME EDDA, *souriante.*—Mon Dieu!

CHRISTOPHER.—Avant de venir chez vous, je suis descendu vers le port et j'ai aperçu mon bateau. Noir et puissant. Et léger, léger, dansant sur l'eau comme un béret d'enfant jeté. Le *Help-Horn!*

MADAME EDDA. –Fichtre![14] le plus beau bâtiment d'Angleterre!

CHRISTOPHER.—Eh oui, eh oui, madame Edda, cela peut arriver. Quand on désire très fort une chose, lorsqu'on lui tend toujours les mains, elle finit par descendre pour vous sur terre. Elle

[14] **fichtre** *a mild oath*

vient vous trouver. Dans le magasin de monsieur Strawberry (*Avec une douce tristesse.*) où je vends des boutons, il y a des harpons, des singes, des villes, des îles, et jusqu'à ces régions polaires où des soleils rouges sont à moitié mangés par le froid.[15] (*Après un temps.*) Pauvre monsieur Strawberry! Que de fois il a éternué à cause de moi.[16] Mais qui s'en doutait? (*A lui-même, lentement.*) A part miss Georgia, peut-être.

MADAME EDDA.—Qui est-ce?

CHRISTOPHER.—Une employée du magasin (*Avec une soudaine nostalgie.*) qui vend des boutons... perlés. Avec elle, vous êtes la seule personne à qui je penserai quand je serai loin. (*Voulant changer de conversation.*) Madame Edda, je vous offre un gin?

MADAME EDDA.—Garde ton argent, mon petit. Tu en auras besoin si jamais tu pars.

On entend des hommes chanter dehors.

MADAME EDDA, *amusée et irritée à la fois.*—Les trois garnements![17] Il y a longtemps qu'on ne les avait pas vus. On va s'amuser.

Entrent trois matelots à l'allure sympathique. Ils portent leur baluchon[18] sur l'épaule et le col de leur capote est relevé. Tout indique qu'ils sont sur le point de prendre la mer.

SCENE III

LES MEMES, *et les matelots:* MAX, FISH *et* MAXY.

LES TROIS MATELOTS, *ils chantent en chœur.*[19]—

---

[15] *Christopher had filled the store with his fantasies.*
[16] *The dreams of exotic polar regions took on such reality that they made the unsuspecting Strawberry sneeze.*
[17] **garnements** *(colloquial)* scamps
[18] **baluchon** *(colloquial)* bundle
[19] *Schehadé often adds songs to his plays (see for example* LES Violettes*).*

Nous sommes trois matelots
Qui allons sur l'eau
Trois matelots triés
Sur le volet[20]
A coups de pied   5

Ils se présentent les uns les autres.

Max, Fish, Maxy!...
Nous partons pour l'Italie
Sur un bateau troué
Et plein de rats   10
Buona sera
Buona sera...[21]

UN MATELOT, *il chante seul.—*

Le commandant est un con.[22]
Et le second.[23]   15

LES TROIS MATELOTS, *en chœur.—*

Buona sera
Buona sera.

UN MATELOT, *il chante seul.—*

A chaque réverbère   20
Nous pissons
Sur les gazons
De l'Angleterre.

LES TROIS MATELOTS, *en chœur.—*

Buona sera
Buona sera   25
N'y a d'pays
N'y a d'pays
Que l'Italie!

[20] **triés sur le volet**   a very select company
[21] **buona sera** *(Italian)*   good evening
[22] **con** *(vulgar)*   imbecile
[23] **second**   second officer

Max, *à Fish.*—Tu peux saluer, fripon.

> *Fish ôte sa casquette.*

Fish, *à Max.*—Canaille, découvre-toi!

> *Max ôte sa casquette.*

5   Max, *à Maxy.*—Malappris, montre tes cheveux!

> *Maxy ôte sa casquette.*

Les Trois Matelots, *chantant en chœur.*—

> Buona sera
> Buona sera.

10   *Madame Edda se croise les bras. Christopher les regarde d'un œil amusé.*

Max, *allant vers madame Edda.*—Avant d'embarquer, madame Edda, nous sommes venus, comme qui dirait[24] vous embrasser et régler avec vous certaines questions... pendantes.

15   Madame Edda.—Tu me dois deux guinées, Max.

Max.—Justement, madame Edda, je suis venu vous payer.

Madame Edda.—Ça m'étonne beaucoup.

Max.—Les voici. Peut-on s'asseoir, maintenant, et prendre un verre gracieusement, après ce certificat de bonne conduite?

20   *Les matelots s'attablent.*

Max, *à madame Edda.*—Un gin. Car je ne veux pas avoir l'air de me faire rembourser sur les deux guinées.

Fish.—Un alcool de prune,[25] pour ne pas contredire Max. (*Madame Edda le sert.*) Merci. Vous êtes un ange.

---

[24] **comme qui dirait** so to speak
[25] **alcool de prune** plum brandy

MADAME EDDA, *à Maxy.*—Et vous?

MAXY.—Un double gin, madame Edda... si vous voulez être un archange.

MADAME EDDA.—Où est-ce que vous allez en Italie?

FISH, *il regarde ses compagnons.*—Personne ne va en Italie. C'est la chanson qui va en Italie. Nous embarquons pour la France.

MADAME EDDA.—A deux pas d'ici! Eh bien ça ne méritait pas un tel vacarme.

MAX.—Elle a raison, elle a raison. C'est une honte de faire une si petite navigation. Mais si vous saviez sur quel bâtiment nous embarquons, une véritable passoire et quel nom: *Marquis Mouillette de la Dentellerie!*[26]

FISH, *dégoûté.*—Nous sommes à bord d'un marquis.

MAX.—Voilà ce que c'est que de n'avoir pas de travail et d'accepter n'importe quoi.

MAXY.—Ah! quelle misère que notre vie de matelot et que ces bateaux français! J'ai le cœur gros,[27] j'ai le cœur gros comme la panse d'un capitaine (*A mi-voix.*) pour ne pas dire le dos.

Il montre son postérieur.

MAX.—Oh, oui.

MAXY.—On mettra cent ans pour atteindre Calais avec ce bateau français. (*Après un temps.*) Et mes chats, mes sept chats qui va les nourrir, les protéger, quand je serai sur le *Marquis?*

FISH, *bouche tordue.*—De la Dentellerie.

MAXY.—Vaut mieux ne pas y penser!

FISH.—Buvons et oublions.

MADAME EDDA.—Je vous en prends un, si vous voulez.

[26] **Marquis... Dentellerie** Marquis of the Belaced Milksop, *hardly an appropriate name for a ship*
[27] **j'ai le cœur gros** my heart is heavy

Fish.—Et les six autres?

Max.—Six chats, c'est que ça représente du lait, des miches de pain et des fragments de viande.

Maxy.—Misère, misère de moi, et remords de ma conscience! Madame Edda, puis-je vous dire quelques mots en particulier. (*Il la prend à l'écart.*) Oh, ça me coûte de faire appel à votre cœur et à sa générosité. Me consentiriez-vous, par hasard, un prêt à courte échéance,[28] pour l'amour de mes animaux. Max vous a rendu l'argent. Je ne serai pas moins noble que lui.

Madame Edda.—Vous croyez que je suis un comptoir de banque?

Maxy.—Sept chats, madame Edda, c'est toute une famille.

Madame Edda.—Vous dites bien sept.

Maxy.—Sept, madame Edda, sept! Sans compter leurs amis, les jours de visite.

Madame Edda, *elle hésite, puis:*—Prenez ces deux guinées mais vous me les rendrez à votre retour de France.

Maxy.—Si le *Marquis* ne fait pas naufrage. Oh, merci! (*Pendant que madame Edda tourne le dos, Maxy remet l'argent à Max.*) Tiens, voilà ton argent.

Fish, *à Max.*—Si tu offrais à boire, Max. Payer ses dettes suppose de la vertu, mais aussi une certaine aisance.

Max.—Payer ses dettes et payer à boire en une seule nuit: c'est trop! Allons-nous-en.

Les trois matelots se lèvent, chargent les baluchons sur leurs épaules et sortent en chantant.

Les Trois Matelots, *en chœur.*—

N'y a d'pays
N'y a d'pays
Que l'Italie
Buona sera
Buona sera

[28] **prêt à courte échéance**   short-term loan

SCENE IV

MADAME EDDA, CHRISTOPHER,
QUARTIER-MAITRE ALEXANDRE,
PREMIER INCONNU *et* DEUXIEME INCONNU.

MADAME EDDA.—Beaucoup de bruit pour rien, à part ces deux
guinées. (*A elle-même.*) Bon, n'y pensons plus. J'aurais eu sur
la conscience sept chats... en supposant que l'histoire fût vraie.
(*En changeant de ton.*) Ah, monsieur Christopher, les gens de
la mer sont de curieuses gens: menteurs, blagueurs, et moralement dépeignés! Mais il y a en eux quelque chose qui fend
l'âme:[29] ce sont des prisonniers. Et leur prison[30] est la plus bleue
et la plus triste du monde... Avec un portail de vent! (*Après
un temps.*) Ce n'est pas votre avis?

CHRISTOPHER.—Oh, non!

MADAME EDDA.—Admettons que les deux guinées m'ont rendue de
méchante humeur. (*Prenant des bouteilles sous le bras.*) Je vais
descendre à la cave remplir ces bouteilles, et je reviens dans un
instant.

CHRISTOPHER.—Alors, un second gin pour me tenir compagnie.

> *Elle remplit le verre de Christopher et sort. Entre un*
> *jeune quartier-maître. Il semble inquiet et se retourne*
> *pour voir si on le suit. Apercevant Christopher il va*
> *directement à lui.*

QUARTIER-MAITRE ALEXANDRE.—Hello, Christopher!... Content de
vous voir. Et ce n'est pas de la comédie.

CHRISTOPHER, *tout à la joie de le revoir.*—Quartier-maître Alexandre!

> *Il lui serre la main.*

---

[29] **il y a... âme**   there is something heart-breaking about them
[30] **prison**   *refers to the ocean*

QUARTIER-MAITRE ALEXANDRE.—Vous pouvez même m'appeler premier quartier-maître Alexandre sans risque de vous tromper.
J'arrive de Santos. Une tempête m'a valu ce nouveau galon.
(*Il montre ses galons.*) La prochaine fois c'est un lieutenant qui
se tiendra en face de vous. (*Après un temps.*) Alors, on part,
et on revient, et on vous retrouve toujours à la Brasserie. Ça
fait plaisir! (*Après un temps.*) Et ce voyage, bon Dieu! quand
le faites-vous?... (*Il jette un regard inquiet autour de lui.*) Il n'y
a pas foule, ce soir, ici. Tant mieux! On va pouvoir bavarder
tranquillement, et parler un peu navigation et vous m'apprendrez toujours quelque chose, vous qui avez tout lu. L'an dernier,
en pleine mer,[31] je fus félicité, on peut dire, grâce à vous.
« Alexandre, déclara le deuxième capitaine, vous n'êtes pas né
d'hier pour parler comme vous le faites des courants marins. »
(*Il change de ton.*) A propos où est madame Edda? J'ai une
sacrée soif.

CHRISTOPHER.—Si vous voulez mon gin, en attendant.

QUARTIER-MAITRE ALEXANDRE.—J'accepte le gin. (*Il boit une grande
gorgée, se lève, va vers la fenêtre et jette une coup d'œil dans
la rue. Il semble de plus en plus inquiet.*) Je ne sais ce qui se
passe à Bristol depuis mon retour, mais les rues, la nuit, sont
pleines d'ombres. Des ombres qui vous suivent, j'entends. Tout
à l'heure comme je m'en venais par là, je jetai un coup d'œil
de côté et je vis d'abord mon ombre, ce qui est humain, mais
aussi deux autres ombres qui n'étaient guère à moi, et qui sem-
blaient m'escorter avec un bruit de légères bottines... en rasant
les murs. Comme je n'étais pas armé, cela me fit quelque chose
dans le dos.[32] (*Après un temps, en changeant de ton.*) Je suis
content d'être avec vous, chez madame Edda, assis tranquillement, avec nos ombres comme deux chiens sages couchés à nos
pieds. (*Tout à coup passant sa main sur son front.*) Qu'est-ce
que je raconte, mais qu'est-ce que je raconte, bon Dieu! (*Brusquement il change de ton.*) Si on parlait un peu de vous. Je n'ai pas
encore pris de vos nouvelles. Le négoce, comment va-t-il?

CHRISTOPHER.—Oh, le négoce, pour moi, vous savez, consiste à
ranger des boutons et à les sortir de leurs boîtes pour les

[31] **en pleine mer**   on the high seas
[32] **cela me fit... dos**   it sent a shiver up my spine

vendre. Avec ça, bien sûr, on vit, et on peut de temps en temps venir à la Brasserie boire un gin pour se distraire et respirer l'odeur de la géographie.

QUARTIER-MAITRE ALEXANDRE.—Et des typhons et des bourrasques.

Il rit.

CHRISTOPHER.—Des mers calmes aussi. Et de ces terres qu'on voit dans les gravures minutieusement dessinées, derrière des arbres à palmes.

QUARTIER-MAITRE ALEXANDRE.—C'est vrai, c'est vrai. Mais... pourquoi n'avez-vous pas été marin, puisque ce métier est votre amour?

CHRISTOPHER.—Je vais répondre banalement: dans la vie on ne fait pas toujours ce qu'on veut, pas plus qu'on n'a ce que l'on mérite. (*Après un temps, rêveur.*) Et maintenant c'est fini!

QUARTIER-MAITRE ALEXANDRE.—Moi, je rêvais d'avoir une taverne fréquentée par des coloniaux, une taverne avec des servantes aux cuisses nues pour débiter plus facilement les boissons. Et me voilà arpentant des ponts de navire avec un porte-voix pour commander la manœuvre. Vous avez raison, rien ne dépend de nous. (*Après un temps, rêveur.*) Maintenant c'est fini! (*Après un silence et changeant de ton.*) Dites, Christopher, que lisez-vous d'intéressant ces temps-ci?... Un peu de savoir agrémente la vie et peut aider la carrière d'un premier quartier-maître.

CHRISTOPHER.—Une histoire des îles du Nord et de leurs mystères.

QUARTIER-MAITRE ALEXANDRE.—Et qu'ont-elles de si séduisant ces îles où il faut s'éclairer à la chandelle à partir de midi?

CHRISTOPHER.—Ah, voilà!... Elles ont des vergers.

QUARTIER-MAITRE ALEXANDRE.—A quelle époque?

CHRISTOPHER.—En plein hiver!... alors que tout est murailles de glace autour d'elles, rafales de vent et terreur. Il existe des bandes de terre longues de plusieurs lieues et imprenables par le froid, à cause de je ne sais quel mystère. Là coulent des ruisseaux et poussent les fougères.

QUARTIER-MAITRE ALEXANDRE.—Où ça?

CHRISTOPHER.—Par 77 degrés et 15 minutes de latitude, au delà de la presqu'île de Plems.[33]

QUARTIER-MAITRE ALEXANDRE.—Et qui a écrit ces balivernes?

CHRISTOPHER.—Un navigateur hollandais.

5   QUARTIER-MAITRE ALEXANDRE.—Tiens! cela me surprend assez, car les Hollandais sont gens sérieux. Mais l'histoire est belle en soi. Si vous le permettez, je la raconterai, comme étant de mon cru,[34] au deuxième capitaine... qui rira un bon coup.[35] (*Brusquement il crie.*) Le port de Bristol est devenu un coupe-gorge!... (*Il
10   frappe du poing sur la table. Sans s'adresser à Christopher.*) Où donc est madame Edda? J'ai besoin de lui parler.

CHRISTOPHER, *il se lève, étonné.*—Je vais l'appeler.

QUARTIER-MAITRE ALEXANDRE.—Ah non! ne me quittez pas. (*Il va vers la fenêtre et regarde avec précaution dans la rue.*) Il pleut
15   doucement dehors... les ombres ont disparu, c'est que la pluie les mouille aussi. (*Lentement.*) A moins qu'elles n'attendent dans l'encoignure d'une porte: mon ombre... ou moi. (*Il rit nerveusement, puis il prend Christopher et le serre anxieusement.*) Christopher!... Christopher!... (*Un instant après il se
20   rassied et se renverse sur la chaise, complètement détendu. Après un silence.*) J'ai envie... subitement... de vous faire plaisir. (*Un temps.*) Comme ça! (*Un temps.*) Pour rien!... (*Un temps.*) Je vous prête, cette nuit, mon uniforme. Qu'en dites-vous?... Vous allez être un quartier-maître. Le premier quartier-maître
25   Alexandre! Alexandre Wittiker. Pourquoi pas? Ça nous fait honneur à tous deux!

Il rit.

CHRISTOPHER.—Vous parlez sérieusement? (*Ebloui.*) Vous me prêtez votre uniforme!

30   QUARTIER-MAITRE ALEXANDRE.—Bien sûr que oui. (*Il examine rapidement Christopher.*) Vous devez être rudement bien dedans. (*Il ôte sa veste et sa casquette.*) Tenez, on va essayer.

---

[33] **Plems**   *an imaginary place*
[34] **de mon cru**   of my invention
[35] **qui rira un bon coup**   who will have a good laugh

CHRISTOPHER, *il met la veste et la casquette.—...*

QUARTIER-MAÎTRE ALEXANDRE.—Voyez-moi ça, voyez-moi ça! Le plus jeune et le plus beau premier quartier-maître d'Angleterre. Alexandre Wittiker pour l'identité. Marchez un peu... pressez le pas... arrêtez-vous. Quelle allure! et quelle stabilité! (*Après un temps:*) Eh bien, il ne vous reste plus qu'à quitter la Brasserie et à vous balader orgueilleusement. Mais attention aux filles!... Prenez cet argent pour le cas où...

Il cligne de l'œil et rit.

CHRISTOPHER.—Non, merci.

QUARTIER-MAÎTRE ALEXANDRE.—Vous permettez, à mon tour, que j'enfile votre veste, et que je me coiffe de ce chapeau. Je ne vais tout de même pas sortir nu d'ici. (*Il met la veste et le haut-de-forme de Christopher.*) Alors, bonne nuit, premier quartier-maître Alexandre. Et bonne chance!

CHRISTOPHER.—Bonne nuit.

QUARTIER-MAÎTRE ALEXANDRE, *sur le point de sortir, il s'arrête.—* Dites-moi: « Bonne nuit, Christopher », comme si j'étais vous-même.

CHRISTOPHER, *après un silence, doucement.—*Non.[36]

Le quartier-maître Alexandre sort.

SCENE V

MADAME EDDA, CHRISTOPHER,
PREMIER INCONNU *et* DEUXIEME INCONNU.

Madame Edda apparaît.

MADAME EDDA, *regardant Christopher.*—Sainte Marie!... et nom de Dieu![37] Je quitte un jeune homme en train de boire un gin avec

---

[36] *Christopher thus refuses to abdicate his personality.*
[37] **Sainte Marie!... et nom de Dieu!** *mild expletives*

mille précautions,[38] et je retrouve le plus bel officier de la mer!
(*Allant à Christopher.*) Qu'est-ce qui est arrivé?

CHRISTOPHER.—Le quartier-maître Alexandre m'a prêté son uniforme.
C'est tout.

5   MADAME EDDA, *le visage soudain contracté.*—Qui?!...

CHRISTOPHER.—Alexandre Wittiker. Vous le connaissez, madame
Edda.

MADAME EDDA.—Si je le connais! C'est le diable en personne, et
fourbe comme la nuit. (*D'une voix précipitée.*) Mon petit, tu
10   vas vite ôter cette veste, et jeter cette casquette à la poubelle.

CHRISTOPHER.—Mais non, madame Edda. Pourquoi?... Je me sens
tout à fait à mon aise et suis très fier.

MADAME EDDA.—Tu ne comprends donc pas!... Si Alexandre t'a prêté
son uniforme, c'est qu'il a une mauvaise raison... Dépêche-toi!
15   Enlève tout ça!

*A ce moment, entrent deux hommes sobrement habillés,
aux visages anonymes et inquiétants. Ils prennent place
à une table voisine de celle de Christopher. Madame
Edda les observe silencieusement.*

20   PREMIER INCONNU, *ne s'adressant à personne.*—Je m'excuse, mais
dans mon pays, quand on entre dans une taverne, on ne salue
pas; on s'assied et on boit. (*Froidement, à madame Edda.*)
Qu'est-ce que vous attendez?

MADAME EDDA, *en passant près de Christopher, à mi-voix:*—Va-t'en,
25   Christopher, va-t'en!

DEUXIEME INCONNU.—Dans mon pays, quand on entre dans une
taverne, on est familier avec tout le monde. (*Après un temps,
au premier inconnu.*) Quelle formule allons-nous adopter ici?...
Le savoir-faire de mon pays...

30   PREMIER INCONNU.—...ou le savoir-vivre du mien?[39]

---

[38] **avec mille précautions**   very carefully
[39] *The sinister humor of these two strangers is reminiscent of Kafka. They are
similar to the two executioners in the last chapter of* The Trial.

Les deux inconnus rient doucement.

MADAME EDDA, *sourcils froncés:*[40]—Que voulez-vous?

PREMIER INCONNU.—Boire... Et me taire.

DEUXIEME INCONNU.—Boire. Et parler... avec ce marin (*Il regarde autour de lui, et sur un ton très méprisant.*) Puisqu'il n'y a rien d'autre.

Madame Edda s'éloigne pour les servir mais ne quitte pas des yeux Christopher.

CHRISTOPHER.—Marin, c'est peu, Monsieur! Dites: premier quartier-maître. Et si vous étiez à bord de mon bâtiment, j'aurais envoyé rouler votre haut-de-forme, d'un revers de la main.[41]

DEUXIEME INCONNU, *avec ironie.*—Oh, pardon! (*Il se découvre et pose son haut-de-forme sur la table, puis, se tournant vers son compagnon.*) Je crois qu'on va faire appel à la politesse dans la conversation.

PREMIER INCONNU, *flegmatique.*—Moi, je me tais jusqu'au bout. Je regarde.

CHRISTOPHER, *il appelle.*—Madame Edda!

Il paie ses consommations et s'apprête à sortir.

PREMIER INCONNU, *à Chirstopher, d'une voix sèche.*—Hé, là! Asseyez-vous!

DEUXIEME INCONNU, *gouailleur.*—Vous partirez... avec nous, quand nous aurons fini de boire. (*Lentement.*) S'il-vous-plaît. (*Après un temps.*) Je pensais que le quartier-maître Alexandre Wittiker était plus courageux.

CHRISTOPHER, *debout.*—Je suis courageux quand bon me semble.

---

[40] **sourcils froncés** frowning
[41] **d'un revers de la main** with the back of my hand. *Christopher has adopted the rough tone of Wittiker.*

PREMIER INCONNU, *il ôte, à son tour, son haut-de-forme, découvrant un crâne chauve.*—Oh, pardon!

Les deux inconnus tirent de leurs manteaux des pistolets qu'ils déposent froidement sur la table.

5 DEUXIEME INCONNU.—N'y faites pas attention: ce sont des fourchettes que nous déposons sur la table, pour le repas.

PREMIER INCONNU.—Moi, je me tais. Je regarde.

MADAME EDDA, *violemment.*—Vous regardez qui, gentleman chauve? ... Un employé de magasin qui s'est affublé de l'uniforme d'un 10 quartier-maître!... Que le ciel me damne si je mens!

PREMIER INCONNU, *à lui-même.*—Comme ça m'agace quand on parle de mes cheveux!

DEUXIEME INCONNU, *avec une lueur d'acier dans les yeux.*—S'il les a perdus, bonne dame, c'est à force d'avoir médité sur cette 15 saloperie d'humanité.[42] (*D'une voix glaciale.*) Un peu de tact, voyons!

MADAME EDDA.—Et vous, un peu plus de clairvoyance! Je ne vous cache pas qu'Alexandre Wittiker était tout à l'heure ici, mais je vous jure aussi qu'il a prêté son uniforme à ce jeune homme, 20 Dieu sait pourquoi!

PREMIER INCONNU.—Ouais...[43]

DEUXIEME INCONNU.—Ouais... (*A madame Edda.*) Ne faites pas une montagne de rien! (*A Christopher.*) Etes-vous, oui ou non, le quartier-maître Alexandre Wittiker, pour en finir?

25 CHRISTOPHER, *il rectifie.*—Premier quartier-maître Alexandre, oui. Et après?...[44]

PREMIER INCONNU, *d'une voix blanche.*[45]—Après... on verra.

---

[42] **cette saloperie d'humanité** (*slang*)   this mess of humanity
[43] **ouais**   *a vulgar form of* **oui** *that often implies disbelief*
[44] **Et après?**   So what?
[45] **d'une voix blanche**   tonelessly

Madame Edda se dirige vers la fenêtre avec l'intention d'appeler au secours.

DEUXIEME INCONNU, *d'une voix menaçante, à madame Edda.—*N'avancez pas davantage vers la fenêtre... Surtout n'appelez pas!

PREMIER INCONNU, *d'une voix calme.—*Il pleut dehors. Personne ne 5
vous entendra. (*Après un temps.*) Ecoutez la pluie.

Un silence. On entend le bruit de l'averse tandis que le rideau tombe lentement.

RIDEAU

(*Fin du deuxième tableau.*)   10

TROISIEME TABLEAU

Le rideau se lève sur une grande pièce en désordre. Aux murs, des tableaux représentant des vaisseaux, toutes voiles dehors.[1] Dans un coin, une roue de gouvernail. Assis à une longue table encombrée de documents, l'amiral Punt lit un livre ancien. Il porte une vieille robe de chambre fripée, a les cheveux gris, le dos légèrement voûté et un regard d'aigle.

SCENE I

L'Amiral Punt, Jane.

Entre Jane, vieille servante de l'amiral Punt.

Jane, *elle appelle.*—Amiral...

Elle n'ose insister, le voyant absorbé par sa lecture.

Amiral Punt, *il lit tout haut.[2]*—« ...La mer est liberté, Royaume et désespoir! »

Jane, *elle appelle à mi-voix.*—Amiral Punt...

Amiral Punt.—« ...Boule de cristal avec copeaux de terre à travers une jumelle. »

Jane, *à mi-voix.*—Johnny.

Amiral Punt, *il lit:*—« ...Tous les bijoux, les fleurs sont en elle, mêlés à l'écume amère. Honneur à celui qui ne la quitte jamais et dont les yeux deviennent clairs à force de la voir! Les marins

---

[1] **toutes voiles dehors** full-sail
[2] **tout haut** out loud

150

sont bijoutiers ou jardiniers, selon le voyage, la saison ou
l'aurore. Et statues en liberté, qui se brisent, chaque jour, à
l'horizon... »

> *L'amiral Punt relève la tête, remarquant enfin la présence
> de Jane.*

JANE.—Ils demandent s'ils peuvent venir en robe de chambre.

AMIRAL PUNT.—?...

JANE.—Messieurs Greench et Wisper. (*Elle montre le plafond.*)
Puisqu'ils sont au-dessus. Ce n'est pas la peine d'endosser un
uniforme pour juger un quartier-maître.

AMIRAL PUNT, *furieux.*—Ils viendront comme j'ai dit.

> *Il prend le premier objet qui lui tombe sous la main et
> le lance contre le plafond. On entend, un instant après,
> des coups sourds provenant du plafond.*

JANE.—Ne te mets pas en colère, Johnny. Ils répondent que c'est
d'accord.

AMIRAL PUNT.—En grande tenue[3] avec bicorne, voilà comment je
veux qu'ils se présentent! Avec leurs sabres... bien entendu s'ils
ne les ont pas vendus.

> *Il lance avec rage un objet contre le plafond. On entend,
> peu après, des coups sourds en guise de réponse.*

JANE.—Ils ont compris.

AMIRAL PUNT.—Avez-vous songé, Jane, à revoir ma jaquette? Elle
doit être en lambeaux, et mangée par les souris, depuis le temps!
Et mes décorations, Jane, que sont-elles devenues?

JANE.—Oh, Johnny!... as-tu oublié que tu en offrais une à chaque fille
qui se mariait dans ton quartier?

AMIRAL PUNT.—Alors, il ne reste plus rien?

---

[3] **en grande tenue** in formal dress

JANE.—Les grands aigles, peut-être, et deux coquillages avec ruban.

AMIRAL PUNT.—Eh bien, occupez-vous de ces animaux.

Jane s'apprête à sortir. L'amiral Punt la rappelle.

AMIRAL PUNT.—Pour ma jaquette, Jane, rapiécez, arrangez-la par-
devant. Derrière, c'est pas la peine, puisque je serai assis. Et
puis, c'est vrai, ma cape cachera tout.

JANE, *avec tristesse.*—Ta cape, Johnny?... Elle me sert de couverture
depuis longtemps. Sans elle, ta vieille servante serait morte de
froid.

AMIRAL PUNT, *il baisse la tête.*—...

JANE, *après un silence, subitement d'une voix émue.*—Quel bel
amiral, quel bel amiral, Johnny, tu étais!

AMIRAL PUNT.—Je t'ai dit cent fois de ne plus parler de ces choses.
Va-t'en, Jane, va-t'en!

*Jane sort. L'amiral Punt se lève, met sa longue-vue sous
le bras. Peu à peu, la force des souvenirs le redresse. Il
est maintenant au milieu de la pièce, droit, superbe; son
œil lance des éclairs. Les mots tombent de sa bouche,
lentement, comme des gouttes.*

AMIRAL PUNT.—Amiral John Elly Punt... Maître d'Escadre...[4] Porteur
de la boussole de diamants... Explicateur de l'Etoile polaire...
Grand chambellan du vent...[5] (*Après un temps.*) John Elly!...
Radieux... célèbre... ami! (*Après un silence.*) Et maintenant...
(*A voix basse.*) maintenant... en robe de chambre... (*Il passe la
longue-vue dans sa robe de chambre pour se gratter.*) en robe
de chambre, avec des puces dans le dos. (*Il reprend son livre
et lit à haute voix.*) « ...ses amours étaient l'eau... les espaces de
l'eau... sa joie: le balancement de la mer!... Il fit des voyages
merveilleux qui méritaient de rester dans les livres... mais ils
furent écrits sur l'eau... »

[4] **Maître d'Escadre**   fleet commander
[5] **Porteur... du vent**   *These are imaginary decorations and titles which he
confers on himself.*

*Pendant que l'amiral Punt lit, entre Christopher sans
bruit. Il s'arrête et l'écoute. L'amiral Punt, s'apercevant
de la présence d'un inconnu, interrompt sa lecture et
fronce les sourcils.*

AMIRAL PUNT.—Pas moyen, pas moyen d'être tranquille dans cette
maison, et de lire pour soi un texte nostalgique! (*Furieux, il
prend le premier objet qui lui tombe sous la main et le lance
au plafond. Immédiatement des coups sourds proviennent du
plafond en guise de réponse. L'amiral n'y prête aucune attention et, s'adressant à Christopher.*) Mais... comment êtes-vous
entré?

CHRISTOPHER, *il veut répondre mais l'amiral Punt ne lui en donne
pas le temps.*—...

AMIRAL PUNT.—Et depuis quand un quartier-maître ne se découvre-
t-il pas devant un amiral, même en robe de chambre?...

CHRISTOPHER, *il se découvre:*—...

AMIRAL PUNT.—Oui, comment êtes-vous parvenu jusqu'ici?

CHRISTOPHER.—Je m'excuse, monsieur, mais deux... gentlemen m'ont
conduit dans cette maison, de la façon la plus extravagante...
et je puis le dire, sans mon consentement. Et voilà qu'ils m'ont
laissé derrière cette porte en me disant: « Je vous en prie,
entrez. »

*L'amiral Punt va vers la porte et l'ouvre. On aperçoit
vaguement la silhouette des deux inconnus de la brasserie
de madame Edda. L'amiral Punt leur parle, l'éclair d'un
instant,[6] puis il referme soigneusement la porte et
s'avance lentement vers Christopher.*

AMIRAL PUNT, *il observe Christopher et, à mi-voix, pour lui-même:*—
Je ne l'imaginais pas ainsi.

CHRISTOPHER.—Permettez que je me présente.

---

[6] l'éclair d'un instant   for a very brief moment

AMIRAL PUNT.—Pas la peine, surtout.[7]

CHRISTOPHER, *il joint les talons et se présente quand même:*—Premier quartier-maître Alexandre. Alexandre Wittiker. Et vous, monsieur?

5   AMIRAL PUNT.—Vous le saurez tout à l'heure. (*A lui-même.*) Et je le crains, pour très peu de temps. Car les choses vont vite dans ce pâté de maisons.

CHRISTOPHER.—J'attendrai. J'ai toute une nuit pour moi.

AMIRAL PUNT, *après avoir observé Christopher longuement.*—Dites...
10   Vous êtes bien jeune pour un premier quartier-maître! Généralement, ces gens-là qui ont sillonné la mer dans tous les sens proclament qu'elle est étroite comme une cage, et en gardent de la tristesse dans les yeux.

CHRISTOPHER.—...

15   AMIRAL PUNT, *il observe de nouveau Christopher.*—Ils sont ébouriffés comme de vieux arbres, à cause de la soufflerie du vent...

CHRISTOPHER.—...

AMIRAL PUNT, *il rôde autour de Christopher.*—Et le cerne de leurs yeux est rouille de fer et non pas violettes du matin...

20   CHRISTOPHER.—...

AMIRAL PUNT.—Généralement, leur voix est haute et cassée comme une vieille trompette de théâtre...

CHRISTOPHER.—...

AMIRAL PUNT.—Et ils pèsent lourd quand ils sont en face de vous
25   dans une chambre, seul à seul,[8] comme à présent.

CHRISTOPHER.—...

AMIRAL PUNT.—Un quartier-maître ne se laisserait pas conduire aussi docilement chez l'amiral Punt. (*Plein d'insinuation.*) L'endroit n'est pas de tout repos.[9]

---

[7] **pas la peine, surtout**   hardly worthwhile
[8] **seul à seul**   all alone together
[9] **de tout repos**   perfectly safe

CHRISTOPHER.—...

AMIRAL PUNT.—Or... vous semblez... heureux!

CHRISTOPHER.—...

AMIRAL PUNT.—Dites... avant de parler d'autre chose... avez-vous
seulement navigué?   5

CHRISTOPHER, *brusquement, la mine fière, en se redressant.*—Plus
que n'importe quel autre! Voyageur ou marin, sur la mer, telle
qu'on la voit sur les cartes: ronde, bleue, et subdivisée.

AMIRAL PUNT, *avec une pointe d'ironie.*—Et quelles sont les naviga-
tions auxquelles vous vous êtes mêlé... incidemment?   10

CHRISTOPHER.—Toutes!

AMIRAL PUNT.—Tiens!

CHRISTOPHER.—Il n'y a pas de port, de détroit précieux et de séma-
phore dont je ne connaisse la position exacte et les qualités.
Et jusqu'à ces îles de l'Océanie[10] aux noms de jeunes filles, aux   15
yeux de garçons! Je garde aussi mémoire de la couleur fatale
des eaux... s'il y a légende autour des récifs, naufrage et décès.[11]

AMIRAL PUNT.—C'est beaucoup.

CHRISTOPHER.—Ou trop peu, pour qui a l'Océan dans les entrailles
par devoir ou par curiosité. Mais on ne demande pas à un chien   20
de compter les puces de son maître,[12] pas plus qu'à un quartier-
maître d'énumérer toutes les surprises de la mer.

AMIRAL PUNT, *il l'observe, puis:*—Et jusqu'où êtes-vous monté dans
le Nord?

CHRISTOPHER.—Au-delà de la presqu'île de Plems.   25

AMIRAL PUNT, *subitement très intéressé et s'avançant vers Christo-*
pher.—Regardez-moi, regardez-moi bien, premier quartier-

---

[10] **îles de l'Océanie**   South Sea islands
[11] *This passage, in its imagery and tone, is very similar to Rimbaud's* Le
Bateau ivre, *and his description of « **d'incroyables Florides** » (verses 45–49)
could be compared to Christopher's evocation of the South Sea islands.*
[12] *Christopher means that a servant should not try to enumerate the faults of
his master.*

maître, et n'allez surtout pas répondre à la légère. (*Lentement, en changeant de ton.*) Au cours de votre pérégrination dans les îles du froid... avez-vous vu quelque chose... de particulier... qui mérite de retenir l'attention d'un amiral, même en robe de chambre, à part: ours, morses et cachalots? (*L'amiral Punt est suspendu aux lèvres de Christopher.*)

CHRISTOPHER, *il réfléchit, puis lentement:*—Une fois... dans les brumes du matin... une seule fois... des corbeaux blancs.

AMIRAL PUNT.—Ce que vous dites, jeune homme, est miraculeux! (*Il s'éloigne de Christopher et se parle à lui-même.*) Et que messieurs Greench et Wisper et tous les autres ne viennent pas prétendre le contraire: j'ai un témoin! Nous sommes deux—un quartier-maître et moi—à avoir vu! (*Il revient vers Christopher et le prend à témoin.*) Non pas des mouettes, non pas des cormorans,[13] mais des corbeaux blancs! (*Il s'éloigne de Christopher.*) Comme si l'hiver en personne transportait dans cette région son mobilier, et sa propre volaille. Pouvez-vous, quartier-maître, signer une déclaration, un vrai fac-similé de vos paroles avec tous renseignements complémentaires? Il serait regrettable qu'un témoignage aussi important vienne à disparaître par suite... de la pendaison de son dépositaire.

Christopher recule imperceptiblement, malgré lui. Puis il regarde avec attention et curiosité l'amiral Punt. A ce moment entre Jane, apportant à Punt sa jaquette d'amiral.

JANE.—C'est ta jaquette, Johnny.

Jane aide Punt à mettre sa jaquette d'amiral qui, bien que fripée, est toujours éclatante. L'amiral, d'un coup de peigne, ordonne ses cheveux, les redresse sur son front. Il semble maintenant un autre homme. Christopher regarde avec étonnement et admiration l'amiral. Celui-ci garde toujours sa longue-vue sous le bras.

AMIRAL PUNT.—Est-ce que messieurs Greench et Wisper sont là?

---

[13] **cormorans**   cormants, *birds which are similar to black gulls*

JANE.—Ils attendent que je les introduise auprès de Votre Honneur.

AMIRAL PUNT, *prenant Jane à l'écart:*—Sont-ils habillés convenable-
ment, au moins?

JANE.—Ils sont très beaux, Johnny.

AMIRAL PUNT, *d'une voix solennelle.*—Faites entrer.   5

> *Entrent le commandant Greench et le capitaine Wisper,*
> *tous deux en grande tenue: bicorne, jaquette, épaulettes*
> *dorées. Le commandant Greench n'a pas d'épée. Le capi-*
> *taine Wisper, qui a une épée, n'a qu'une seule épaulette.*
> *La tenue des deux marins est étriquée, visiblement usée,*   10
> *sans être pour cela ridicule.*

SCENE II[14]

LES MEMES, *et* COMMANDANT GREENCH,
CAPITAINE WISPER.

AMIRAL PUNT, *montrant deux chaises sur une sorte d'estrade.*—   15
Asseyez-vous. Vous pouvez vous retirer, miss Jane.

JANE, *elle sort, après s'être inclinée.*—Votre Honneur...

> *Le commandant Greench et le capitaine Wisper ricanent*
> *sournoisement en entendant le mot de Jane.*

AMIRAL PUNT, *il frappe du poing sur la table.*—Vous m'appellerez   20
tout le temps que durera le procès: Votre Honneur ou Amiral,
à votre convenance.[15] Pas de Johnny, vous avez compris? (*Il
présente à Christopher les nouveaux venus.*) Commandant Alfred
Greench. (*Le commandant Greench, qui est affligé d'un tic,*

[14] *A trial conducted by an extrajudicial body is a common theme in contemporary literature. One of the most brilliant examples with which Christopher's trial might be compared is to be found in Dürrenmatt's* The Breakdown.
[15] **à votre convenance**   as you please

gonfle et dégonfle sa joue rapidement.) Capitaine Julius Wisper.
(*Le capitaine Wisper, tout en restant assis, ébauche un vague
salut militaire. Punt, regardant fixement Christopher.*) Ce sont
vos juges, quartier-maître Alexandre Wittiker. (*Après un
temps.*) Excusez-les de n'être pas assis derrière un catafalque[16]
en bois lustré, et de ne point porter de boucles comme les juges
de Sa Majesté. Ils ont d'autres mérites. Et tout d'abord, le sens
de l'honneur... bien que ce soient deux fripouilles.

COMMANDANT GREENCH, *il sourit et baisse les yeux.*—...

CAPITAINE WISPER, *il sourit à son tour, angéliquement.*—...

AMIRAL PUNT, *brusquement il pointe son index vers le commandant
Greench.*—Escroc!... Voleur océanique! (*Il montre le capitaine
Wisper.*) Déserteur! (*Son index va—à présent—de Greench à
Wisper.*) Pilleur d'épaves... de soldes! Détrousseur de pro-
visions... A vendu le grand mât de son navire...

COMMANDANT GREENCH, *debout, fou de colère.*—Et toi?

CAPITAINE WISPER, *se levant à son tour.*—Et toi, Johnny?

AMIRAL PUNT, *il achève sa phrase.*—... à un ébéniste. (*Puis.*) Les
requins ont la dent plus tendre que ces messieurs quand il s'agit
de mastiquer une pièce d'or. Pourceaux!

COMMANDANT GREENCH.—Et toi, Johnny?

CAPITAINE WISPER.—Et toi?

COMMANDANT GREENCH.—Amiral cassé!... défiguré en pleine mer!

CAPITAINE WISPER.—Où est ton sabre?... amiral dégradé!

COMMANDANT GREENCH.—Ton sabre brisé en deux et jeté sur les
côtes de la Jamaïque...

CAPITAINE WISPER.—... au cours d'une prise d'armes, avec canonnade
sur le vaisseau du Commodore.

COMMANDANT GREENCH.—Ah! laisse-nous rire, Johnny!

CAPITAINE WISPER, *au commandant Greench, parlant de l'amiral
Punt.*—« Votre Honneur » est une ancienne canaille...

---

[16] **catafalque**   an elevated, ornate structure

AMIRAL PUNT, *après un silence, lentement.*—C'est vrai... Tout à fait vrai... Et la blessure est toujours vive dans le cœur.

CAPITAINE WISPER, *il insiste, rageur.*—Et alors, Johnny, et alors!

COMMANDANT GREENCH, *au capitaine Wisper.*—Ça suffit. Taisez-vous...

Greench et Wisper se rassoient.

AMIRAL PUNT, *lentement.*—Tout à fait vrai... ce que vous dites là. (*Comme s'il remontait le cours de ses souvenirs:*) Je faisais route avec le soleil... sur mon vaisseau *Princess Rose* ...quand il m'arriva la plus sombre histoire qui puisse arriver à un homme faisant voile sur la mer.

COMMANDANT GREENCH, *amical.*—N'y pense plus, Johnny.

Puis, il pousse du coude le capitaine Wisper.

CAPITAINE WISPER, *avec une soudaine déférence:*—Votre Honneur, nous ne sommes pas là pour parler de nos aventures.

AMIRAL PUNT, *lentement.*—Je me souviens. C'était une fin d'après-midi... avec un ciel pur comme une tête d'ange... Le vent comme un grand aveugle menait *Princess Rose* par la main... Et moi... j'étais debout, en face de trois tambours.

COMMANDANT GREENCH.—Ne parle plus de ça, Johnny.

AMIRAL PUNT.—Trois tambours m'accusaient... (*Il imite lentement le bruit des tambours.*) Troum... troum... troum... Et je ne distinguai plus rien... A part cette haie de marins qui se pressaient sur mes paupières et l'éclat de leurs armes dans le prolongement de la mer... J'entendis alors quelqu'un jeter mon nom dans une tombe... Et toujours le bruit des tambours... troum... troum... troum...

COMMANDANT GREENCH.—Arrête, arrête, Johnny!... on a mal pour toi!

AMIRAL PUNT, *il porte une main crispée sur son épaule et sur sa poitrine.*—Et comme on m'arrachait mes insignes et tous mes ornements, le soleil qui se couchait dans mon axe[17] me couvrit, un instant, d'or et de gloire... par pitié! (*Après un temps, dans un souffle.*) Puis, tout devint gris. Puis, tout devint noir. Troum... troum... troum...

L'amiral Punt prend sa tête entre ses mains. Un long silence.

CAPITAINE WISPER.—S'il faut nous résumer: je dirai que la vie n'est pas toujours drôle, Votre Honneur.

COMMANDANT GREENCH.—Bah! on ne s'en porte pas plus mal.[18]

CAPITAINE WISPER.—Mon histoire, à peu de chose près,[19] est identique à celle de Son Honneur. Sauf que ce n'étaient pas des tambours, mais des trompettes, qui me couraient dessus.

COMMANDANT GREENCH, *il gonfle et dégonfle sa joue.*—Comme vous voyez, nous gardons un excellent souvenir de la justice des hommes et de certains événements, quartier-maître Alexandre.

CAPITAINE WISPER.—Pour ne pas dire que nous en sommes dégoûtés.

COMMANDANT GREENCH.—Jusqu'à la bile!

CAPITAINE WISPER.—Alors, excusez-nous de nous substituer à ces Messieurs qui ressemblent... à des clavecins.[20] Je parle des juges anglais.

COMMANDANT GREENCH.—Justement, vous allez répondre devant nous d'un crime pour lequel vous avez été acquitté par nos collègues de Sa Majesté.

CAPITAINE WISPER.—A notre avis, bien légèrement.

COMMANDANT GREENCH.—Dieu garde le Roi! car il n'a rien à voir dans cette affaire.

CAPITAINE WISPER, *bourru.*—Dieu garde le roi, sans plus insister.

---

[17] **dans mon axe**   in the direction I was looking (*toward the West*)
[18] **on ne s'en... mal**   one's no worse off for that
[19] **à peu de choses près**   with only slight differences
[20] **clavecins**   *instruments with a more mechanical action than that of pianos and which produce a thinner tone*

COMMANDANT GREENCH, *après un temps.*—Approchez, Alexandre Wittiker...

CHRISTOPHER, *il s'avance, malgré lui.*—...

COMMANDANT GREENCH.—... et dites-vous bien que seul notre amour de la Mer... et de l'Honneur, subsidiairement, nous réunit chez Johnny, de temps à autre, pour rendre des sentences.

CAPITAINE WISPER.—Exécutoires[21] sur-le-champ. Surtout quand il s'agit de pendre quelqu'un au bout d'une corde... ou de lui fracasser le mâchoire avec une charge de plomb.

COMMANDANT GREENCH, *romantique.*—C'est l'endroit rêvé pour ce genre d'affaires.

CAPITAINE WISPER.—D'abord, on est entre voisins.

COMMANDANT GREENCH.—Et la cour de cette maison, la nuit, est pleine de ténèbres.

CAPITAINE WISPER.—Ce n'est pas pour rien que Son Honneur a placé sa confiance en nous. (*Au commandant Greench, voyant que l'amiral Punt a toujours sa tête dans ses mains.*) Quand est-ce qu'Il va se réveiller?...

COMMANDANT GREENCH, *brusquement, à Christopher.*—Pourquoi avez-vous assassiné l'aspirant James Hogan, Alexandre Wittiker?...

CHRISTOPHER, *il recule épouvanté.*—...

COMMANDANT GREENCH, *d'une voix rude.*—Oui. (*Après un temps.*) L'été dernier... A Santos. (*Après un temps.*) Ne prenez pas ces airs de biche et de sacristain. Avancez plutôt... On va vous rafraîchir la mémoire. (*Il passe au capitaine Wisper des documents.*) Tenez, capitaine Wisper, vous allez lire l'acte d'accusation. J'ai tellement regardé l'horizon et la mer, que les mots sur le papier me semblent toujours un mélange inextricable de grains de poussière.

CAPITAINE WISPER, *il ébauche un vague salut militaire, tout en demeurant assis.*—A vos ordres, Commandant. (*Il tourne une*

---

[21] **exécutoires** (*judicial*)   to be put in force

page ou deux, puis il lit:) « Mémoires sur l'assassinat de l'aspirant James Hogan par le quartier-maître Alexandre Wittiker. »
(*Un temps.*) « Principal témoin: Caldas, un perroquet »! (*Après
un silence, il lit toujours.*) « C'était à Santos... à la taverne « El
Gringo ». Senhor Panetta rinçait des verres... »

La lumière s'éteint graduellement.

RIDEAU

(*Fin du troisième tableau.*)

QUATRIEME TABLEAU

La scène s'éclaire. Nous sommes à Santos, dans la taverne
« El Gringo ». Le patron, senhor Panetta, rince des verres
derrière son comptoir. Près d'étagères garnies de bou-
teilles, est suspendue une croix de bois. Au fond de la
salle, on aperçoit le matelot Diego, assis en face d'un 5
perroquet dont la cage est posée sur une table.

SCENE I

Panetta, Diego, Perroquet Caldas, Cocolina.

Panetta.—Malheur de ma vie que ce métier de tavernier! (*Il rince*
des verres.) Vendre de l'alcool, mettre le feu partout! (*Il rince* 10
des verres.) dans l'œil et le cul des gens! Les brûler!... avec
cette eau-de-vie du diable... (*Il lève les yeux vers la croix.*)
devant la Croix!... Ah! où sont les coteaux de mon village près
de Lisboa[1]... et les oiseaux d'un sou[2] des arbres de mon
enfance... et les pieds de São Pedro que ma mère me faisait 15
lécher chaque dimanche[3]... à travers la neige d'or des liturgies...
dans les églises... là-bas! (*Il se lamente.*) Aaaah!...

Diego, *il claque les doigts et, pour marquer qu'il désire une*
troisième consommation, il lève trois doigts.—...

Panetta.—J'arrive, monsieur, j'arrive. (*Il va vers Diego, une bou-* 20
teille à la main.) Trois gins, c'est suffisant; ne chargez pas
davantage votre conscience.

Diego, *il regarde le perroquet et prend des notes sur un petit cale-*
*pin.—*Luz.[4]

---

[1] **Lisboa** Lisbon, *capital of Portugal*
[2] **oiseaux d'un sou** common birds
[3] *It is a very pious practice to kiss the feet of the statues of Saint Peter.*
[4] **luz** (*Portuguese*) light

PERROQUET CALDAS, *il crie d'une voix métallique.*—Puta![7]

DIEGO, *il répète.*—Luz.

PANETTA, *il se retourne et jette un regard sur le manège du perroquet et de Diego, puis:*—Ah! quel métier que de damner l'âme des gens... et d'être témoin de scènes aussi invraisemblables: ce perroquet qui parle comme un chrétien!

PERROQUET CALDAS.—Luz!

PANETTA.—Lavons bien ces verres, et purifions-les de toutes souillures. (*Il rince, essuie des verres.*) Qu'ils redeviennent innocents et blancs... (*Il prend le verre qu'il vient de laver et regarde, à travers, la croix suspendue au mur, en ajoutant.*) jusqu'à ce qu'on y voie en transparence la Croix! (*D'un ton résigné.*) Après, ce n'est plus mon affaire... Après, cela ne me regarde pas.

> *Entre Cocolina d'un pas pressé. C'est une jeune femme à la beauté piquante et exotique, fardée outrageusement et vêtue de la façon la plus légère.*

COCOLINA.—Bonsoir, senhor Panetta.

PANETTA, *il s'incline.*—Mademoiselle Cocolina.

> *Cocolina s'installe à une table.*

PANETTA.—J'espère que vous n'allez pas boire. J'ai de l'eau fraîche plus douce que le malaga.[5] Et ça ne coûte rien.

COCOLINA, *soucieuse.*—Est-ce que l'aspirant Hogan est venu?

PANETTA.—Pas encore, mais le senhor Capitão[6] ne saurait tarder. (*A lui-même.*) Pourvu qu'il ne s'enivre pas encore cette nuit, et qu'il n'aille, de ce fait, augmenter le nombre de mes péchés.

COCOLINA.—Et ton argent, senhor Panetta?

---

[5] **malaga** *a sweet Spanish wine*
[6] **capitão** (*Portuguese*) captain

PERROQUET CALDAS, *il crie d'une voix métallique.*—Puta![7]

> *Cocolina et Panetta surpris, cherchent qui a proféré l'injure.*

COCOLINA, *après un temps.*—Donnez-moi une cruche de vin en attendant.

PANETTA.—Miséricorde! Une cruche entière! (*Avisant le décolleté très osé de Cocolina.*) Cocolina, je suis comme votre père; je voudrais vous offrir une robe avec beaucoup de soie, qui vous irait (*Il montre le cou.*) jusqu'ici.

COCOLINA.—Laisse-moi tranquille!

PANETTA.—Une robe de soie, Cocolina, ça ne court pas les rues.[8] Et pour peu que[9] l'étoffe soit nombreuse,[10] elle éloigne les mauvaises pensées!

COCOLINA.—Mêle-toi de ce qui te regarde.[11]

PERROQUET CALDAS, *d'une voix métallique.*—Puta!

COCOLINA, *elle lance en portugais, à l'adresse du perroquet.*—Voce quer papagaio mande o sappato na cara!...[12]

PANETTA.—Mais non, mais non! mademoiselle Cocolina, c'est un perroquet. On n'invective pas ainsi une pauvre bête.

DIEGO, *à Cocolina, en anglais.*—Will you please leave this bird alone?

PANETTA, *levant les bras au ciel.*—Allez comprendre, à présent, tout ce qu'ils disent.

DIEGO, *il se rassied et note sur son calepin, à mi-voix.*—Puta.

---

[7] **puta** (*Portuguese*) whore
[8] **ça ne court pas les rues** you don't find one every day
[9] **pour peu que** as long as
[10] **nombreuse** full (*in order to cover her decently*)
[11] **Mêle-toi... regarde** mind your own business
[12] **Voce quer... cara** *a creolized and ungrammatical version of Portuguese which might be translated as* You want a kick in the face, parrot?

Puis, il jette un regard de biais à Cocolina.

COCOLINA, *elle croise les jambes et se drape dans sa dignité.*—...

On entend, dehors, quelqu'un appeler: « Cocolina... Cocolina. »

5   COCOLINA, *elle prête l'oreille.*—C'est mon père! (*Avec hargne.*) Il est encore à mes trousses.[13] (*A Panetta.*) Ne dites pas que je suis ici.

Elle se lève et se cache dans un coin de la taverne.

SCENE II

10   LES MEMES, *et* DON ALFONSO.

Don Alfonso fait irruption dans la taverne. Il a l'allure d'un mousquetaire, la moustache grisonnante, et fait très « grand[14] d'Espagne ».

DON ALFONSO.—Por caridade![15] Où est ma fille?... (*Il cherche autour*
15   *de lui.*) Où est ma fille? Où donc a passé cette vermine... cette chatte sans collier![16] (*Il se présente à Panetta.*) Don Alfonso, père de Cocolina. Est-elle ici?... cette honte de ma vie, ce siphon![17] Répondez, honnête marchand, sinon je mets sens dessus dessous votre baraque,[18] comme on creuse une tombe!

20   PANETTA, *à lui-même, à mi-voix.*—Dans ce genre d'affaires, mieux vaut être objectif. (*A Don Alfonso.*) Cherchez vous-même, senhor.

---

[13] **à mes trousses**   at my heels
[14] **grand**   grandee
[15] **por caridade** (*Portuguese*)   for pity's sake
[16] **chatte sans collier**   alley cat
[17] **siphon**   syphon, *in the sense that she drains him of everything*
[18] **je mets... baraque**   I'll turn your shack upside down. *In this scene the author makes effective use of the comic opera style, another technique which many avant-garde dramatists have exploited, and most notably Brecht.*

PERROQUET CALDAS, *d'une voix métallique.*—Don Alfonso!

DON ALFONSO, *il s'immobilise et cherche d'où vient l'appel.*—Tiens!

PERROQUET CALDAS.—Don Alfonso!

DON ALFONSO.—Tiens, tiens, tiens!... (*Apercevant le perroquet, il dit avec amertume.*) Un perroquet! Me voilà humilié plus que de coutume. (*Il crie.*) Merci Cocolina!...

DIEGO, *il note sur son calepin, à mi-voix, avec un sourire de satis-·faction.*—Don Alfonso.

DON ALFONSO, *son regard s'arrête brusquement sur les étagères pleines de bouteilles.*—Cette taverne est bien garnie. Incontes-tablement. (*Ses yeux brillent de convoitise devant les bou-teilles.*) A ce point de vue, vous méritez un coup de chapeau,[19] honnête marchand. (*Il se découvre.*) Oui, très bien garnie. (*Apercevant la croix.*) Et très bien tenue... moralement, j'aper-çois, en effet, le Saint-Sauveur.

Il se signe.

PANETTA.—Le brave homme!

DON ALFONSO, *il s'attable.*—Me laisseriez-vous souffler un peu? De-puis l'aube, je saute derrière cette puce. (*Il appelle.*) Cocolina! Cocolina! Dans toutes les caféterias, monsieur, les endroits pas-comme-il-faut.[20] J'ai déjà transpiré le contenu d'une carafe. (*Il appelle.*) Cocolina!

PANETTA.—Je vous aurais bien offert un verre...

DON ALFONSO.—Un verre? Oh, non! monsieur.

PANETTA.—Que ça fait plaisir!

DON ALFONSO.—Seriez-vous avare? (*Après un temps, et en change-ant de ton.*) Un verre, non: deux verres, non non, monsieur. Mais trois, heu heu, sont à ma convenance.[21] (*Il appelle.*) Coco-lina!

---

[19] **un coup de chapeau**   congratulations
[20] **pas-comme-il-faut**   unseemly
[21] **à ma convenance**   to my liking

PANETTA, *résigné, dépose sur la table une bouteille et un verre.—*
Tenez, senhor. Et pour ne rien vous cacher: je ne suis pas avare,
mais vertueux.

PERROQUET CALDAS, *d'une voix métallique et enjouée.—*Don Alfonso... ladrão.[22]

DON ALFONSO.—Ce perroquet est comme un clou dans l'œil.[23] Horrible oiseau!

DIEGO, *dans le plus pur anglais.—*Will you please leave this bird
alone?

DON ALFONSO.—Qu'est-ce qu'il dit?

PANETTA.—Ah, ça, monsieur!... Il faut aller en Angleterre pour comprendre.

DON ALFONSO, *à Diego, en se levant.—*Pas la peine de le prendre de
haut[24] parce que vous êtes matelot. On pourrait vous répondre,
et sur le même ton. Je suis un ancien agent de voyage.

DIEGO, *il écrit sur le calepin.—*Ladrão.

DON ALFONSO, *il boit une grande gorgée, puis, d'un ton geignard.—*
Et voilà que je m'obscurcis l'esprit avec cette eau-de-vie... (*Il
change de ton et fait claquer sa langue.*) excellente (*Il geint.*)
mais peu recommandable.

PANETTA.—A qui le dites-vous!

DON ALFONSO.—A cause d'une fille sans principes! (*Panetta s'assied
près de Don Alfonso et compatit à son chagrin.*) Oui, sans principes! Voilà le mot qui lui convient le mieux.

PANETTA.—La vie est une longue épreuve, Don Alfonso.

DON ALFONSO.—Aucun respect, pas la moindre considération pour
son père!

PANETTA, *il lui tape sur l'épaule doucement.—*...

---

[22] **ladrão** (*Portuguese*)   tightwad
[23] **clou dans l'œil**   sty, *in other words, something which irritates*
[24] **le prendre de haut**   to act high and mighty

Don Alfonso.—Etait-ce lá peine de l'avoir portée sur mes genoux, de lui avoir chanté « Margarita », quand elle était une poupée de fleurs, pour qu'à présent elle me tourne le dos et me cause un tel chagrin!

Panetta, *il lui tape sur l'épaule.*—...   5

Don Alfonso.—Et je bois! Et je bois!

Il avale de longues gorgées, comme s'il voulait oublier.

Panetta.—Don Alfonso, rassurez-vous: vous pouvez boire toute cette taverne, rien n'y fera! Pour moi, vous êtes un ange.

Don Alfonso.—C'est ce que je me dis parfois: « Don Alfonso, tu es   10
un ange. Comment as-tu donné naissance à un démon? »

Panetta.—Ah, l'inconduite d'une jeune fille et ses mauvaises mœurs, quelle souffrance pour un père!

Don Alfonso, *brusquement et sur un ton des plus prosaïques.*—
Mais... qui a parlé de ça?   15

Panetta.—Comment? Vous, senhor!

Don Alfonso, *à lui-même.*—Il est vraiment drôle! (*A Panetta.*) Ai-je dit seulement que j'étais malheureux parce que ma fille parlait aux hommes?... pour ne pas dire plus! (*Crescendo.*) Qui songe à ça? Qui pense à ça?   20

Panetta.—?...

Don Alfonso.—Senhor, vous êtes dans la lune! Que ma fille se tienne mal ou bien n'a jamais été pour moi un sujet de tourment.

Panetta.—Alors, quoi?

Don Alfonso.—Mais qu'elle ne donne rien à son père, qu'elle ne   25
lui glisse pas un sou dans le gousset,[25] voilà qui brise le cœur et fait monter le sang à la tête.

Panetta.—Non, non, ce n'est pas possible!

[25] **gousset**   waistcoat pocket

DON ALFONSO.—Vous en parlez à votre aise, monsieur! (*Après un temps.*) Quand ma fille se prostitue, moi, Don Alfonso, son père, je me prostitue aussi. J'ai bien droit à une compensation pour cette saloperie, une espèce de ristourne,[26] voyons!

⁵ PANETTA.—Horreur! (*Montrant la bouteille sur la table.*) Tu paieras le vin! Tu paieras le vin!

SCENE III

LES MEMES, *plus l'*ASPIRANT JAMES HOGAN
et le QUARTIER-MAITRE ALEXANDRE.

¹⁰ *Entrent l'aspirant James Hogan et le quartier-maître Alexandre. Cocolina quitte sa cachette et prend le bras de James.*

DON ALFONSO, *allant vers l'aspirant Hogan.*—Ah, vous voilà, senhor capitão, vous voilà! Comment trouvez-vous ma fille? (*Il cligne*
¹⁵ *de l'œil et, promenant sa main sur sa propre poitrine, à mi-voix.*) Quels bijoux, par là. (*Plein d'insinuations.*) Et plus haut, senhor capitão. Et plus bas... Sur le ventre blanc, des feuilles de thé! En avez-vous d'aussi jolies dans votre pays, l'Angleterre? (*A lui-même.*) Où les femmes sont sèches comme des selles de
²⁰ chevaux, m'a-t-on dit.

COCOLINA.—Va au diable!

DON ALFONSO, *toujours à Hogan.*—Suborneur!...[27] qui m'arraches le pain de la bouche. (*Allant vers Panetta et le prenant à témoin.*) Car la senhora est amoureuse, figurez-vous...

²⁵ PANETTA.—Va-t'en!

---

²⁶ **ristourne** kickback. *This sudden reversal of character is typical of the contemporary theatre and is used strikingly by Ionesco in his* Victimes du devoir *and by Arrabal in* Pique-nique en campagne. (*See* Panorama du théâtre nouveau, vol. 3.)
²⁷ **suborneur** instigator (*of evil*)

Don Alfonso.—Alors, tout se passe gentiment entre eux, et la caisse est vide. (*Il revient vers Hogan.*) Sachez que tout service se paie, monsieur. (*Superbe.*) Je vous rappelle au sentiment du devoir.

Aspirant Hogan, *il tire de sa poche une pièce d'argent qu'il lance en l'air plusieurs fois et rattrape dans sa main, puis jette finalement par la fenêtre. Don Alfonso se précipite pour la ramasser.* —...

Cocolina, *voyant détaler son père.*—Il n'a jamais couru aussi vite.

Panetta, *malheureux de ce qu'il vient d'entendre et de voir, regardant la croix.*—Devant la Croix!...

Perroquet Caldas.—Deus, Deus, Deus.[28]

Panetta, *regardant le perroquet.*—Honorable oiseau!

Diego, *il note, à mi-voix, sur son calepin.*—Deus.

> *L'aspirant Hogan, ayant toujours Cocolina pendue à son bras, s'attable. Cocolina pose sa tête sur l'épaule de Hogan.*

Quartier-Maitre Alexandre.—Me permettez-vous de m'asseoir avec vous.

Cocolina.—Assieds-toi où tu veux. Qui fait attention à toi? Qui te regarde?

Quartier-Maitre Alexandre.—Je m'assieds et je te dis ceci: Cocolina, tu es peut-être une belle fille, mais tu as la mémoire courte.

Cocolina.—Courte? Pourquoi?... Nous n'avons aucun souvenir en commun, excepté le chant des vagues... que je ne mêle jamais à toi.

> *Elle regarde James Hogan et se blottit encore plus fort sur sa poitrine.*

[28] **Deus** (*Portuguese*)   God

ASPIRANT HOGAN, *fronçant les sourcils.*—Quartier-maître Alexandre, tu es un ami. Exprime ta pensée jusqu'au bout. Qu'est-ce que tu veux dire?

QUARTIER-MAITRE ALEXANDRE.—Rien. (*Il bat les mains.*) Senhor
5   Panetta, servez-nous à boire... et que le ciel vous damne une fois de plus!

PANETTA, *il dépose sur la table une bouteille et des verres.*—Et n'allez pas chercher au fond de cette bouteille tout ce qu'on y trouve ordinairement: mensonges, vilenies et colère.

10   COCOLINA, *fixant Alexandre.*—Et jalousie... et envie. Tu oublies le principal, Panetta.

QUARTIER-MAITRE ALEXANDRE, *il hausse imperceptiblement les épaules. Puis:*—Je lève d'abord mon verre à la santé de Senhor Panetta, qui nous fait crédit!

15   PERROQUET CALDAS.—Salutassiaon.

QUARTIER-MAITRE ALEXANDRE, *il se retourne et dit en riant.*—Le perroquet est de mon avis.

DIEGO, *il note sur son calepin, à mi-voix.*—Salutassiaon.

QUARTIER-MAITRE ALEXANDRE.—Vous devez être, senhor Panetta, un
20   fort brave homme pour qu'un oiseau vous rende hommage comme aux premiers jours du paradis. (*Après un temps.*) A la tienne,[29] James!

ASPIRANT HOGAN.—Et Cocolina, Alexandre Wittiker?... Tu ne veux pas lever ton verre en l'honneur de mon amie?

25   QUARTIER-MAITRE ALEXANDRE.—Le vin, malgré ce qu'en pense Panetta, contient des sentiments. James, excuse-moi de ne pas les gaspiller. (*Il lève son verre.*) A la santé de *Old Abraham!* A notre navire! (*A James Hogan.*) Vois-tu, on n'est vraiment bien que sur lui... loin de la terre (*Il fixe Cocolina.*) et de son fumier.

30   ASPIRANT HOGAN.—A la santé de *Old Abraham!* A la gloire de son mât de quatre-vingt-dix pieds!

---

[29] **à la tienne**   to your good health

QUARTIER-MAITRE ALEXANDRE, *à Diego, en tournant la tête.*—Hé! matelot, tu peux te lever un peu et boire à la santé de ton bateau!

DIEGO, *d'une voix douce, et comme s'il revenait de la lune.*—Oh, oui, monsieur.

PERROQUET CALDAS.—Viva![30]

DIEGO, *il note, à mi-voix, sur son calepin avec un sourire plein de satisfaction.*—Viva!

ASPIRANT HOGAN.—Ma parole, ce perroquet a de la cervelle! J'aimerais bien le ramener avec moi, en Angleterre, et le confier à une université.

> *Il rit.*

COCOLINA.—Et si tu me ramenais sur ton voilier blanc, au lieu de cet oiseau professionnel? (*Elle se blottit dans ses bras.*) Moi, que tu appelles Cocolina-colibri.[31] Je t'en prie, James, moi... et non pas lui.

ASPIRANT HOGAN, *à lui-même, hochant la tête.*—Allez donc expliquer ça au capitaine du navire!

> *Il rit.*

QUARTIER-MAITRE ALEXANDRE, *en regardant Cocolina.*—Il n'y a pas de place pour un serpent sur les navires anglais...

ASPIRANT HOGAN, *son visage se crispe.*—...

QUARTIER-MAITRE ALEXANDRE.—... ou, si tu préfères, le commandant ne charge pas n'importe quelle marchandise, Cocolina.

ASPIRANT HOGAN, *brusquement, il se lève.*—Je me demande si je dois me fâcher, ou bien rire de tes propos, Alexandre Wittiker. (*Il réfléchit une seconde.*) Je prends le parti d'en rire. (*Il se rassied, l'œil sombre.*)

---

[30] **viva** (*Portuguese*)   cheers
[31] **colibri**   humming bird

> *Le quartier-maître Alexandre commande, d'un geste, une*
> *autre bouteille.*

PANETTA, *à Alexandre:*—Ah non, ah non, senhor navigador! Vous ne
voyez pas que le temps se gâte![32]

5 QUARTIER-MAITRE ALEXANDRE.—Une autre bouteille. Et si ce métier
ne te plaît pas, fais-toi nonce et laisse à un autre le soin de
gagner sa vie.

> *Senhor Panetta se dirige, le dos voûté et malheureux, vers*
> *le comptoir pour apporter une nouvelle bouteille.*

10 PERROQUET CALDAS, *d'une voix métallique, à l'adresse de Panetta.*—
Querido![33]

PANETTA.—Muito obrigado, papagaio.[34] (*Après un temps.*) Je finirai
bien par adopter ce perroquet et en faire mon fils légitime
devant la loi. Lui seul a du cœur.

15 QUARTIER-MAITRE ALEXANDRE, *il remplit son verre, puis d'une voix*
faible.—Je regrette, à présent, mes paroles, James Hogan. (*Il*
remplit le verre de Hogan.) Ah! on peut dire qu'on est dans
un sacré pays!... Avec ce soleil et cette pluie réglés alternative-
ment. Pas moyen de les unir une seule fois, pour faire une belle
20 journée d'Angleterre! Et ce navire immobilisé dans la rade
depuis des mois, attendant du fonds de ces terres un chargement qui n'arrive pas... (*Après un temps.*) Ah! j'ai la mélancolie
de mon pays, et de la mer.

PANETTA.—Et vous oubliez le principal, senhor: il n'y a pas d'église
25 par ici. La plus proche est à vingt lieues, dédiée à saint Jean.
Et que trouve-t-on quand on pénètre dans le sanctuaire?
Sculpté dans une espèce d'ébène, un saint Jean qui n'a pas la
peau de l'Evangile. Noir comme un païen!

ASPIRANT HOGAN, *pour dire quelque chose.*—Ah oui?

30 QUARTIER-MAITRE ALEXANDRE.—La question ne nous intéresse pas.

---

[32] **le temps se gâte**   a storm is brewing
[33] **querido** (*Portuguese*)   *a term of endearment*
[34] **muito obrigado, papagaio** (*Portuguese*)   thank you very much, parrot

PANETTA.—Comment, senhor, vous qui êtes marin et qui croyez aux
mystères du firmament, vous ne croyez pas aux mystères du
Ciel! (*Il change de ton.*) Le Portugal est une belle patrie, aussi.
Souvent, après une journée de fatigue... et de mauvais sang,[35]
je fais un petit médaillon de mon pays et je l'embrasse en   5
pleurant.

COCOLINA, *elle se serre amoureusement contre Hogan.*—Et toi? De
quoi te plains-tu?

ASPIRANT HOGAN.—De rien, sinon que je voudrais rester à Santos
longtemps.   10

PANETTA.—Sans église?

ASPIRANT HOGAN.—Et sans bateau.

PANETTA, *en allant vers son comptoir.*—Chacun trouve son bien là
où il peut, et tous les problèmes sont insolubles. Seule la mort
est une addition réglée.   15

QUARTIER-MAITRE ALEXANDRE, *soudain pensif.*—Qui a dit ça?

PANETTA.—Mon père qui fabriquait du vin, et fréquentait les abbés.

COCOLINA.—L'essentiel n'est pas de bien parler, comme l'a fait ton
père, mais d'aimer. (*Elle se blottit dans les bras de Hogan.*)
Les beaux discours, c'est comme une omelette mal préparée: 20
ça fait du bruit au départ; ensuite, personne n'y trouve son
compte.[36] (*Après un temps.*) Je plains ceux qui, ne possédant
rien, inventent des regrets... (*Directement à Alexandre.*) et ont
l'œil triste... des chiens.

ASPIRANT HOGAN.—Doucement, Cocolina.   25

QUARTIER-MAITRE ALEXANDRE.—Il ne tient qu'à moi d'être... propriétaire d'une fille comme toi; ce n'est pas grand'chose, je
t'assure. Les ports en sont pleins comme des déchets de bar-
riques. Par contre, être heureux en aimant la Croix, comme
senhor Panetta, est certainement plus estimable. Mais voilà...   30
ça ne me dit rien.

---

[35] **mauvais sang**   worries
[36] **personne n'y trouve son compte**   nobody is satisfied with it

ASPIRANT HOGAN, *il est prêt à intervenir.—...*

PANETTA, *voulant éviter une rixe.*—Il est tard, messieurs, on ferme.

ASPIRANT HOGAN, *à Panetta.*—Attends un peu.

PANETTA.—Diego, ramassez votre perroquet; on ferme.

5 PERROQUET CALDAS.—Boa noite.[37]

DIEGO, *il note sur son calepin, le visage ravi.*—Ça j'ai compris:
« Good night ».

ASPIRANT HOGAN.—Il y a un bon moment, quartier-maître, que tu
parles par paraboles. Que tu dis ceci. Que tu penses ça. J'en ai
10 assez! (*En serrant les dents, d'une voix lente.*) Ote un peu ce
masque de vinaigre... pour que je te voie. (*Après un temps,
d'une voix nette.*) Que reproches-tu à cette fille, sinon qu'elle
ne t'aime pas!

PANETTA.—Vous discuterez demain. On ferme.

15 QUARTIER-MAITRE ALEXANDRE, *il ne répond pas.—...*

ASPIRANT HOGAN.—Es-tu jaloux?... (*Il rit nerveusement.*) Pourquoi
as-tu insisté pour m'accompagner, alors que le lieutenant Phil-
potts te proposait une partie de cartes? (*Un temps.*) Et Dieu
sait si tu aimes le jeu, Alexandre Wittiker!

20 PANETTA.—On ferme, messieurs. (*Il montre.*) Voici la clé.

ASPIRANT HOGAN, *à Alexandre.*—Parle!

QUARTIER-MAITRE ALEXANDRE.—...

ASPIRANT HOGAN.—Veux-tu donc parler!

> *D'un revers de la main, il envoie rouler bouteilles et*
25 *verres sous la table, puis il repousse Cocolina qui cherche*
à s'interposer entre lui et Alexandre.

QUARTIER-MAITRE ALEXANDRE.—Vaut mieux que je n'ouvre pas la
bouche... Mais si tu insistes, je te raconterai tout, demain, quand
nous serons de garde[38] sur l'*Old Abraham*.

[37] **boa noite** (*Portuguese*)   good night
[38] **de garde**   on guard duty

ASPIRANT HOGAN, *il crie.*—Non, ici!

QUARTIER-MAITRE ALEXANDRE, *il hésite, puis, après un silence.*—Eh
bien... cette fille, hier, était dans mon lit.

COCOLINA, *hors d'elle.*—Ce n'est pas vrai, ce n'est pas vrai! Il ne m'a
jamais touché la main.   5

QUARTIER-MAITRE ALEXANDRE.—Bien sûr. Ce n'est pas avec une fille
comme toi que je ferais du sentiment[39] sous les étoiles. (*Après
un temps.*) Mais pour le reste...

COCOLINA.—Il ment!

QUARTIER-MAITRE ALEXANDRE.—Tu peux te dévêtir, Cocolina, et je   10
montrerai à tous, avec le doigt, si j'ai menti.

COCOLINA.—Tu mens! Tu mens! Tes dents sifflent![40]

> *Elle se jette sur Alexandre et le frappe au visage. Il la*
> *repousse brutalement.*

ASPIRANT HOGAN, *brusquement il tire un pistolet dissimulé sous sa*   15
veste.—Je ne sais, quartier-maître, si tu as dit vrai ou faux; mais
ta vue m'est insupportable! (*Il crie.*) Panetta, tu es mon témoin.

QUARTIER-MAITRE ALEXANDRE, *d'une voix calme en tirant, à son tour,*
un pistolet.—Viens, Diego.

ASPIRANT HOGAN.—On va reculer chacun de cinq pas. Et le plus   20
rapide fera feu[41] le premier.

QUARTIER-MAITRE ALEXANDRE.—Comme tu voudras.

> *L'aspirant Hogan, l'arme braquée, commence à reculer*
> *lentement. Le quartier-maître Alexandre ne bouge pas,*
> *et garde son arme baissée.*   25

QUARTIER-MAITRE ALEXANDRE.—J'aimerais, quand même, avoir une

---

[39] **je ferais du sentiment**   I would get sentimental
[40] **tes dents sifflent**   *Alexandre is speaking between clenched teeth and thus*
hissing in a menacing fashion.
[41] **fera feu**   will fire

conversation, seul à seul, avec toi, avant qu'un de nous soit tué. (*Il jette son pistolet sur une table.*) Tu peux garder ton arme.

ASPIRANT HOGAN, *il garde son pistolet braqué sur Alexandre.*—...

QUARTIER-MAITRE ALEXANDRE, *il crie.*—Sortez tous! (*A Cocolina:*) Et toi la première!

ASPIRANT HOGAN, *d'une voix calme.*—Sortez tous.

PANETTA, *à Hogan, à mi-voix.*—Méfiez-vous de lui, senhor, méfiez-vous, pour l'amour du Christ!

QUARTIER-MAITRE ALEXANDRE.—Dehors!

COCOLINA.—Laisse-moi rester avec toi, James, laisse-moi.

ASPIRANT HOGAN, *d'une voix calme.*—Dehors!

COCOLINA.—Il te tuera, James, il te tuera!... Tu ne reverras jamais plus l'Angleterre... ni le soleil, ni rien.

Panetta, Diego et Cocolina sortent.

SCENE IV

QUARTIER-MAITRE ALEXANDRE, ASPIRANT HOGAN.

QUARTIER-MAITRE ALEXANDRE, *après un silence.*—Je ne me battrai pas avec toi, James... Tu peux tirer quand tu veux.

ASPIRANT HOGAN, *il garde toujours son arme braquée sur Alexandre.* —...

QUARTIER-MAITRE ALEXANDRE.—Ce que je t'ai rapporté est vrai. Aussi vrai que je vois le canon de ton arme braqué sur mon cœur.

ASPIRANT HOGAN, *il ne répond pas et garde son pistolet braqué sur Alexandre.*—...

QUARTIER-MAITRE ALEXANDRE.—Tu ne me crois pas, Hogan?... (*Sur un ton rapide.*) Eh bien, appelle Panetta, qui est un honnête

homme, fais-le jurer sur la Croix, et tu sauras qu'il y a une
semaine, deux matelots se sont battus au couteau dans cette
taverne pour Cocolina... qui les encourageait en découvrant ses
seins.

ASPIRANT HOGAN, *l'arme toujours braquée.*—...

QUARTIER-MAITRE ALEXANDRE, *après un silence, avec une mauvaise
lueur dans les yeux.*—Demande au chef pilote Pacheco... Il te
dira qu'elle s'est roulée à ses pieds pour qu'il l'emmène un
matin, quand tu étais sur l'*Old Abraham,* en train d'inspecter
les cales en compagnie des rats.

ASPIRANT HOGAN, *l'arme au poing.*—Tu mens!

QUARTIER-MAITRE ALEXANDRE.—Qu'attends-tu alors pour tirer, aspirant Hogan?... Je suis à quelques pieds de toi... (*Avec une lueur
étrange dans les yeux.*) et la taverne est vide.

ASPIRANT HOGAN, *il baisse la tête, en même temps qu'il abaisse lentement le canon de son arme.*—...

QUARTIER-MAITRE ALEXANDRE.—Ah, c'est une belle madone, je t'assure!... les yeux bleus dans le sexe[42] et du tabac sur le sein![43]
Je le regrette pour toi. (*Après un silence, pour indiquer la fin
de l'entretien.*) C'est tout.

ASPIRANT HOGAN, *il porte la main à son front, en proie à la souffrance.*—...

QUARTIER-MAITRE ALEXANDRE.—Ecoute encore, j'ai une nouvelle à
t'annoncer: l'*Old Abraham* lève l'ancre bientôt, sans cargaison,
ni marchandises. L'*Old Abraham* quitte Santos le ventre vide.
Le capitaine en a par-dessus la tête de[44] ce pays de mauvaises
affaires et de fripons. (*Après un silence.*) Et alors, James, quand
on sera en haute mer, regardant les vagues fuir, au souvenir de
Cocolina-colibri, on rira tous les deux.

---

[42] **les yeux bleus dans le sexe** *This is a striking metathesis. Normally one
would say* **le sexe dans les yeux bleus.** *Such an interversion gives more force
to the image of apparent innocence which hides depravity.*

[43] **du tabac sur le sein** *This is a brutal image which evokes the tobacco
chewing sailors who drool on Cocolina's bossom. In Rimbaud's* « Le cœur volé »
there is a similar line: « **Mon cœur couvert de caporal.** »

[44] **en a par-dessus la tête de** *is fed up with*

ASPIRANT HOGAN, *lentement.*—Pas moi, peut-être. (*Il fait un effort pour se ressaisir.*) Bien. L'incident est clos. On va se quitter bons amis. (*Droit dans les yeux.*) En attendant demain.

> *L'aspirant Hogan pose son pistolet sur la table, va au comptoir, remplit deux verres de vin. Pendant qu'il tourne le dos, le quartier-maître Alexandre saisit un des pistolets qui traînent sur la table et le braque sur l'aspirant Hogan.*

QUARTIER-MAITRE ALEXANDRE, *il appelle.*—Hé! James Hogan!

ASPIRANT HOGAN, *se retourne, ayant un verre dans chaque main.*—...

QUARTIER-MAITRE ALEXANDRE, *il fait feu.*—...

> *L'aspirant Hogan s'écroule. Le quartier-maître Alexandre prend le deuxième pistolet, tire un coup de feu en l'air, et jette rapidement l'arme près du corps de Hogan, pour faire croire qu'un duel a eu lieu. Puis, il regarde autour de lui pour s'assurer que personne ne l'a vu. Son regard s'arrête sur le perroquet.*

PERROQUET CALDAS, *d'une voix stridente.*—Assassino! Assassino!

RIDEAU

(*Fin du quatrième tableau.*)

CINQUIEME TABLEAU

Quand la lumière revient, nous sommes chez l'amiral Punt. Christopher, debout, devant ses juges, est complètement bouleversé.

SCENE I

Le CAPITAINE WISPER, le COMMANDANT GREENCH, CHRISTOPHER et L'AMIRAL PUNT.

CAPITAINE WISPER, *en refermant le dossier.*—... Et l'*Old Abraham* quitta Santos et fit voile sur une mer de feu, vide et léger comme une corbeille d'osier.

COMMANDANT GREENCH.— Et vous étiez libre sur parole, Alexandre Wittiker, en attendant d'être jugé.

CAPITAINE WISPER, *lentement.*—Assassin!

COMMANDANT GREENCH.— Qui pouvait prendre au sérieux le témoignage d'un perroquet?

CAPITAINE WISPER.—A Trinidad, possession de la Couronne et siège d'un tribunal maritime, on instruisit votre procès,[1] au cours d'une escale, où l'*Old Abraham* remplit ses cales de vanille, de poivre et de bambous verts.

COMMANDANT GREENCH.— Vous fûtes, quartier-maître, acquitté par un juge à tête de pavot, au nez rouge vif sur la tranche d'hermine...[2]

CAPITAINE WISPER.—... et qui bégayait comme va un canard.

[1] **on instruisit votre procès**   there was a preliminary hearing of your case
[2] **sur la tranche d'hermine**   which stood out against the ermine piping (*of the judge's robe*)

COMMANDANT GREENCH.—Tous les témoignages étaient en votre faveur!

CAPITAINE WISPER.—On avait seulement oublié d'interroger Caldas, le perroquet du Brésil, l'oiseau de Dieu en cette affaire.

COMMANDANT GREENCH, *à l'amiral Punt qui écoute, les bras croisés, sans dire mot.*—Ne trouvez-vous pas curieux, Votre Honneur, que le ci-devant prévenu[3] ait juré de dire sur la Bible toute la vérité?... Or, que renferme dans ses feuillets le Livre Saint, sinon des histoires... de baleine,[4] de mâchoires d'ânes,[5] et de chevaux sortant nus d'une rivière avec des torches de feu?[6]

CAPITAINE WISPER.—Sans parler de l'arche[7] au grand complet.[8]

COMMANDANT GREENCH.—C'est dire, Votre Honneur, que ce perroquet méritait tous les égards.

CAPITAINE WISPER.—« Assassin, assassin! » a répété le perroquet.

COMMANDANT GREENCH.—Une lettre quitta Santos et fit voyage sur l'*Old Abraham* en même temps que vous, Alexandre Wittiker. Une lettre qui nous renseignait. (*Après un temps.*) James Hogan était notre ami...

CAPITAINE WISPER.—... comme sont nos amis tous les malheureux de la mer. Indépendamment de leurs vices ou de leurs vertus. Le monde étant fait, par ailleurs, d'équilibre.

CHRISTOPHER, *devenu blême, dégrafe son col et lève la main, demandant à prendre la parole.*—...

COMMANDANT GREENCH.—Vous prendrez la parole plus tard, quartier-maître, si Son Honneur vous le permet.

CHRISTOPHER.—Non! Tout de suite! (*Il est sur le point d'ôter sa veste et d'avouer la vérité,[9] mais jetant un coup d'œil sur l'uniforme*

---

[3] **le ci-devant prévenu**   the accused here before us
[4] **baleine**   *reference to the story of Jonah swallowed by the whale*
[5] **mâchoires d'âne**   *reference to the story of Samson who slaughtered a thousand Philistines with the jaw of an ass*
[6] **de chevaux... feu**   *reference to the story of Elijah. Just before he goes to heaven in a whirlwind, a horse-drawn chariot of fire rises from the river Jordan.*
[7] **l'arche**   *reference to Noah's ark*
[8] **au grand complet**   completely full
[9] **la vérité**   *his identity*

*qu'il porte, il se ressaisit, hésite un instant, puis d'une voix
forte.*) Je n'ai pas tué! Un premier quartier-maître qui adore
la mer, aime et respecte ses camarades. On est lié par des
cordages, dans ce métier. Capitaine Wisper, Commandant
Greench, regardez-moi... Je n'ai pas tué un marin anglais! 5

COMMANDANT GREENCH.— « Assassin! » a dit l'oiseau.

CHRISTOPHER, *après un silence.*—Le perroquet a raison!... (*Puis.*)
Mais les choses ne se sont pas passées comme vous dites... les
événements ne se sont pas déroulés comme on vous l'a rapporté. (*Fort.*) Je veux parler! 10

AMIRAL PUNT, *après avoir fixé longuement Christopher, comme s'il
se doutait de quelque chose.*—Plus tard.

CHRISTOPHER, *avec une prière dans la voix.*—Tout de suite...
Johnny.[10]

> *Un silence. L'amiral Punt semble acquiescer à la de-* 15
> *mande de Christopher.*

CHRISTOPHER, *il se recueille un moment, passe la main sur son front
faisant un effort pour rassembler des souvenirs. Puis il s'avance
vers les trois hommes et, d'une voix nette.*—C'était à Santos...
à l'auberge « El Gringo »... senhor Panetta rinçait des verres... 20

> *La lumière sur la scène, s'éteint graduellement.*

RIDEAU

(*Fin du cinquième tableau.*)

---

[10]**Johnny** *By calling him Johnny, Christopher appeals neither to the false
judge nor to the degraded admiral, but to the human being who can understand him.*

SIXIEME TABLEAU

Quand la lumière éclaire la scène, nous sommes de nou-
veau à Santos, à la taverne « El Gringo ».

La taverne, tout en gardant son aspect exotique et
pauvre, est sensiblement plus élégante, plus britannique
que la première fois. On lit sur le mur, tracé à la
craie: English spoken. Au-dessus des étagères garnies de
bouteilles, il y a une croix. Au fond de la salle, Diego
est assis en face d'un perroquet dont la cage est posée
sur une table. Senhor Panetta rince des verres. Il a les
traits de monsieur Strawberry.

Dans la version du drame que va inventer, de toutes
pièces,[1] Christopher, pour justifier le quartier-maître
Alexandre: Panetta a les traits de monsieur Strawberry,
Don Alfonso ceux de Cheston, Cocolina ceux de miss
Georgia. Et Christopher ceux du quartier-maître Alexan-
dre.

Christopher, ne connaissant pas le visage des protago-
nistes du drame, leur prête celui de ses familiers.

SCENE I

PANETTA, DIEGO, LE PERROQUET CALDAS, COCOLINA.

PANETTA, *il rince des verres; puis il remplit un verre de vin rouge,*
dans lequel il met une fleur, et le place sur une étagère devant
la croix. Panetta a les traits de monsieur Strawberry.—C'est

---

[1] **de toutes pièces**   out of nothing

184

pour la Croix. (*Il se lamente.*) Honte de ma vie que ce métier
de tavernier!...

DIEGO, *il fait claquer ses doigts, et pour montrer qu'il désire un
troisième verre, il lève trois doigts.*—...

PANETTA.—Voilà, voilà.   5

    *Il apporte un verre de gin dans lequel il a mis une fleur,
comme dans un vase.*

DIEGO, *il regarde étonné, la fleur dans le verre.*—...

PANETTA.—Trois gins, c'est trop, monsieur! Laissez cette fleur
s'enivrer à votre place: d'abord son âme est plus innocente, et   10
puis ça ne vous coûtera rien.

DIEGO, *il ôte la fleur du verre et la jette, puis il boit une grande
gorgée.*—...

PERROQUET CALDAS.—Flores.[2]

DIEGO, *il regarde le perroquet et cherche à comprendre.*—...   15

PERROQUET CALDAS, *il insiste.*—Flores.

DIEGO, *il ramasse la fleur, la montre au perroquet et avec un sourire
plein de satisfaction, il note sur son calepin, à mi-voix.*—Flores.

PANETTA.—Honte de ma vie que ce métier! (*Tout à coup, se redressant et comme si de rien n'était,[3] il dit avec aisance.*) Le com-   20
merce exige de pareils sacrifices... On n'est pas Anglais[4] (*Il
rectifie aussitôt.*) pardon, on n'est pas Portugais pour rien! (*Il
rince des verres et, mélancoliquement, se dit à lui-même.*) A
Lisboa, il doit faire jour, à présent... (*Il prend un verre qu'il
vient de laver et l'approche de son œil.*) Oui, c'est le matin à   25
Lisboa. On voit tous les objets dans leur belle transparence,
comme j'aperçois, à travers ce verre, la croix. Aaaah!... où sont
les églises de mon enfance, et São Pedro portant la clé du ciel...[5]

---

[2] **flores** (*Portuguese*)   flowers
[3] **comme si de rien n'était**   as if nothing were wrong
[4] **Anglais**   *For a moment Panetta lapses into the role of Strawberry.*
[5] *Saint Peter is always depicted as holding the keys to the gates of Paradise.*

et son cadenas![6] Et les anges! Les anges enroués et blancs, car il fait frais dans les églises de marbre. (*Il change de ton.*) En Angleterre, du moins.

DIEGO, *il fait claquer ses doigts et, pour montrer qu'il veut une quatrième consommation, il lève quatre doigts.*—...

PANETTA.—Je viens, Monsieur. (*Il sert Diego.*) Voilà, Diego. (*Puis il va mettre une nouvelle fleur dans le verre de vin qui est posé sous la croix.*) Encore une fleur au Christ, pour effacer ce péché-là.

DIEGO, *il boit une grande gorgée.*—...

PERROQUET CALDAS.—Basta![7]

DIEGO, *il cherche à comprendre et regarde le perroquet.*—...

PERROQUET CALDAS.—Basta!

DIEGO, *il se tourne vers Panetta et dit, dans le plus pur anglais.*— What did it say?

PANETTA.—Il dit, Monsieur, que c'est bien suffisant. Quatre gins!

Panetta regagne lentement son comptoir.

DIEGO, *il prend son verre et court le rendre à Panetta, puis il revient à sa place et note sur son calepin avec un sourire plein de satisfaction, à mi-voix.*—Basta...

PANETTA.—Brave oiseau! Créature de Dieu, malgré ses plumes... Missionnaire au nez aquilin.

Entre Cocolina. Elle a les traits de miss Georgia. Elle est très décemment vêtue et porte un châle de dentelle noire sur les épaules.

---

[6] **cadenas** padlock. *It is interesting to note the changes in the scene as it is imagined by Christopher. A padlock is more often associated with a store than with Paradise. And in the previous version of the scene there was a recollection of licking the feet of Saint Peter, while here the Saint is depicted as holding a key.*
[7] **basta** (*Portuguese*) enough

PANETTA.—Bonjour, mademoiselle Cocolina.

COCOLINA, *elle s'attable.*—Du thé, senhor Panetta.

PANETTA.—C'est une boisson sage, dorée et réconfortante. Et qui a
la couleur de vos cheveux, le plus naturellement.

PERROQUET CALDAS.—Linda.[8]   5

DIEGO, *il regarde Cocolina, puis transcrit sur son carnet, avec un
sourire plein de satisfaction.*—Linda.

COCOLINA, *soucieuse.*—Est-ce que le quartier-maître Alexandre est
venu?

PANETTA.—Le quartier-maître Alexandre et l'aspirant Hogan ne sont   10
pas encore arrivés. Si je vous réponds pour tous les deux, c'est
qu'ils ne se quittent pas... comme l'œil et l'œil... ou l'oreille et
l'oreille. Voilà deux jeunes gens pratiquement parfaits. Vifs et
courageux comme des poulains. Et stricts, de la tête aux pieds,
avec des boutons flamboyants... et qui ne se cassent pas.[9] (*Après* 15
un temps.) Cocolina, je suis comme votre père; si vous m'écoutiez,
vous devriez en épouser un. Mais lequel?... Voilà! (*Après un
temps.*) Ah! que j'aime les Anglais!

COCOLINA, *avec anxiété.*—Savez-vous quand l'*Old Abraham* quitte
Santos?   20

PANETTA.—Qui dit navire, Mademoiselle, dit vent, et qui dit vent,
Cocolina, dit incertitude.

COCOLINA.—Si vous demandiez à ce matelot?

PANETTA.—Je crains que cela ne serve à rien. Toute la journée, il
fait, avec ce perroquet, de la littérature. Mais c'est un oiseau   25
bien élevé... et d'une grande tenue morale. (*Il se lamente, à
mi-voix, en détournant la tête.*) Honte de ma vie que ce métier
de tavernier!...

PERROQUET CALDAS, *à l'adresse de Panetta.*—Querido.[10]

PANETTA.—Et bon, avec ça!   30

---

[8] **linda** (*Portuguese*)   pretty
[9] *Christopher's Panetta is more the button merchant than the tavern keeper.*
[10] **querido** (*Portuguese*)   *a term of endearment*

Diego s'aperçoit que son crayon n'écrit plus et qu'il a besoin d'être taillé. Il fait, à l'adresse du perroquet, le geste de tailler un crayon.

PERROQUET CALDAS, *d'une voix métallique.*—Couchillo![11]

5 PANETTA, *il se retourne et voit Diego faisant le geste de tailler un crayon. A Cocolina.*—Et intelligent, comme vous voyez. (*Après un temps.*) Il parle espagnol, à présent.

Il apporte un couteau à Diego.

DIEGO, *il taille son crayon, dépose le couteau sur la table et note,*
10 *avec un sourire plein de satisfaction, sur son petit calepin:—*
Couchillo.

SCENE II

LES MEMES, DON ALFONSO, *puis* L'ASPIRANT HOGAN
et le QUARTIER-MAITRE ALEXANDRE.

15 DON ALFONSO, *on l'entend appeler du dehors.*—Cocolina!... Cocolina!...

COCOLINA.—C'est mon père. Ne dites pas que je suis là.

PANETTA, *levant les bras au ciel.*—Vous savez, les mensonges et moi!...

20 COCOLINA.—Je dois parler au quartier-maître Alexandre. C'est important. Je vous en prie, mentez pour moi.

PANETTA.—Je déborde de péchés comme une cruche, depuis que je suis dans cette taverne.

PERROQUET CALDAS.—Ha ha ha ha...

25 DIEGO, *il cherche à comprendre et regarde Panetta.*—...

[11] **couchillo** (*Spanish*) knife

PANETTA, *à Diego, avec lassitude.*—Il rit. C'est tout. N'inscrivez rien.

DON ALFONSO, *du dehors.*—Cocolina!...

PANETTA, *il entraîne Cocolina et la cache dans un coin.*—...

DON ALFONSO, *il a les traits de Cheston. En entrant, il se présente.*—
Don Alfonso, père de Cocolina. (*Après un temps, grandilo-*   5
quent:) Je souffre, senhor!... (*Apercevant la croix.*) D'autres
ont souffert avant moi. (*Il se signe, puis s'asseyant à une table.*)
Je ne fais aucune comparaison, mais l'avenir de ma fille me
préoccupe. Le croirez-vous? Elle a deux cœurs.

PANETTA.—Tout le monde souffre, ici, et tout le monde boit. Que   10
désirez-vous prendre, senhor?

DON ALFONSO, *il s'est attablé.*—Rien. (*Il se ravise.*) Un verre d'eau
fraîche, peut-être, avec trois gouttes de gin. (*Pathétique.*) Car
tout est sombre, Monsieur! l'avenir de ma fille... et celui de mon
estomac!   15

PANETTA.—C'est tout à fait ma pensée. Merci.[12]

PERROQUET CALDAS.—Don Alfonso!

DON ALFONSO.—Tiens! On dirait la voix de ma tante.

PERROQUET CALDAS.—Don Alfonso!

DON ALFONSO.—Tout à fait la voix de la femme de mon oncle.   20
(*Apercevant le perroquet, à Panetta.*) Peut-être est-elle là-
dedans.[13]

PANETTA.—Voyons, senhor! Respectez son âme. Dites plutôt qu'elle
est au ciel!

DON ALFONSO.—Au ciel? Attendez voir! Elle n'est pas encore morte,   25
Monsieur.

PANETTA, *il sert Don Alfonso.*—...

DON ALFONSO, *tendant à Panetta une pièce de monnaie.*—Je paie
l'eau, senhor.

[12] *This is the very expression which Strawberry constantly employs when talk-ing to Cheston.*
[13] *A common superstition holds that the souls of the dead pass into animals.*

PANETTA.—Voilà un argent que j'accepte avec plaisir.

Entrent l'aspirant Hogan et le quartier-maître Alexandre,
sanglés dans leurs uniformes. Le quartier-maître Alexan-
dre a les traits de Christopher.

5 ASPIRANT HOGAN, *apercevant don Alfonso, il se découvre.*—Mes res-
pects, Monsieur.

Il serre la main de don Alfonso.

QUARTIER-MAÎTRE ALEXANDRE.—Je vous présente mes devoirs, Monsieur.[14]

10 *Il serre la main de don Alfonso.*

DON ALFONSO, *aux deux jeunes gens.*—Asseyez-vous.

PANETTA, *à mi-voix, avec admiration.*—Je voudrais que les gens viennent entendre comment parlent les marins anglais... dans ce
pays de fripons!

15 DON ALFONSO, *à Alexandre et à James.*—Vous êtes à la recherche de
ma fille. Je l'attends aussi. (*Apparaît Cocolina, avec son châle*
de dentelle noire sur la tête.) La voici. D'où sors-tu, ma fille,
en voilette de deuil... et toujours si jolie?

L'aspirant Hogan et le quartier-maître Alexandre se tien-
20 *nent debout.*

COCOLINA, *le visage grave.*—Père, laisse-nous.

DON ALFONSO.—Je vous laisse, Messieurs. (*Il fait quelques pas et,*
du doigt, signifie à sa fille de s'approcher. A mi-voix, la prenant
à l'écart.) Je préfère James Hogan... Car un aspirant a plus
25 d'avenir... Le quartier-maître Alexandre me plaît aussi, franchement. Enfin... choisis qui tu veux, mais que les fiançailles soient
solides. Attention, ma fille, les marins sont comme des colibris...
pfft! ils s'envolent de tous les côtés! Un oiseau dans la main en

---

[14] **je vous... Monsieur**   *a very formal salutation*

vaut dix sur un arbre...[15] (*Il ajoute, avant de sortir, à haute voix.*) A propos, si tu entends la voix de ta grand-tante, ne t'effraie pas, Cocolina, c'est le perroquet.

> *Don Alfonso sort. Cocolina s'attable entre Alexandre et James.*

> *La lumière faiblit, baisse graduellement. Hogan, Cocolina et Alexandre s'estompent et deviennent insensiblement des ombres qui ne bougent pas. Panetta et le matelot Digeo aussi. Seul le perroquet brille étrangement. Ses plumes vertes, rouges et bleues semblent phosphorescentes dans la pénombre.*

> *Brusquement, dans un coin de la scène, apparaissent, en médaillon, dans une lumière crue et qui les encadre bien, l'amiral Punt, le commandant Greench et le capitaine Wisper. Face à eux, Christopher—qui tient le rôle d'Alexandre—fait le récit du drame.*

QUARTIER-MAITRE ALEXANDRE.—Nous étions assis tous les trois à la même table, dans cette auberge déshéritée... L'amour nous balançait et nous cognait comme des barques... et le poivre de cette terre d'exil nous enivrait. (*Il baisse la voix.*) Tous les trois à la même table... chacun pour soi... dans ses pensées!... « Quand *Old Abraham* lève-t-il l'ancre », demanda Cocolina?... Aucun mot ne sortit de notre bouche, alors que dans notre esprit, le Brésil s'effaçait déjà!... « Quand *Old Abraham* lève-t-il l'ancre?... » Je répondis: « Demain, il y aura du vent. »—« A part le vent, quand est-ce que le navire quitte Santos? » reprit la jeune fille. James sourit. « C'est à cause du vent que l'*Old Abraham* quitte Santos, demain, Cocolina. C'est encore à cause de lui que l'Angleterre n'est pas loin. Le vent, Cocolina, c'est

---

[15] **un oiseau... arbre** *a literal French translation of the English proverb* a bird in the hand is worth two in the bush. *This cautious attitude is typical of Cheston who is playing Don Alfonso. The same bourgeois attitude may be found expressed in La Fontaine's fable* « Le berger et la mer » *the moral of which is* « ... un sou, quand il est assuré, / Vaut mieux que cinq en espérance. » *In the same fable we are told:* « La mer promet monts et merveilles: / Fiez-vous-y; les vents et les voleurs viendront. » *This statement sums up Strawberry's attitude.*

tous les pays. Sans lui, je ne t'aurais jamais connue. (*Un temps.*)
Viens avec moi.»—(*Après un temps.*) A mon tour je dis:
« Viens avec moi en Angleterre, Cocolina! » (*Après un silence.*)
Dehors, toute la mélancolie de Santos soufflait dans le ciel.
Mille violons rouges luttaient avec la nuit qui tombait comme
un couteau. Dans la rade, *Old Abraham* changeait de chemise[16]
et transpirait sur une mer... en eau. Tout était noir, et rouge
déchiré à l'horizon! Ah! quelle folie d'être loin de sa patrie et si
près de son amour! (*Après un temps.*) Et le perroquet parlait.
(*On entend la voix du perroquet crier dans l'ombre:*)
« Querido! »... Et senhor Panetta vaquait à ses affaires, et regardait la Croix. (*Après un silence.*) « Mets ton doigt sur l'épaule
de celui que tu choisis » dit James... « Qui aimes-tu, Cocolina?...
Alexandre et moi sommes les meilleurs amis, rien ne changera. »—
Et pour la première fois il l'appela colibri, à cause d'un collier
rouge qu'elle portait à son cou. Et je disais: « Parle, avant que le
vent nous sépare tous les trois! Pose-toi, colibri. » Et l'idée d'une
balance me vint, tout à coup, à l'esprit, une balance dont James et
moi étions les deux plateaux et, elle, l'aiguille qui ne marque rien.
(*Après un silence.*) « Qui aimes-tu?... » Elle répondit dans un
souffle: « Ni toi, ni lui, puisque c'est tous les deux. » Puis, elle
quitta l'auberge, chancelante, au bras de senhor Panetta qui
pleurait. (*Les ombres de Cocolina et de Panetta quittent, sans
bruit, la taverne.*) Et James Hogan dit:

Voix de James Hogan.—Veux-tu t'en aller, Diego?

Voix de Diego, *douce et tranquille.*—Bien, Monsieur.

L'ombre de Diego, à son tour, quitte la taverne.

Quartier-Maitre Alexandre, *il poursuit son récit.*—Que celui qui
ne croit pas qu'un homme puisse mourir d'amour, écoute à
présent ceci: (*En changeant de ton.*) C'est alors que James me
proposa ce duel. « Nous allons nous battre, sans être ennemis,
et pour un oiseau[17] qui a mangé dans notre main. J'acceptai la

---

[16] *a fanciful way of saying that the sails were being raised*
[17] **oiseau** *reference to Cocolina*

chose horrible, parce qu'il n'y avait pas d'autre issue. (*Après un temps.*) Ame de James Hogan, si tu survis, écoute-moi: il y avait trop de tristesse à Santos... même pour un seul bonheur! (*Il change de ton.*) Et nous reculâmes, chacun de cinq pas. (*A mi-voix, et comme pour lui-même:*) J'étais persuadé qu'il ne tirerait pas, comme moi-même j'avais décidé de ne pas faire usage de mon arme.

> *La lumière qui éclairait la scène où l'on apercevait, en médaillon, le quartier-maître Alexandre—c'est-à-dire Christopher—devant ses juges, s'éteint. On entend toujours la voix poursuivre le récit.*

VOIX DU QUARTIER-MAÎTRE ALEXANDRE.—Maintenant nous étions seuls, dans la taverne vide... avec ce perroquet et la croix.

> *La taverne s'éclaire tout à coup. On voit, face à face, pistolet au poing, l'aspirant Hogan et le quartier-maître Alexandre. Les deux jeunes gens se regardent en silence. Brusquement, l'aspirant Hogan fait feu et rate le quartier-maître Alexandre.*

ASPIRANT HOGAN, *il crie.*—Tire, puisque j'ai tiré!... Tire, afin que je ne quitte plus Santos!

> *Le quartier-maître Alexandre abaisse lentement le canon de son arme, va s'asseoir sur une table et prend sa tête dans ses mains. Apercevant le couteau que Diego avait utilisé pour tailler son crayon, l'aspirant Hogan—en proie à un accès de folie—s'en saisit et avance à pas lents vers Alexandre qui a le dos tourné.*

PERROQUET CALDAS, *il crie à l'adresse d'Alexandre comme pour le prévenir.*—Assassino!... Assassino!...

QUARTIER-MAÎTRE ALEXANDRE, *il se retourne brusquement et aperçoit Hogan qui s'avance vers lui, la lame tendue. D'une voix suppliante et haletante à la fois.*—Arrête-toi, James! Arrête!... N'avance plus!

Il fait feu presque à bout portant.[18] *Hogan s'écroule à ses pieds. Alexandre laisse tomber le pistolet de sa main.*

La lumière s'éteint graduellement.

RIDEAU

(Fin du sixième tableau.)

[18] **à bout portant**   point-blank

SEPTIEME TABLEAU

Quand la lumière revient, nous sommes chez l'amiral Punt.
Christopher, les yeux baissés, est en face de ses juges.

SCENE I

L'AMIRAL PUNT, *le* COMMANDANT GREENCH,
le CAPITAINE WISPER *et* CHRISTOPHER.

AMIRAL PUNT, *après un silence, d'une voix neutre.*—L'histoire est belle.

COMMANDANT GREENCH, *il se lève après s'être concerté du regard avec le capitaine Wisper.*—Acquitté, Votre Honneur.

CAPITAINE WISPER, *assis.*—Libre!

AMIRAL PUNT, *avec une ironie imperceptible.*—Bien sûr! (*Après un temps.*) Eh bien, il ne reste plus qu'à rentrer chez vous, quartier-maître, à ôter cet uniforme... pour de bon.[1] Et à dormir tranquille.

COMMANDANT GREENCH.—Si tu permets, nous allons en faire autant, Johnny.

CAPITAINE WISPER, *solennel.*—La Cour se retire. (*En changeant de ton.*) J'ai une tisane qui bout là-haut, Votre Honneur, et qui risque de s'évaporer.

AMIRAL PUNT.—J'ai encore un mot à dire. (*Le commandant Greench et le capitaine Wisper se rassoient.*) D'abord, je félicite la Cour pour le bien-fondé de sa sentence. (*Après un temps, presque à lui-même.*) Quant à moi, je pense que le procès n'aurait même

---

[1] *Although set free, Christopher is condemned to give up forever the role of a sailor.*

pas dû avoir lieu. (*Il regarde fixement Christopher.*) Vous me
comprenez... « Alexandre Wittiker ». (*Après un temps.*) Les
pistolets, le perroquet, et les uniformes sont de jolis jouets pour
un enfant d'Angleterre qui habite un port. (*D'une voix lente.*)
Mais quel enfant n'habite pas un port, au demeurant! (*Après
un temps.*) Oui, le verdict est parfait, messieurs... Mais vous
avez oublié quelque chose.

COMMANDANT GREENCH, *après un silence.*—Quoi donc, Johnny?

AMIRAL PUNT.—La tombe de James Hogan!... Qui va l'édifier? (*Il
élève la voix.*) Est-ce vous ou moi?

COMMANDANT GREENCH.—Oh, Votre Honneur, on repose très bien
sur un peu de sable.

CAPITAINE WISPER.—C'est même recommandé.

AMIRAL PUNT.—Je dis qu'il faut une tombe pour ce marin anglais,
en pays lointain. Une tombe avec des marbres, et les armes du
Roi. (*Il élève la voix.*) Qui va la payer?

Un silence.

CHRISTOPHER.—Moi.

AMIRAL PUNT.—Vous ne savez pas à quoi vous vous engagez... et
ce que cela représente, quartier-maître. Votre solde n'y suffirait
pas.

CHRISTOPHER.—Je donnerai tout l'argent que j'ai. Vingt guinées...
que je vous apporterai demain.

AMIRAL PUNT, *avec distance.*—Que vous remettrez à miss Jane, ma
servante. (*Après un temps:*) Adieu! (*Christopher se dirige vers
la porte.*) Et ne jouez plus avec le feu, Monsieur...[2] pour ne pas
dire avec l'eau.

Christopher sort.

[2] *Now that everything is over and Christopher has been condemned to resume
his own identity, the admiral addresses him formally as* **Monsieur** *rather than
as* **quartier-maître.**

SCENE II

LES MEMES *moins* CHRISTOPHER.

COMMANDANT GREENCH.—Je présume qu'on va partager ces vingt guinées.

CAPITAINE WISPER.—La question ne se pose pas, commandant Greench. Trois parts égales.

AMIRAL PUNT.—Et ce tombeau pour l'aspirant tué?...

COMMANDANT GREENCH.—Pense à nous, plutôt, Johnny, qui sommes vivants et... morts, si tu veux.

CAPITAINE WISPER.—Pour moi, Votre Honneur, un homme qui est mort... n'est même pas né. Alors... (*Au commandant Greench, en changeant de ton.*) J'ai rarement vu un premier quartier-maître aussi convenable...

AMIRAL PUNT.—Vous n'avez rien vu du tout!

CAPITAINE WISPER, *d'une voix presque menaçante.*—Trois parts égales, avons-nous dit.

AMIRAL PUNT, *après un silence.*—C'est bon... Je donnerai la mienne pour la tombe.

COMMANDANT GREENCH, *qui s'apprête à sortir.*—Que chacun s'offre la dépense qui lui plaît.

CAPITAINE WISPER.—Là-dessus, rien à dire. Bonne nuit, Johnny.

COMMANDANT GREENCH, *en sortant, suivi du capitaine Wisper.*—Demain, j'achète du bois pour l'hiver, et je paie mes épiciers. (*Après un temps.*) Les épiceries, capitaine Wisper, quels monts-de-piété![3]

Ils sortent.

---

[3] **monts-de-piété**   pawnbrokers

AMIRAL PUNT, *lentement, à lui-même.*—Une tombe, en marbre pré-cieux, avec un ange renversé... et un petit jardin.

RIDEAU

(*Fin du septième tableau.*)

HUITIEME TABLEAU

Même décor que pour le premier tableau. Au lever du rideau, monsieur Strawberry visiblement inquiet, est en train d'arpenter le magasin et de discourir. Miss Georgia et Cheston—derrière leurs comptoirs—comptent des boutons. Au milieu du magasin est assis le timonier Jim, roulant sa casquette dans ses mains. ⁵

SCENE I

MONSIEUR STRAWBERRY, JIM, CHESTON, GEORGIA.

MONSIEUR STRAWBERRY, *d'une voix irritée.*—Le commerce est, avant tout, une amabilité... En ce qui nous concerne, nous dirons ₁₀ même: une honorabilité. Quel exemple, en effet, que les boutons, et quelle sécurité! (*A Jim, directement.*) Vous qui êtes toujours en mer, Monsieur (*Il fait un geste.*) et fatalement débraillé, vous devez en apprécier la discipline. Avec une chemise propre, Monsieur, et des boutons de bonne qualité, ₁₅ vous êtes strict de la tête aux pieds.

MATELOT JIM.—C'est certain.

MONSIEUR STRAWBERRY.—Et vous pouvez, à n'importe quelle heure, affronter un archbishop d'Angleterre, ou même Sa Majesté le Roi... si vous êtes sollicité. C'est quelque chose, n'est-ce pas? ₂₀

MATELOT JIM.—J'en conviens. Mais, nous autres marins, quand nous ramenons une ancre, ou bien tirons fort sur une voile, les boutons, les mieux fixés, passez-moi l'expression,¹ foutent le camp,² et nous devenons sauvages par-ci ou par-là... suivant la défaillance de ces petits objets. ₂₅

---

¹ **passez-moi l'expression**   if you permit me to say so
² **foutent le camp** (*vulgar*)   pop off

199

MONSIEUR STRAWBERRY.—Justement Monsieur! Rien ne remplace la qualité. Des boutons bien fabriqués et fixés solidement, bravent la fureur des océans et résistent aux plus durs métiers. Je consens à vous offrir gracieusement, à titre d'essai,[3] un bouton que vous coudrez où vous voudrez, de préférence à l'endroit où vous déployez les plus gros efforts. Vous ferez le tour du monde, Monsieur, et vous reviendrez. Avec ce bouton-là!

MATELOT JIM.—Je demande à essayer, bien que je ne sache pas, en vérité, l'endroit que je dois lui assigner... sur mon vêtement.

MONSIEUR STRAWBERRY.—Oh, Monsieur!... Cela vous regarde.[4] Cheston, s'il vous plaît, vous remettrez un bouton spécimen à ce gaillard-là.

Monsieur Strawberry reprend sa promenade dans le magasin.

MONSIEUR STRAWBERRY, *regardant sa montre.*—Je trouve que Monsieur Christopher exagère! Voilà deux heures que l'établissement est ouvert et il n'a pas fait son entrée au magasin. Je reconnais que c'est la première fois que ça lui arrive, mais enfin... c'est arrivé! (*Après un temps.*) Qu'en pensez-vous, Cheston?

GEORGIA, *elle semble inquiète et lance un regard à Cheston.*—...

CHESTON, *voulant faire plaisir à Georgia.*—J'ai trouvé bien pâle, hier, monsieur Christopher.

MONSIEUR STRAWBERRY.—Notez que ce n'est pas par esprit de tyrannie ou de lucre[5] pour mes étalages que je relève le retard de ce commis. (*Il montre Jim.*) Mais il y a quelqu'un qui l'attend, ici, et qui, sans doute, a de la besogne sur les bras. Sans compter qu'il s'ennuie peut-être.

MATELOT JIM.—Oh, Monsieur, vous entendre parler est un plaisir!

CHESTON.—N'est-ce pas?

---

[3] **gracieusement, à titre d'essai**   free, on a trial basis
[4] **cela vous regarde**   that's your business
[5] **lucre**   money

MONSIEUR STRAWBERRY, *réjoui.*—Merci. (*Il se remet à marcher de long en large.*[6]) Voyez-vous, dans ce métier, il faut être le plus faible pour être le plus fort. Le plus gracieux pour être le plus terrible. Le plus plat pour dominer tout! Un singe voltigeant de branche en branche dans le zoo, Monsieur, manque de mo- bilité à côté de nous! (*Apercevant Georgia qui jette un coup d'œil par la fenêtre. A Jim.*) Vous permettez? (*A Georgia.*) Miss Georgia, que regardez-vous par la fenêtre?

GEORGIA.—En vérité, rien. Je guette monsieur Christopher.

MONSIEUR STRAWBERRY, *il regarde sa montre.*—Vous avez bien dit, Cheston, qu'il était pâle, hier?

CHESTON.—C'est ce qu'il m'a semblé, Monsieur, en fin d'après-midi.

MONSIEUR STRAWBERRY.—Si on est pâle en fin d'après-midi, il y a de bonnes raisons pour qu'on soit malade le lendemain. Qu'en pensez-vous, Cheston?

CHESTON.—Pour moi, en tout cas, ça se passe ainsi. D'abord pâle, puis malade.

MATELOT JIM, *il hésite, puis:*—J'ai été, ce matin, très tôt chez lui. Il était sorti.

MONSIEUR STRAWBERRY.—Monsieur, ne compliquez pas davantage cette affaire: nous sommes convenus qu'il était malade.

> *Monsieur Strawberry reprend ses allées et venues. Georgia et Cheston leur travail. Et le timonier Jim roule sa casquette dans ses mains.*

MONSIEUR STRAWBERRY, *tendant un journal à Jim.*—Si vous voulez vous distraire avec *La Gazette du Commerce.*

MATELOT JIM.—Merci. Je sais à peine lire.

MONSIEUR STRAWBERRY.—Mais... brave homme, comment êtes-vous alors barreur?

---

[6] **de long en large**   up and down

MATELOT JIM.—On tient le gouvernail... avec les bras et non pas avec des lunettes; et la rose des vents,[7] je la connais par cœur!

MONSIEUR STRAWBERRY.—Tout à fait curieux! Qu'en pensez-vous, Cheston?

5 CHESTON.—Je pense qu'un homme qui ne sait pas lire est sans doute respectable. Mais quelle faiblesse, par ailleurs!... L'instruction étant une force dans la vie.

MONSIEUR STRAWBERRY.—Merci.

GEORGIA, *qui épie à la fenêtre, pousse un cri.*—Je vois monsieur
10 Christopher traverser la rue. Il arrive.

MONSIEUR STRAWBERRY, *il tire sa montre et regarde l'heure.*—Dites, Cheston, il ne devait pas être bien pâle, hier!

GEORGIA, *ses yeux brillent de joie.*—...

> *On entend le carillon. La porte s'ouvre. Entre Christo-*
15 > *pher; il a les traits tirés et l'air soucieux.*

SCENE II

LES MEMES *et* CHRISTOPHER.

MONSIEUR STRAWBERRY, *sa montre en main.*—Il est dix heures, mon garçon.

20 CHRISTOPHER.—Excusez-moi, Monsieur, j'ai dû passer au comptoir de la banque pour affaire personnelle et urgente.

MONSIEUR STRAWBERRY.—Il n'y a pas d'affaire plus urgente que de vous trouver ici. Pour moi, vous avez été malade jusqu'à dix heures. Et ne me chicanez pas là-dessus.

25 GEORGIA, *à Christopher qui passe près d'elle.*—Bonjour, monsieur Christopher.

---

[7] **rose des vents** (*nautical*)   compass card

CHRISTOPHER, *il la regarde étrangement.*—...

GEORGIA.—Vous ne me reconnaissez plus?

CHRISTOPHER.—Oh, si! Bonjour... miss Georgia. (*Puis il va derrière son comptoir, et murmure, les yeux perdus dans le vague, d'une voix imperceptible.*) Cocolina-colibri.   5

MONSIEUR STRAWBERRY, *de loin.*—Monsieur Christopher (*Il montre Jim.*) voulez-vous, je vous prie, vous occuper de Monsieur, qui a l'extrême obligeance de vous attendre depuis l'ouverture du magasin?

CHRISTOPHER, *à Jim qui est allé vers lui.*—A votre service.   10

MATELOT JIM, *à haute voix.*—Je viens pour les boutons de madame Jim. Je les trouve trop petits. N'auriez-vous pas, par hasard, une taille plus grande et plus ronde? (*A mi-voix.*) C'est pas vrai.

CHRISTOPHER.—On va voir, Monsieur.

Il prend, dans un tiroir, plusieurs boîtes.   15

MATELOT JIM, *à haute voix.*—Je suis fier d'être le client de cette maison!

En entendant ces mots, monsieur Strawberry gonfle sa poitrine et s'éloigne de Christopher et de Jim.

CHRISTOPHER, *il montre des boutons à Jim.*—Est-ce la dimension que   20
vous désirez?

MATELOT JIM, *à haute voix.*—Oui... Encore que je les trouve minuscules. (*A mi-voix, en jetant un coup d'œil sur monsieur Strawberry pour voir s'il écoute.*) J'ai une grande nouvelle à vous annoncer. N'allez pas tomber de vos jambes[8] ou crier de joie... 25
Vous embarquez demain pour l'Australie, sur le *Help-Horn*...
Un an en mer... quatre continents à visiter... Des mers blondes...
des mers sucrées... et des panoramas! Sans compter les océans
qui mugissent dans la cabine!... Vous n'aurez pas acheté une
malle pour rien... (*Voyant que monsieur Strawberry s'est ap-* 30

---

[8] **n'allez pas tomber de vos jambes**   don't fall off your feet

proché d'eux, il dit à haute voix.) Cette maison est un modèle de courtoisie, depuis la direction... jusqu'à la manipulation. Je félicite! Je félicite!

Monsieur Strawberry gonfle de satisfaction sa poitrine et s'éloigne.

MATELOT JIM, *lentement, à mi-voix.*—Tu ne parais pas content.

CHRISTOPHER, *montrant une nouvelle variété de boutons.*—Voilà tout ce que nous avons, Monsieur. (*Le visage de Christopher exprime une grande tristesse.*) Je crois que ces boutons conviendront parfaitement à madame Jim. Avec mes compliments.

MATELOT JIM.—Alors, quoi?... Es-tu d'accord, oui ou non?

CHRISTOPHER, *il ne répond pas.*—...

MATELOT JIM, *à mi-voix, après avoir bien regardé Christopher.*—On dirait que tu vas pleurer... (*Le matelot Jim passe derrière le comptoir et prend Christopher dans ses bras.*) Qu'y a-t-il?... (*Apercevant monsieur Strawberry qui jette, de loin, un coup d'œil étonné sur la scène, il ajoute aussitôt, à haute voix.*) Des commis aussi dévoués méritent qu'on les prenne dans ses bras!

Monsieur Strawberry sourit de satisfaction et s'éloigne.

CHRISTOPHER.—Je vais vous faire un paquet, Monsieur.

MATELOT JIM, *à mi-voix.*—Pour les frais et les dépenses du voyage, ne te décourage pas... c'est presque rien: vingt guinées, une aumône pour le *Help-Horn* je t'assure...

CHRISTOPHER, *il baisse la tête.*—...

MATELOT JIM, *à haute voix.*—Et ficelez le tout avec un ruban diapré, qui ne sera pas perdu[9] car madame Jim le mettra dans ses cheveux.

CHRISTOPHER.—Bien, Monsieur.

MATELOT JIM, *à mi-voix.*—Ecoute-moi... Peckerling a tout arrangé...

[9] **perdu** wasted

Le capitaine du *Help-Horn* a, paraît-il, des idées... qu'il veut transcrire sur le papier... On a pensé à toi... Tu seras, en quelque sorte, son porte-plume... et toujours près de lui, sur la passerelle ou dans le carré des officiers...[10] (*Ne pouvant plus se retenir, il dit à haute voix.*) Vous en avez de la chance, Monsieur! (*Puis à mi-voix.*) Une occasion unique!... (*A haute voix.*) Je demande un rabais car voilà la deuxième fois que j'achète des boutons pour ma femme. (*A mi-voix.*) Qu'attends-tu pour dire oui, à la fin!...

CHRISTOPHER, *pour la première fois, à mi-voix.*—Trop tard. C'est trop tard, à présent!

MATELOT JIM, *à mi-voix.*—Comment trop tard?... Le *Help-Horn* est toujours dans le port... Tout à l'heure, on pompait l'eau pour laver ses ponts... on calfatait par-ci, par-là le navire pour son grand voyage fédéral...[11] on embarquait des moutons... des vaches pour le lait... on frottait avec du suif le museau des canons... Va voir, va voir ça!... Un spectacle qui fait danser!

CHRISTOPHER, *à mi-voix.*—Oh, Jim, laissez-moi! (*A haute voix.*) Voulez-vous passer à la caisse, Monsieur?

MATELOT JIM, *en prenant le paquet.*—Merci. Le paquet est bien fait. (*A mi-voix.*) Alors... tu as changé d'idée?... Fini l'amour de la mer, et des grands vents?... l'aristocratie piquante de l'étoile polaire?... Des blagues, hein!... que tu racontais à la brasserie.

CHRISTOPHER, *il feint de ne plus écouter.*—Par ici, Monsieur.

Il montre monsieur Strawberry.

MONSIEUR STRAWBERRY.—Car la caisse, en l'occurrence, c'est moi.

MATELOT JIM, *à mi-voix, et sur le point de se diriger vers monsieur Strawberry.*—Tu ne pars plus?... dis-le!

CHRISTOPHER.—Je suis très bien dans l'établissement de monsieur Strawberry, et je ne demande qu'à rester. (*A mi-voix.*) Pardonnez-moi, Jim!

---

[10] **carré des officiers**   ward room
[11] **voyage fédéral**   voyage of conquest

MATELOT JIM.—D'accord, mon garçon. Je n'insisterai plus.

Le matelot Jim règle à monsieur Strawberry le montant de son achat.

MATELOT JIM, *sur le point de sortir, à monsieur Strawberry.*—S'il vous plaît, Monsieur, ce bouton dont vous vouliez me faire présent... et qui ferme tout et pour longtemps, où est-il?

MONSIEUR STRAWBERRY.—Merci de n'avoir pas oublié. Il est à votre disposition.

Il lui remet le bouton.

MATELOT JIM, *il prend le bouton, l'examine et, à la surprise de monsieur Strawberry, l'avale brusquement.*—Je veux garder la bouche bien fermée. (*Après un temps.*) Car franchement, je ne comprends plus rien! (*En sortant.*) Adieu, monsieur Christopher!

Le matelot Jim sort.

Pendant tout le temps que dure l'entretien de Christopher avec Jim, miss Georgia, tout en vaquant à son travail, épiera les deux hommes.

GEORGIA, *allant vers Christopher qui semble très abattu.*—Vous ne vous sentez pas bien?...

CHRISTOPHER.—Mais si, mais si.

MONSIEUR STRAWBERRY, *de loin.*—Qui ne se sent pas bien? Est-ce vous, Cheston?

CHESTON.—Il me semble que tout le monde a bonne mine dans la maison... sauf, peut-être un peu, monsieur Christopher qui vient d'avoir un aparté fort long avec ce timonier de mauvais augure.[12] Il s'en est tiré, du reste, à merveille, puisqu'il a réussi à lui vendre exactement les mêmes boutons qu'il avait achetés hier, alors qu'il réclamait une taille au-dessus. C'est un bel exploit commercial.

_____
[12] **de mauvais augure**   ominous

Monsieur Strawberry.—Rien ne m'échappe, Cheston![13] Aussi, je tiens à féliciter Christopher officiellement. Et comme, en Angleterre, les honneurs vont toujours de pair[14] avec la fortune, je décide qu'à partir de demain, le salaire de monsieur Christopher sera augmenté d'un shilling par semaine. (*A Christopher.*) Etes-vous satisfait, mon garçon? 5

Christopher.—Je vous suis très obligé, Monsieur.

Monsieur Strawberry, *en s'éloignant, à lui-même.*—Les bons patrons sont comme des aigles. A la première occasion, ils doivent fondre sur le mérite, et l'emporter avec eux! (*Il va à la fenêtre* 10 *et bâille. Puis, il se retourne et dit à ses commis.*) Ne croyez pas, mes chers enfants, que j'essaie de me distraire en regardant par la fenêtre. (*Il bâille et s'étire.*) Je pense!

Georgia.—Monsieur Cheston... s'il vous plaît.

Cheston, *il lâche son travail et lève les yeux vers elle.*—Oui? 15

Georgia.—Etes-vous d'avis que, pour fêter son avancement d'aujourd'hui, monsieur Christopher devrait m'inviter à faire une promenade, dimanche? D'autant plus que ça ne lui occasionnera aucune dépense.

Cheston.—Mais, voyons miss Georgia! C'est son devoir le plus 20 amical.

Georgia.—Une promenade, non pas du côté du port, mais dans le square de la ville plein de bancs et de fleurs en ce mois de mai.

Cheston.—Mais bien sûr, mon petit chat, rien n'est plus souhaitable en ce mois de mai. 25

Georgia.—Eh bien, dites-le-lui.

Monsieur Strawberry, *à la fenêtre, brusquement.*—J'aperçois le Père Lamb qui attaque[15] la rue! (*Il se tourne et dit à ses com-*

---

[13] *The meaning of this statement is willfully ambiguous. It may serve to convey the irritating self-satisfaction which seems to characterize the merchant, or it may be another indication that Strawberry is more than he appears to be.*
[14] **de pair** together
[15] **attaque** is starting up

mis, solennel.) Je compte que chacun de vous fera son devoir!...
pour cette commande en souffrance.[16]

*Il va vers la pancarte « Pas de crédit sauf pour les ec-
clésiastiques », et, d'un coup de main, la met en équilibre,
puis il se dirige vers la porte et attend.*

SCENE III

LES MEMES, *et le* REVEREND PERE LAMB.

On entend la porte carillonner. Entre le Père Lamb.

REVEREND PERE LAMB.—Je ne viens ni pour un achat ni pour une
visite... (*Après un temps, d'un air sibyllin.*) mais parce qu'hier,
la nuit, j'ai rêvé!

MONSIEUR STRAWBERRY.—Révérend Père Lamb, vous êtes toujours
plein de nuances. (*Il prend une chaise et la place face à la
pancarte.*) Asseyez-vous, je vous prie.

REVEREND PERE LAMB, *jetant un coup d'œil sur la pancarte.*—Je vois
que les bonnes traditions reprennent le dessus[17] dans cette
maison. C'est réconfortant. (*Après un temps.*) Mais il est temps
que je quitte cette place stupide.

MONSIEUR STRAWBERRY, *il le suit, avec la chaise.*—Où voulez-vous
vous asseoir, Père Lamb, je vous suis.

REVEREND PERE LAMB.—Près de mes enfants, Georgia et Christopher. (*A Cheston, en s'asseyant.*) Monsieur Cheston, je vous
aime aussi beaucoup.

MONSIEUR STRAWBERRY.—Tout cet honneur rejaillit sur la maison.

---

[16] **en souffrance**   in abeyance
[17] **reprennent le dessus**   dominate once more

REVEREND PERE LAMB, *après un silence.*—Hier soir, j'ai rêvé!... (*Regardant monsieur Strawberry, tout à coup.*) De quoi ai-je rêvé, monsieur Strawberry?

MONSIEUR STRAWBERRY.—?...

CHESTON.—Peut-être... de la commande.   5

MONSIEUR STRAWBERRY.—Mais oui, de la commande! Merci, Cheston, c'est tout à fait ma pensée.

REVEREND PERE LAMB.—Non! Je n'ai pas rêvé à des boutons.

MONSIEUR STRAWBERRY.—Alors... au couvre-théière de l'Evêque. En tout cas, moi, je l'aurais fait!   10

REVEREND PERE LAMB.—Monsieur Strawberry, je prends la commande, de grâce finissons-en!... Et dites à monsieur Cheston de grimper sur une échelle, le plus haut et le plus loin possible.

MONSIEUR STRAWBERRY.—Monsieur Cheston, voulez-vous (*Il montre un placard très haut placé.*) revoir les boutons de cuivre dépoli   15
pour les gardiens de nuit? Ces boutons qui ne doivent pas briller la nuit.

Cheston prend l'échelle et grimpe.

REVEREND PERE LAMB, *regardant Cheston haut perché.*—Cheston, vous êtes censé représenter une flamme; veillez sur nous.   20

CHESTON, *au Père Lamb, en se retournant avec précaution.*—Merci. Mais je suis dans une posture si peu commode que c'est plutôt à moi qu'on devrait faire attention.

REVEREND PERE LAMB, *assis entre Georgia et Christopher.*—Mes chers enfants... Je vais vous parler d'un sentiment à priori laïc: 25
le bonheur.

GEORGIA.—Voilà un mot, Père Lamb, qui, je ne sais pourquoi, me fait toujours rougir.

REVEREND PERE LAMB.—On dit que le bonheur est une chose simple. N'en croyez rien. Sans quoi je n'aurais pas aimé Dieu, source   30
de joie! Car en fait de complications, il dépasse de loin toutes ses créatures. (*Sur un ton de confidence et en baissant la voix.*)

Rien que pour la Sainte Trinité: trois chapeaux, trois vestons,
et trois cartes de visites!...[18]

MONSIEUR STRAWBERRY.—Tout à fait curieux, ce Père Lamb!... et
tout à fait sensé.[19] (*Il se lève et s'apprête à prendre part à la*
5   *conversation.*) Ainsi moi...

REVEREND PERE LAMB, *sur un ton péremptoire.*—Voulez-vous, monsieur Strawberry, lire *La Gazette du Commerce* et nous laisser
tranquilles!

MONSIEUR STRAWBERRY, *il s'éloigne.*—...

10   REVEREND PERE LAMB, *à Georgia et Christopher.*—Si j'ai dit que le
bonheur n'est pas une chose simple, c'est d'abord pour mettre
à l'aise mon jeune ami Christopher, et... pour couvrir ses extravagances! (*A Georgia, sous forme de devinette.*) Et quelles
sont ses extravagances?...

15   GEORGIA, *en baissant les yeux.*—Il est près de vous. Questionnez-le.

REVEREND PERE LAMB.—Je préfère les connaître de votre bouche.

GEORGIA, *en silence, tire un mouchoir et essuie une larme.*—...

REVEREND PERE LAMB.—Bénie soit la rosée qui tombe du ciel et des
yeux de cette jeune fille!

20   CHESTON, *sur l'échelle.*—Bénie soit la rosée.

MONSIEUR STRAWBERRY, *en jetant un coup d'œil rapide par-dessus
son journal.*—Voilà ma maison transformée en sacristie!

Il se replonge dans la lecture de son journal.

REVEREND PERE LAMB, *à Christopher.*—Il est temps que vous placiez
25   un mot.

GEORGIA.—Ne lui demandez rien. Tout à l'heure, il a eu un entretien

---

[18] *This humorous reduction of the abstract to concrete terms is typical of a
certain childlike faith.*
[19] sensé   *Strawberry does not seem to have understood. Lamb is hardly sensible, but Strawberry thinks he is because he interprets Lamb's words as show-
ing concern for the practical aspects of being three in one.*

avec un timonier et j'ai cru entendre—oh, malgré moi!—qu'il
embarquait prochainement avec lui.

CHRISTOPHER, *avec amertume*.—Rassurez-vous, Père Lamb, je ne
quitte pas l'Angleterre, pas plus que le magasin de monsieur
Strawberry où je viens d'obtenir de l'avancement.   5

REVEREND PERE LAMB.—Eh bien, voilà un grand pas de fait!

GEORGIA.—Pourquoi le dit-il avec tant de mélancolie!

REVEREND PERE LAMB.—Miss Georgia, mon enfant, le bonheur n'est
pas un élément simple comme une dent en or ou une mouche
sur une tartine. Il comporte des routes claires et des labyrinthes. 10
Laissez venir à moi mon jeune ami Christopher, par le chemin
qui lui plaît.

CHRISTOPHER, *après un silence*.—Je ne sais pas, Père Lamb, ce que
vous êtes venu chercher ici... (*Il hésite, puis à mi-voix*.) mais
je suis prêt à vous écouter. (*Il regarde Georgia et murmure*.)   15
Cocolina... colibri.

REVEREND PERE LAMB.—Que c'est joli!

CHESTON, *toujours sur l'échelle*.—Méfiez-vous de ces noms-là, Père
Lamb, ils sentent les voyages!

REVEREND PERE LAMB.—Et pourquoi pas, mon fils. Vous qui êtes,   20
à peu de chose près, au sommet d'un mât, et semblable à une
vigie, vous devriez en saisir toute l'espérance. (*A lui-même*.)
Cocolina colibri... (*A Christopher*.) Je vous prends au mot.[20]

MONSIEUR STRAWBERRY, *n'y tenant plus*.—Au diable la commande!
Je suis le patron ici. (*Il va vers le Père Lamb*.) Qui a parlé de 25
colibri?... A défaut d'enfants, j'ai toujours rêvé d'avoir une
volière. Père Lamb, me permettez-vous d'être un peu chez moi?

REVEREND PERE LAMB.—Je vous en prie!

CHESTON, *au faîte de l'échelle, au Père Lamb*.—Et moi, puis-je
quitter ma résidence? Je suis à l'extrême limite de mes forces.   30

REVEREND PERE LAMB.—Descendez, Cheston. Vous n'êtes pas de
trop, non plus. (*Après un silence*.) Hier donc, la nuit, j'ai rêvé.

---

[20] **je vous prends au mot**   I take you at your word

MONSIEUR STRAWBERRY, *comme s'il posait une devinette au Père Lamb.*—De quoi avez-vous rêvé, Révérend Père Lamb?...

REVEREND PERE LAMB.—J'ai rêvé... que j'étais laitier, monsieur Strawberry! Que je transportais du lait sur une mule florissante, dans deux gourdes d'étain bien étamées, posées sur le dos de la dite mule. Et que je m'en allais, monsieur Strawberry! au petit matin, dans les rues de Bristol, débitant çà et là une pinte ou deux de lait aux braves gens qui m'en réclamaient... (*Il change de ton.*) Notez que, malgré ma forte corpulence et le poids de ma mule, le songe étant fait de matières impalpables et de duvets, j'étais laitier... léger! Et je passais devant les portes en modulant: « Ho-hé... Di-hé... au lait! », à l'intention de mes chers compatriotes.

MONSIEUR STRAWBERRY.—Eh bien, c'est ça le commerce!

REVEREND PERE LAMB.—Or, frappant du poing à la porte d'une maison fermée—c'était aux premières rougeurs de l'aube, je vis sortir mon jeune ami Christopher, un godet à la main, demandant deux portions de lait que je m'empressai de lui servir et qu'il paya en bonne monnaie. Comme je m'apprêtais à suivre ma mule impatiente, j'aperçus miss Georgia, en robe du matin, à la fenêtre entrebâillée.

CHESTON, *après un silence.*—Miss Georgia et monsieur Christopher n'ont jamais habité ensemble.

MONSIEUR STRAWBERRY, *il toussote pour rappeler Cheston au sentiment des convenances.*—Hum... hum...

REVEREND PERE LAMB.—Je me réveillai aussitôt, pour me rendormir après un solide signe de croix. Et de nouveau je fus la proie des songes. J'étais mendiant, cette fois, traînant la jambe, bossu du dos et du pied... et assis près d'une fontaine ingrate qui me donnait de l'eau et pas de pain. Je criais à qui voulait m'entendre: « Qui donnera à mon dos? Qui donnera à mon pied? »... Mais nul passant ne passait pour une aumône charitable.

MONSIEUR STRAWBERRY.—Ah, Père Lamb, si j'étais passé...

REVEREND PERE LAMB.—Mais voilà que débouchant d'une allée qui tournait résolument le dos à la mer, et serrés l'un contre l'autre comme deux chaises à l'office du dimanche,[21] s'avançaient miss Georgia et monsieur Christopher. Ils remplirent la main que je tendais de grosses pièces brillantes.

CHESTON.—Miss Georgia et monsieur Christopher ne se sont jamais promenés ensemble.   5

MONSIEUR STRAWBERRY, *il toussote.*—Hum... hum... (*Après un temps, au Père Lamb.*) Et puis?

REVEREND PERE LAMB.—Puis... je ronflai. J'étais devenu normal. (*Il s'avance vers Georgia et Christopher. A Georgia.*) Georgia, êtes-vous heureuse que je vous aie vue, en mon sommeil, dans   10 la demeure de Christopher, en robe du matin?

GEORGIA, *en baissant les yeux.*—Oui.

REVEREND PERE LAMB.—Etes-vous content, Christopher, de vous être promené avec miss Georgia, et de m'avoir fait l'aumône, comme un chrétien?   15

CHRISTOPHER, *il hésite, puis d'une voix nette.*—Oui.

REVEREND PERE LAMB, *solennellement, à monsieur Strawberry.*—Je vous annonce les fiançailles de miss Georgia et de monsieur Christopher.

MONSIEUR STRAWBERRY, *surpris et heureux.*—Non, non!...   20

REVEREND PERE LAMB.—Comment « non »? puisqu'ils ont dit « oui ».

MONSIEUR STRAWBERRY, *déchaîné, à l'assistance.*—Arrêtez les ventes, arrêtez les achats! les importations, les exportations, arrêtez tout!... (*Allant vers Christopher et Georgia et leur serrant la main.*) Mes chers enfants, que je suis ému!... (*Au Révérend*   25 *Père Lamb, après un temps.*) Pour la première fois, Père Lamb, vous êtes logique et clair!

CHESTON, *l'émotion le fait parler comme monsieur Strawberry.*—C'est tout à fait ma pensée. Merci.

MONSIEUR STRAWBERRY.—Il ne reste plus qu'à échanger les bagues.   30

REVEREND PERE LAMB, *prenant monsieur Strawberry à l'écart.*—

---

[21] **l'office du dimanche**   the Sunday service

Dépêchez-vous!... car la mer, cette mangeuse de perles au profil
de trompette est là qui appelle.[22]

MONSIEUR STRAWBERRY.—Vous pouvez compter sur moi.

REVEREND PERE LAMB, *s'apprêtant à partir.*—Alors, donnez-moi cette
commande.

MONSIEUR STRAWBERRY, *en lui remettant la boîte.*—Je vous en prie,
Père Lamb, est-il encore besoin de parler négoce, aujourd'hui?

REVEREND PERE LAMB.—Voici la guinée et la quarte, avec le rabais
consenti.

MONSIEUR STRAWBERRY, *en encaissant.*—Ils se marieront après l'inventaire, à quelques semaines d'ici.

REVEREND PERE LAMB, *près de la porte.*—Adieu, monsieur Strawberry, et que le ciel vous garde, car il me semble que bientôt,
vous allez avoir... de la progéniture! (*A lui-même.*) Maintenant,
allons faire pénitence, jeûnes et prières... car je n'ai pas rêvé.
Mais c'est curieux comme le mensonge et le bien font parfois
bon ménage!

*Au moment de sortir, le Père Lamb croise à la porte, un
commandant de navire à l'uniforme somptueux. Il a les
tempes grises, le visage sérieux et sympathique. Le commandant salue le Père Lamb et recule pour lui livrer
passage. Le Père Lamb, à son tour, se découvre.*

SCENE IV

LES MEMES, *moins le* REVEREND PERE LAMB,
plus le CAPITAINE GORDON.

MONSIEUR STRAWBERRY, *allant à la rencontre du commandant.*—Oh,
monsieur, quel honneur! (*Il se retourne et rapidement dit à mi-*

---

[22] *The conflict between the poetry of the everyday and the poetry of the
supernatural is the fundamental theme of Jean Giraudoux's* Intermezzo.

voix à ses commis.) C'est le capitaine Gordon, le commandant
du *Help-Horn...* Très important! Attention! (*Au capitaine Gordon.*) Hâlé comme vous êtes et admirablement détendu, je
parie, commandant, que vous êtes de retour d'un voyage.

CAPITAINE GORDON.—Non, monsieur. J'embarque plutôt. Et pas plus   5
tard que demain.

> *Christopher, fasciné par la présence du Capitaine Gor-*
> *don, ne le quitte pas des yeux.*

MONSIEUR STRAWBERRY.—Je ne vous demande pas où vous allez, car
tout le monde sait que le *Help-Horn* fait, chaque fois, le tour de   10
la terre. Ah, que ne donnerais-je pour être, une fois, avec vous
en plein océan. De préférence un dimanche après-midi, car
c'est mon jour de sortie. Mais qu'est-ce que je dis?... (*Il rit.*)
Ha ha ha... (*Après un temps.*) Je suis à votre service, votre
temps doit être très précieux.   15

CAPITAINE GORDON.—Je voudrais une boîte de boutons... les plus
gros et les plus blancs. Pour mes amis noirs des Archipels.

MONSIEUR STRAWBERRY.—Rien n'est plus facile.

CAPITAINE GORDON.—Et aussi une boîte de boutons perlés, en forme
de petits pois, pour mes amies les jeunes filles des Iles. En les   20
mêlant à des coquillages... elles en font jolis colliers et boucles
d'oreilles.

> *Il rit doucement.*

MONSIEUR STRAWBERRY.—On va tout de suite faire le nécessaire.
Mais capitaine Gordon, que vous êtes gentil et tolérant! Ces   25
boutons perlés, dans quelle teinte les désirez-vous?

CAPITAINE GORDON.—Roses, je crois... Car tout est rose là-bas: le ciel,
la mer, et le fond de la nuit. Sans parler de la lune, semblable
à un immense bouton doré, qui ne se couche pas.

MONSIEUR STRAWBERRY.—La lune?... Que c'est beau et que c'est bien!   30
Je n'y avais jamais pensé. (*A lui-même.*) Voilà un astre que je
vais adopter commercialement... si vous le permettez.

CAPITAINE GORDON, *en souriant.*—Je vous en prie! Il n'est pas à moi.

MONSIEUR STRAWBERRY.—Je vous fais perdre votre temps. Voulez-vous, s'il vous plaît, me suivre? (*Il se dirige vers Christopher. Arrivé près de ce dernier, il se ravise aussitôt.*) Non, par ici... Monsieur Cheston, occupez-vous du commandant Gordon.

Tandis que Christopher regarde, fasciné, le commandant Gordon, Georgia, de son côté, observe avec inquiétude Christopher.

MONSIEUR STRAWBERRY.—Alors? Vous nous quittez demain, commandant? Je vous souhaite bonne route et joyeuse traversée. La houle est belle autour de l'Angleterre à cette saison.

CAPITAINE GORDON.—Oui. (*Soudain pensif.*) C'est plus loin que tout se complique.

MONSIEUR STRAWBERRY.—Bien sûr! (*Un temps.*) Ainsi j'ai lu des choses sur les typhons qui ont effrayé sincèrement un homme de ma profession. Evitez les typhons, capitaine Gordon, je vous en prie.

CAPITAINE GORDON, *en riant doucement.*—Puisque vous en parlez, je peux vous dire que mes officiers et moi, nous avons pris toutes nos précautions pour en rencontrer un ou deux. Au moins!... et on boira le thé dessus! Avec le *Help-Horn*, on ne risque rien...

MONSIEUR STRAWBERRY.—Ce n'est pas un jouet. (*Cheston apporte un grand paquet.*) Voilà, commandant, votre paquet.

CAPITAINE GORDON, *il paie, puis à monsieur Strawberry.*—Au revoir, Monsieur, et merci pour toutes vos bontés.

MONSIEUR STRAWBERRY.—Capitaine, dans le pays où vous allez, il y a toujours la lune dans le ciel comme un grand bouton, solidement fixé et qui ne bouge pas?

CAPITAINE GORDON, *en riant.*—J'espère que rien n'a changé.

MONSIEUR STRAWBERRY.—Que c'est beau!

CAPITAINE GORDON, *il serre la main de monsieur Strawberry.*—...

MONSIEUR STRAWBERRY.—A votre bon retour, monsieur Gordon.

Le capitaine Gordon se dirige vers la porte.

CHRISTOPHER, *il fait quelques pas comme s'il voulait rejoindre le capitaine Gordon. Georgia le suit. Puis, d'une voix étranglée par l'émotion, Christopher crie.*—Adieu, commandant!... Et bon voyage! 5

CAPITAINE GORDON, *il se retourne, surpris. D'une voix douce.*—C'est entendu, mon garçon. (*Avec un sourire.*) Merci.

Le capitaine Gordon sort. On entend le carillon sonner quand la porte s'ouvre.

Au baisser du rideau, Georgia est près de Christopher. 10

RIDEAU

(*Fin.*)

questions

1. Le voyage qu'entreprend Christopher lui dévoile une réalité aussi mesquine que celle du magasin de Monsieur Strawberry et certainement plus sordide. Comment réagit-il devant cette révélation?
2. Par quels moyens Schehadé maintient-il l'ambiguïté de sa pièce?
3. Que représentent les corbeaux blancs que l'Amiral Punt avait vus?
4. Comment le personnage de Panetta fait-il mieux comprendre le caractère de Monsieur Strawberry?
5. Quels sont les labyrinthes du bonheur dont parle le Père Lamb?

vocabulaire

abaisser   to lower
abattre   to depress, kill
abonder   to abound
abord *m.*   approach; d'— first
aborder   to approach
abréger   to shorten
abricot *m.*   apricot
accabler   to overwhelm
acclamer   to hail
accomoder   to make comfortable
accomplir   to accomplish
accord *m.*   agreement
accord: d'— alright; être d'— to be in agreement
accorder   to grant
accueillir   to welcome, receive
s'acharner   to make an effort
achat *m.*   purchase
acheter   to buy
achever   to finish, complete
acier *m.*   steel
acquérir   to acquire
addition *f.*   bill
admettre   to permit, suppose
adresse *f.*   skill; à l'— de for the benefit of
advenir   to happen
adversité *f.*   misfortune
affable   friendly
affaire *f.*   matter, business

s'affaisser   to collapse
affliger   to afflict
affronter   to face
s'affubler   to dress, rig oneself out in
agacer   to annoy
s'agenouiller   to kneel down
agir   to act; s'— de   to be a question of
agité   troubled, excited
s'agiter   to get excited
agonie *f.*   death throes
agrafer   to hook up
agréer   to please
agrémenter   to embellish
aguiché   excited
ahurissement *m.*   stupefaction
aider   to help
aïeux *m. pl.*   forebears
aigle *m.*   eagle
aiguille *f.*   needle
aile *f.*   wing
ailleurs   elsewhere; d'— moreover
aimable   friendly
air *m.*   appearance
aisance *f.*   affluence, ease
aise *f.*   comfort, ease
ajouter   to add
alimenter   to feed
allée *f.*   lane
allégresse *f.*   cheerfulness, gladness

218

aller to go; — de soi to go without saying; s'en — to go away
allumer to light
allure f. appearance
altesse f. highness
amabilité f. friendliness
amant m. lover
amasser to pile up
amateur m. fancier
âme f. soul
amener to bring
amertume f. bitterness
amical friendly
amiral m. admiral
amirauté f. admiralty
amitié f. friendship
s'amuser to have a good time
ancêtre m. ancestor
ancien former
ancre f. anchor
ancrer to anchor
âne m. ass
anéantir to destroy
anémone f. windflower
ange m. angel
Angleterre f. England
année f. year
annoncer to announce
apaiser to calm
aparté m. aside
apercevoir to notice, see
apparaître to appear
appareiller to pair off, to get under way
appartenir to belong
appel: faire — to appeal
appeler to call
appesantir to weigh down; s'— à to dwell on
s'appliquer to apply oneself
apporter to bring
apprendre to learn, teach, inform
apprêter to get ready
apprivoiser to tame
approcher to come near, bring close
approuver to be pleased with

appui m. support
appuyer to lean against; s'— to support oneself
âpre harsh
arborer to raise, hoist
arbre m. tree
archevêque m. archbishop
ardeur f. eagerness
ardu difficult
argent m. money
argenterie f. silver plate
arme f. weapon; aux —s to arms
armée f. army
arpenter to pace up and down
arracher to tear off
s'arranger to manage
arrêter to stop, arrest
arriver to happen
asile m. refuge
aspirant m. midshipman
aspirer to inhale, breathe in
assèchement m. drying out
asseoir to seat
assez enough, rather
assiduité f. perseverance
assiette f. plate
assistance f. audience
assister to attend, help
associé m. associate
assommant tedious
assommer to stun
s'assoupir to doze off
assurer to reassure, make certain
astre m. star
atermoiement m. hesitation
s'attabler to sit down at table
atteindre to reach
attendre to wait for; s'— à to expect
attente f. wait
attention: faire — to watch out
attirer to attract
attraper to catch
aube f. dawn
auberge f. inn
aumône f. alms, charity

auparavant   before
aurore *f.*   dawn
aussi   also
autant: d'—   all the more
autel *m.*   altar
auteur *m.*   author
autre   other
autrui   others
avaler   to swallow
avancement *m.*   promotion
avancer   to move forward
avanie *f.*   affront
avantage *m.*   advantage, profit
avare   stingy
avenant   pleasing
avenir *m.*   future
aventurer   to risk
averse *f.*   shower
aveugle   blind
avidité *f.*   greed
avis *m.* warning, opinion; **changer**
   d'—   to change one's mind
avisé   farseeing
s'aviser de   to notice, realize
avouer   to admit

bague *f.*   ring
baie *f.*   bay
bail *m.*   lease
bâillant *m.*   opening
bâiller   to yawn
bain *m.*   bath
baiser   to kiss
baisser   to lower
bal *m.*   ball
se balader   to wander
balance *f.*   scale
se balancer   to swing
baleine *f.*   whale
balivernes *f. pl.*   nonsense
balle *f.*   bullet
banc *m.*   bench
bande *f.*   strip
barbare   uncouth
baril *m.*   barrel
barque *f.*   boat

barreau *m.*   rung
barrer   to cross out, block up
barreur *m.*   man at the helm
barrique *f.*   cask
bas   below, low
bas *m.*   stockings
bassesse *f.*   humiliation
bateau *m.*   ship
bâtiment *m.*   ship
bâtir   to build
bâton *m.*   staff
battre   to beat; — **des mains**   to clap;
   se —   to fight
bavard   talkative
bavarder   to chat
baver   to slobber
béant   gaping, wide open
beau: avoir —   to do in vain
bégayer   to stutter
belette *f.*   weasel
bénir   to bless, give blessing
béquille *f.*   crutch
berceau *m.*   cradle
bercer   to cradle
besogne *f.*   work, task
besoin *m.*   need; **avoir — de**   to need
bête *f.*   animal
bêtise *f.*   stupidity
biais: de —   askew
biche *f.*   doe
bicorne *m.*   two-pointed cocked hat
bidon *m.*   drum, can
bien *m.*   belongings
bien-fondé *m.*   justice
bienheureux   fortunate
bière *f.*   beer
bijou *m.*   jewel
bijoutier *m.*   jeweler
bilan *m.*   balance sheet
bile *f.*   bad temper
blague *f.*   joke
blaguer   to joke
blâmer   to find fault with, reprimand
blanc   white, toneless
blanchisseuse *f.*   laundress
blé *m.*   wheat

blême   pale
blesser   to wound
blessure *f.*   wound
bleu   blue
blottir   to snuggle
boire   to drink
bois *m.*   wood
boisson *f.*   drink
boîte *f.*   box
bondir   to leap
bonheur *m.*   happiness, good fortune
bonté *f.*   goodness
bord *m.*   edge; — de la mer   sea-shore
bosquet *m.*   grove
bossu   hunchbacked
botte *f.*   boot
bottine *f.*   half boot
bouche *f.*   mouth
boucle *f.*   curl; — d'oreilles   earring
bouder   to pout
bouger   to move, stir, budge
bouillir   to boil
boule *f.*   ball
bouleau *m.*   birch
bouleverser   to overwhelm
bourgmestre *m.*   mayor
bourrasque *f.*   squall
bourru   rough
bousculer   to jostle, hustle
boussole *f.*   compass
bout *m.*   tip, end
bouteille *f.*   bottle
boutique *f.*   store
bouton *m.*   button
brandir   to brandish
branler   to shake
braquer   to aim
bras *m.*   arm
brasserie *f.*   restaurant-bar
brave   good, solid
braver   to defy
bref   brief
bride *f.*   bridle
briller   to shine
brin *m.*   bit, fragment

brio *m.*   verve
brise *f.*   wind
briser   to break
broussaille *f.*   underbrush
bruit *m.*   sound, noise
brûler   to burn
brume *f.*   mist
brusque   sudden
buffle *m.*   buffalo
bureau *m.*   desk

cabane *f.*   hut
cachalot *m.*   sperm whale
cacher   to hide
cachette *f.*   hiding place
cadenas *m.*   padlock
cadran solaire *m.*   sundial
cadre *m.*   frame, military cadre
caisse *f.*   till, strongbox
cale *f.*   hold (*of a ship*)
calendrier *m.*   calendar
calepin *m.*   notebook
calfat *m.*   caulker
calfater   to caulk
camarade *m.*   comrade
camouflet *m.*   affront
campagne *f.*   country
canaille   vulgar
canard *m.*   duck
canne *f.*   cane
capote *f.*   overcoat
caprice *m.*   whim
carafe *f.*   pitcher
carapace *f.*   shell
cargaison *f.*   cargo
carillon *m.*   chime
carrière *f.*   career
carrosse *m.*   coach
carte *f.*   card, map
cas *m.*   case; en tout —   in any case
casernement *m.*   barrack
casque *m.*   helmet
casquette *f.*   peaked cap
casser   to break
cave *f.*   cellar
célibataire *m.*   bachelor

censé presumed
cercle *m.* circle
cerise *f.* cherry
cerisier *m.* cherry tree
cerne *m.* ring, circle
cerveau *m.* brain
cervelas *m.* saveloy (*a sort of sausage*)
cervelle *f.* brain, mind
cesser to cease
chagrin *m.* sorrow
chagriner to make unhappy
chair *f.* flesh
chaise *f.* chair; — **publique** post-chaise
châle *m.* shawl
chaleur *f.* heat, warmth
chambellan *m.* chamberlain
chambre *f.* bedroom
chance *f.* luck
chanceler to stagger, shake
chandelle *f.* candle
chanson *f.* song
chant *m.* song
chanter to sing
chanteur *m.* singer
chapeau *m.* hat
chaque each
charcutier *m.* butcher
charge *f.* duty, load
chargé laden
chargement *m.* load
charger to load
charpentier *m.* carpenter
charrette *f.* cart
chasser to drive away
chat *m.* cat
château *m.* castle
chatouiller to tickle
chaud hot
chausser to put on (*shoes*)
chauve bald
chef *m.* leader
chemin *m.* road; **faire du —** to cover a lot of ground
cheminée *f.* smokestack

chemise *f.* shirt, slip, underwear
chenapan *m.* scoundrel
cher dear
chercher to look for
chéri darling
chérir to hold dear
chétif feeble
cheval *m.* horse; à — on horseback
chevalerie *f.* gallantry
chevaucher to ride
cheveu *m.* hair
cheville *f.* ankle
chèvrefeuille *m.* honeysuckle
chicaner to quibble
chien *m.* dog
choc *m.* shock
chœur *m.* chorus
choisir to choose
chose *f.* thing
chrétienté *f.* Christendom
chronique *f.* news reports
chuchoter to whisper
chut hush
ciel *m.* heaven
cierge *m.* candle
citoyen *m.* citizen
clair clear, light
clairon *m.* clarion
clairvoyance *f.* perspicacity
clameur *f.* outcry
claquer to smack; **faire — ses doigts** to snap one's fingers
clarté *f.* brightness
clé *f.* key
clientèle *f.* customers
cligner de l'œil to wink
cloche *f.* bell
clocher *m.* bell tower
clos shut up
clou *m.* nail
clouer to nail shut
cocotte *f.* darling
cœur *m.* heart
cogner to knock
coi quiet
coiffer to don (*a hat*)

coin *m.* corner
col *m.* collar
colère *f.* anger; en — furious
colibri *m.* humming bird
collier *m.* collar, necklace
colombe *f.* dove
colonne *f.* column
combat *m.* fight, struggle
combler to satisfy
commandant *m.* captain
commande *f.* order
commander to order
commencer to begin
commerce *m.* business
commère *f.* crony
commettre to commit
commis *m.* clerk
commode convenient
compagne *f.* companion
compagnie *f.* company
comparaison *f.* comparison
compatir to sympathize
complice *m.* accomplice
complot *m.* plot
comporter to include
comprendre to understand, include
compromettre to compromise
compte *m.* account; se rendre — de
  to realize; tout — fait all told
compter to count
comptoir *m.* counter
se concerter to consult
concevoir to understand, conceive
conclure to conclude
concours *m.* assistance
conduire to lead
conduite *f.* conduct
confiance *f.* confidence
confiant confident
confier to entrust
confondre to confuse, merge
confus abashed
congé *m.* dismissal; prendre — to
  take leave
conjuration *f.* conspiracy
conjurer to beseech

connaître to know; se — à to know
  all about, be a good judge of
conquérir to conquer
conquête *f.* conquest
consacrer to devote
conseil *m.* advice
conseiller to suggest
consentir to grant
consommation *f.* drink
consommer to consumate
constater to note
conte *m.* fairy tale
contenir to contain; se — to restrain oneself
contenu *m.* contents
contredire to contradict
contrée *f.* region
contrevenir to infringe
contrôleur *m.* inspector
convaincre to convince
convenable fitting
convenance *f.* expediency, decorum
convenir to admit, be fitting
convier to enjoin
convoitise *f.* greed
copeau *m.* chip
copieux copious
coquet coy
coquillage *m.* shell
corail *m.* coral
corbeau *m.* raven
corbeille *f.* basket
cordage *m.* (*nautical*) gear, roping
corde *f.* rope
cordon *m.* string
corne *f.* horn
corniche *f.* pickle
corps *m.* body; — de garde guard-
  room
côte *f.* shore
côté *m.* side; à — de next to
coteau *m.* hillside
cou *m.* neck
couardise *f.* cowardice
coucher to lay down, sleep; se —
  to set

coude *m.*   elbow, bend
coudre   to sew
couler   to flow
couleur *f.*   color
couloir *m.*   corridor
coup *m.*   blow, tap; — **de feu**   shot;
   — **de pied**   kick; — **d'œil**   look;
   du même —   at the same time;
   tout à —   suddenly
coupe-gorge *m.*   deathtrap
couper   to cut
cour *f.*   courtyard, court
courant   common; **au** —   in the know
courant *m.*   current
courber   to bow
courir   to run
couronne *f.*   crown
couronner   to crown
cours *m.*   course, path
coursier *m.*   steed
court   brief
courtoisie *f.*   politeness
couteau *m.*   knife
coûter   to cost
coutume *f.*   custom
couvent *m.*   convent
couverture *f.*   blanket
couvrir   to cover
craie *f.*   chalk
craindre   to fear
crainte *f.*   fear
cramoisi   crimson
se cramponner   to clutch
crâne *m.*   skull
crapule   dissolute, debauched
craquer   to burst
crayon *m.*   pencil
créer   to create
cresson *m.*   watercress
creuser   to tunnel, dig
crever   to burst, (*vulgar*) die
crispé   contorted
crisper   to contract
croire   to think, believe
croisée *f.*   casement window
croisement *m.*   intersection
croiser   to intersect, cross

croix *f.*   cross
cru   harsh
cruche *f.*   jug
cuir *m.*   leather
cuirassier *m.*   cavalry soldier
cuisinier *m.*   cook
cuisse *f.*   thigh
cuivre *m.*   brass
cul *m.*   ass
culbuter   to tumble
cultivateur *m.*   farmer
curieux   strange
cuvette *f.*   basin

dague *f.*   dagger
daigner   to deign
dame *f.*   lady; — **d'honneur**   brides-
   maid
dames *f.*   checkers
davantage   more
débarquer   to unload, disembark
se débattre   to struggle
débilité *f.*   weakness
débiter   to sell
déborder   to overflow
déboucher   to unblock, arrive
débourser   to spend
debout   standing
débraillé   untidy
décent   seemly
décès *m.*   death
décevoir   to disappoint
déchaîné   unleashed
déchet *m.*   waste, refuse
déchiffrer   to figure out
déchirant   heartrending
déchirer   to tear
décidément   definitely
décolleté   low-cut
déconfit   crestfallen
découragé   discouraged
décousu   disjointed
découvrir   to uncover, discover, find;
   se —   to take one's hat off
décrocher   to unhook
dedans   inside
dédier   to dedicate

déesse *f.* goddess
défaillance *f.* lapse
défaut *m.* lack; à — de lacking
défendre to prohibit, defend
défigurer to disfigure
défiler to march past
défoncer to stave in
dégonfler to deflate
dégouliner to drip
dégoûter to disgust; se — to become disgusted
dégrafer to unhook
déguiser to disguise
dehors outside
déjeuner *m.* lunch
délaisser to abandon
délier to free
demander to ask; se — to wonder
délimiter to circumscribe
délirer to rave
demain tomorrow
demande *f.* request
démarrer to start up
démasquer to reveal
démêlé *m.* unpleasant dealings
démentir to belie
demeurant: au — all the same
demeure *f.* house
demeurer to remain
demi-cercle *m.* half-circle
démolir to destroy
démontrer to prove
dénicher to unearth
dénombrer to count
dent *f.* tooth
dentelle *f.* lace
se départir de to part with
dépasser to pass beyond
se dépêcher to hurry
dépeigné unkempt
dépense *f.* expense
se dépenser to waste energy
se dépêtrer de to get rid of
dépit *m.* resentment; en — de despite
déplacement *m.* trip
déplaire to displease

déplaisir *m.* displeasure
déplier to unfold
déployer to put on (*a display*), unfold
dépoitraillé untidy
dépoli dull
déposer to set down
déposition *f.* statement
déposséder to dispossess
dépouiller to strip
dépourvu deprived; prendre au — to take by surprise
déranger to disturb
dernier last, latter
dérober to steal
se dérouler to unfold
derrière behind
désaltérer to slake
descendre to come down, get off
désespérer to have no hope
désespoir *m.* despair
déshérité desolate
désigner to point out
désobéir to disobey
se désoler to be unhappy
désordre *m.* disorder
désormais henceforth
dessiner to design, draw
dessous underneath
dessus on top of
désunir disunite
détaler to take off
détendre to relax
détour *m.* roundabout way; sans — frankly
détourner to turn away
détroit *m.* strait, sound
détrousseur *m.* thief
détruire to destroy
dette *f.* debt
deuil *m.* mourning
devant in front of
devenir to become
dévêtir to undress
deviner to guess
devinette *f.* riddle
devoir *m.* duty

devoir to owe
dévouement *m.* devotion
dévouer to devote
diable *m.* devil
diamant *m.* diamond
diapré speckled
dicter to impose
dieu *m.* god
difficile difficult
digérer to digest
digne worthy
dimanche *m.* Sunday
dire to say; **vouloir —** to mean
diriger to direct; **se —** to move
discourir to talk
discours *m.* speech
discuter to argue
disloquer to break up
disparaître to disappear
disposer to arrange; **se —** to make
 ready to
disposition *f.* disposal, frame of mind
disserter to hold forth
dissimuler to hide
distancer to outstrip
distraire to amuse
divers several, different
doigt *m.* finger; **— de pied** toe
domestique *m.* servant
dominer to dominate
donation *f.* gift
donner to give; **— sur** to open onto
doré gilded, golden
dorloter to fondle
dormir to sleep
dos *m.* back
dossier *m.* file
douanier *m.* customs official
doucement gently, slowly
doué gifted
douleur *f.* pain, sorrow
douloureux painful
se douter de to suspect
doux soft, gentle
douzaine *f.* dozen
drap *m.* sheet

drapeau *m.* flag
draper to bedeck
se droguer to take drugs
droit right, straight
droit *m.* right
droiture *f.* uprightness
drôle funny
dur hard
durée *f.* duration
durer to last
dureté *f.* hardness
duvet *m.* down

eau *f.* water
eau-de-vie *f.* brandy
ébaucher to sketch
ébène *f.* ebony
ébéniste *m.* cabinetmaker
éblouir to dazzle
ébouriffer to dishevel
ébranler to shake
écaille *f.* shell
écart *m.* divergence; **à l'—** to the
 side
écarter to move aside
ecclésiastique *m.* churchman
échange *m.* exchange
échanger to exchange
échapper to escape
échauffement *m.* heating
échelle *f.* ladder
éclair *m.* flash
éclairer to light up
éclat *m.* burst; **rire aux —s** to laugh
 uproariously
éclatant dazzling
éclater to burst, blow up, be revealed
école *f.* school
écorce *f.* bark
écorcher to skin, flay
s'écouler to pass
écouter to listen
écraser to crush
écrire to write
écriteau *m.* sign
écrivain *m.* writer

s'écrouler   to fall, collapse
écume *f.*   foam
écumoire *f.*   skimmer
écureuil *m.*   squirrel
écuric *f.*   stable
édifier   to erect
effacer   to erase
effectif   actual
effectuer   to carry out
s'effondrer   to collapse
s'efforcer   to make an effort
effrayer   to frighten
égal, égale   equal
également   also, equally
égard *m.*   consideration, respect; à
    l'— de   having regard to
égarer   to misplace
églantine *f.*   wild rose
église *f.*   church
électeur *m.*   elector
élever   to bring up, raise; s'— to
    protest
éloigner   to turn away
émailler   to embellish
embarquer   to sail
embarras *m.*   difficulty
emblée: d'—   directly
embonpoint *m.*   plumpness
embrasser   to kiss
embrouiller   to confuse
émeraude *f.*   emerald
emmener   to take along
émoustiller   to rouse
empaler   to impale
empaqueter   to pack up
s'emparer   to take hold of, seize
empêcher   to prevent
s'empiffrer   to gorge
empirer   to worsen
emploi *m.*   duty, employment
s'employer à   to spend one's time
emportement *m.*   transport (*of pas-
    sion*)
emporter   to take away; — sur   to
    prevail
empressement *m.*   eagerness

s'empresser   to hurry
emprunter   to borrow
ému   moved
encadrer   to frame
encaisser   to collect
enchaîner   to continue
enchevêtré   tangled
encoignure *f.*   corner
encombré   cluttered
encore *f.*   again, still; pas —   not yet
encre *f.*   ink
endommager   to damage
s'endormir   to fall asleep
endosser   to put on
endroit *m.*   place
énerver   to irritate
enfance *f.*   childhood
enfant *m.* or *f.*   child
enfermer   to shut up, lock up
enfiler   to slip on
enfler   to swell
enfoncer   to thrust in, push in
s'enfuir   to flee
engager   to hire
engendrer   to give birth
s'enivrer   to become intoxicated
enjoindre   to call upon
enjoué   sprightly, happy
enlever   to take off
ennui *m.*   boredom
ennuyer   to bore, annoy
ennuyeux   annoying
enquête *f.*   investigation
enroué   hoarse
enseigner   to teach
ensemble   together
entendre   to understand, hear, mean;
    s'— to get along with
enterrer   to bury
s'entêter   to persist
entier   entire
entour: à l'—   around
entourer   to surround
entraîner   to carry away
entrebâiller   to half-open
entretien *m.*   conversation

s'entr'ouvrir to open up
énumérer to list
envie f. desire; avoir — to want
s'envoler to fly off
envoyer to send
épais thick
épaissir to thicken
épanchement m. effusion
s'épancher to unbosom oneself
épargner to spare
épaule f. shoulder
épave f. wreck (of a ship)
épée f. sword
épicier m. grocer
épier to watch
épinard m. spinach
époque f. period
épousailles f. pl. nuptials
épouse f. wife, bride
épouser to marry
épouvanté horrified
époux m. husband
épreuve f. proofsheet, trial
éprouver to feel, test
équipage m. retinue
équitable fair
équivoque ambiguous
s'éreinter to exhaust oneself
erreur f. mistake
escale f. port of call, halt
escalier m. stairway
escamoter to make vanish
escargot m. snail
esclave m. slave
escorter to accompany
escrime f. fencing
escroc m. swindler, crook
espace m. space
espagnol Spanish
espèce f. sort
espérance f. hope
espérer to hope
espion m. spy
esprit m. nature, mind, spirit
esquif m. skiff
essayer to try

s'essouffler to get out of breath
essuyer to wipe
estomac m. stomach
estomper to blurr
estrade f. platform
établir to establish, determine
établissement m. establishment
étage m. floor
étagère f. shelf
étain m. pewter
étalage m. display
étalon m. stallion
étamé plated
état m. state
été m. summer
éteindre to extinguish; s'— to grow
   dim, fade away
étendre to stretch out
étendue f. expanse
éternuer to sneeze
s'étirer to stretch
étoffe f. material
étoile f. star
étonner to astonish
étouffer to choke
étrange strange
étranger foreign
étrangler to strangle
être m. being
étriqué tight
étroit narrow
étude f. study
étudier to study
étui m. case
s'évaser to flare out
événement m. event
évêque m. bishop
éviter to avoid
exclure to exclude
exiger to demand, require
expliquer to explain
exposé m. account
s'exposer to risk
exprimer to express
exténuer to wear out

fabriquer to make
face *f.* face; en — de opposite
fâcher to anger
facile easy
façon *f.* means, way, manner
façonner to fashion, mold
faible weak
faiblir to become dim
faillir to fail
faillite *f.* bankruptcy
faire to do, make; se — à to resign oneself to
fait *m.* fact
faîte *m.* summit
falloir to be necessary
familier domestic, familiar
famille *f.* family
fanal *m.* navigation light
fange *f.* mud
farcir to stuff
farder to make up
farouche wild, savage, fierce
fatiguer to tire
faute *f.* mistake, fault
fauteuil *m.* armchair
faux false
favori favorite
fébrilement feverishly
féconder to make pregnant
feindre to pretend
feinte *f.* pretense
féliciter to congratulate
félonie *f.* betrayal
femme *f.* woman, wife
fendre to cleave, split open
fenêtre *f.* window
fenouil *m.* fennel
fer *m.* iron
ferme firm, strict
ferme *f.* farm
fermer to close, enclose
fermeture *f.* closing
fête *f.* feast, celebration
fêter to celebrate
feu *m.* fire
feuille *f.* leaf

feuillet *m.* page
fiançailles *f. pl.* engagement
ficeler to tie up
se ficher de not to give a damn about
fidèle faithful
fier proud
fifre *m.* fife
figure *f.* face
figurer to represent; se — to imagine
fil *m.* thread
filer to slip, escape
fille *f.* daughter
fillette *f.* little girl
filleul *m.* godchild
file *m.* son
filtrer to filter through
fin *f.* end; à la — at last
finir to finish, put an end to
fixer to immobilize, attach, stare at
flairer to smell
flamber to go up in flames
flamboyer to blaze
flamme *f.* flame
flatter to stroke, flatter; se — to delude oneself
flèche *f.* spire
fleur *f.* flower
fleurir to blossom
fleuve *m.* river
florissant flourishing
flotte *f.* navy
fois *f.* time
folie *f.* madness
folle *f.* madwoman
fonction *f.* function
fond *m.* bottom; au — in the back, basically
fonder to found
fondre to pounce
fontaine *f.* fountain
forcer to make an effort
fort strong, greatly
fou mad
fougère *f.* fern
foulard *m.* scarf

foule *f.*   crowd, rabble
four *m.*   oven
fourbe   knavish
fourberie *f.*   imposture
fourchette *f.*   fork
fourgon *m.*   waggon
fournisseur *m.*   supplier
fourrer   to stuff, bury
fourrure *f.*   fur
fracas *m.*   crash
fracasser   to shatter
frais   fresh, cool
frais *m. pl.*   expenses
franc, franche   straightforward
franchement   frankly
franchir   to cross
frapper   to strike, knock
fredonner   to hum
frégate *f.*   frigate
frémir   to shudder
frère *m.*   brother
friandise *f.*   delicacy
fripé   shabby
fripon *m.*   rascal
fripouille *f.*   rascal, cad
frisé   curly
froid   cold
froisser   to give offence to
froncer   to furrow
front *m.*   forehead
fronton *m.*   facade
frotter   to rub
fructueux   fruitful
fuir   to escape, flee
fuite *f.*   flight, leak
fumée *f.*   smoke
fumer   to smoke
fumier *m.*   dunghill
furet *m.*   ferret
fureur *f.*   fury
fusiller   to shoot
futé   sly

gagner   to win, earn
gaillard *m.*   strapping fellow
galère *f.*   galley

galerie *f.*   gallery
galon *m.*   stripe
galvaudeux *m.*   tramp
gant *m.*   glove
garantir   to assure
garce *f.*   slut
garçon *m.*   boy
garde *f.*   guard
garder   to keep
gardien *m.*   keeper, guardian; — **de nuit**   night watchman
garni   lined, stocked
gaspiller   to waste
gâter   to spoil
gauche   left
gazon *m.*   lawn
géant *m.*   giant
geignard   fretful
geindre   to complain
geler   to freeze
gémir   to groan
gendarme *m.*   policeman
gêner   to embarrass, bother; **se —** to make a fuss
génisse *f.*   heifer
genou *m.*   knee; **à —** on one's knees
genre *m.*   style, type
gens *m. pl.*   people
gentil   nice
gentilhomme *m.*   gentleman
gentillesse *f.*   kindness
geste *m.*   gesture
glace *f.*   ice
glacé   glossy
glacer   to freeze
glisser   to slip; **se —** to escape
gloire *f.*   glory
godet *m.*   cup, mug
goinfrerie *f.*   gluttony
gonfler   to swell, inflate
gorge *f.*   throat, breast
gorgée *f.*   gulp
gouailleur   bantering
goujon *m.*   gudgeon
gourde *f.*   flask
gourdin *m.*   bludgeon

goût *m.* taste
goûter to taste
goutte *f.* drop
gouttière *f.* gutter
gouvernail *m.* helm, rudder
gouvernante *f.* governess
gouvernement *m.* government
grâce *f.* charm; de — for pity's sake
grâce à thanks to
gracieux graceful, gracious
grand big
grandeur *f.* size, grandeur
grange *f.* barn
gratter to scratch
grave solemn, serious
gravir to climb
gravure *f.* engraving
gré *m.* liking
grimper to climb
grincer to grate
gris gray
gronderie *f.* scolding
gros big
grouiller to crawl
guerre *f.* war
guerrier *m.* warrior
guerroyer to battle
guêtre *f.* gaiter
guetter to watch for
gueule *f.* mouth
guise *f.* manner; en — de instead of, by way of

habiller to dress
habit *m.* dress
habitant *m.* inhabitant
habiter to inhabit, live
habitude *f.* habit; d'— usually
haie *f.* row
hâlé sunburnt
haletant panting
hargne *f.* peevishness
harnacher to harness
harpon *m.* harpoon
hasard *m.* chance
hasarder to venture, guess

hâte *f.* haste
hâter to hasten
hausser to raise; — les épaules to shrug one's shoulders
haut high, highly placed
haut-de-forme *m.* top hat
hauteur *f.* height; à la — de equal to
héritier hereditary
hésiter to hesitate
heure *f.* hour, time
heureux happy
hideux hideous
hier yesterday
histoire *f.* story, matter, history
hiver *m.* winter
hocher to nod
homme *m.* man
honnête decent, honest
honte *f.* shame; avoir — to be ashamed
hôpital *m.* hospital
hormis with the exception of
hors beyond
hôtel *m.* palace
houle *f.* swell
houppe *f.* tuft
hublot *m.* porthole
huile *f.* oil
humeur *f.* mood
hurler to shout, yell

idée *f.* idea
ignoble disgraceful
ignorer to be unaware of
île *f.* island
illettré uneducated
illuminer to light up
illustre illustrious
s'immobiliser to come to a standstill
impératrice *f.* empress
importe: n'— no matter
imprenable impregnable
imprévu unforeseen
imprimeur *m.* printer
inanimé inanimate

inattendu   unexpected
s'incliner   to bow
inconduite f.   misbehavior
inconnu m.   stranger
indigence f.   poverty
indigne   unworthy
indisposer   to make ill-disposed to,
   upset
inerte   lifeless
inestimable   invaluable
infortune f.   misfortune
ingrat   ungrateful, unproductive
injure f.   oath
inonder   to flood
inquiet   worried
inquiéter   to disturb, worry
inquiétude f.   worry
insensé   mad
insensible   imperceptible
insensiblement   gradually
insigne m.   insignia
s'installer   to settle down
instruire   to instruct
insu: à l'—   without the knowledge of
insupportable   insufferable
interdire   to prohibit
intérêt m.   interest
interposer   to intervene
interroger   to question
interrompre   to interrupt
intervenir   to step in front of, take
   place, intervene
introduire   to bring in; s'—   to get
   in
inutile   useless
invectiver   to abuse
inventaire m.   inventory
invité m.   guest
invraisemblable   unlikely
irruption: faire —   to burst into, rush
   into
issue f.   exit
ivoire m.   ivory

jadis   of old, former times
jaillir   to spring forth
jaloux   jealous

jambe f.   leg
jambon m.   ham
jardin m.   garden
jardinier m.   gardener
jeter   to throw
jeu m.   game
jeune   young
jeûne f.   fasting
jeunesse f.   youth
joie f.   joy
joindre   to join
joli   pretty
joue f.   cheek
jouer   to play
jouet m.   toy
joujou m.   toy
jour m.   day
journal m.   newspaper
journaliste m.   reporter
journée f.   day
jucher   to perch
jumelle f.   binocular
jument m.   mare
jurer   to swear
jusque   until, to
juste   exact; au —   exactly
justement   exactly

lâcher   to release, let go of
laid   ugly
laideur f.   ugliness
laisser   to leave, let
lait m.   milk
laitier m.   milkman
lambeau m.   rag, shred of cloth
lame f.   blade
se lamenter   to complain
lampadaire m.   candelabrum
lancer   to throw, say
lande f.   moor
langue f.   tongue, language
lanterner   to distract
lapin m.   rabbit
laqué   enameled
larme f.   tear
lavande f.   lavender
laver   to wash

lécher to lick
leçon *f.* lesson
lecture *f.* reading
léger light
légèrement slightly
légèreté *f.* lightness
lendemain *m.* day after
lentement slowly
lenteur *f.* slowness
lever *m.* rising
se lever to arise
lèvre *f.* lip
libelle *m.* satire
libertin dissolute, freethinking
libre free
lier to tie up
lieu *m.* place; **au — de** instead of; **avoir — ** to take place
lignée *f.* descendants
limpide clear
lire to read
lit *m.* bed
livraison *f.* delivery; **prendre — de** to accept
livre *m.* book
livre *f.* pound
livrer to deliver, give; **— passage à** to allow to pass
loger to house
loi *f.* law
loin far
lointain distant, far off
loisir *m.* leisure
longue-vue *f.* telescope
louche shady
louer to rent
lourd heavy
lueur *f.* gleam, glowing
lumière *f.* light
lundi *m.* Monday
lune *f.* moon
lunettes *f.* spectacles
lustre *m.* glory
lustré glossy
lutter to fight

mâcher to chew

mâchoire *f.* jaw
magasin *m.* store
maigre thin
main *f.* hand
maint several
maintenir to maintain, hold
maïs *m.* corn
maison *f.* house, establishment
maître *m.* master
maîtresse *f.* mistress
mal badly
mal *m.* evil, trouble; **faire — ** to hurt
malade ill
maladresse *f.* clumsiness
maladroit clumsy
malaisé difficult
malappris *m.* lout
malgré despite
malheur *m.* misfortune
malheureux unfortunate
malin clever
malle *f.* trunk
malotru vulgar, coarse
manchon *m.* muff
manège *m.* game, tricks
manger to eat
mangeur *m.* devourer
manière *f.* manner
manifester to give evidence of
manigancer to plot
mannequin *m.* dummy
manœuvre *m.* unskilled worker
manquer to miss, lack
manteau *m.* coat
marbre *m.* marble
marchand *m.* merchant
marchandise *f.* merchandise
marche *f.* stair
marché *m.* market; **par-dessus le — ** on top of that
marcher to walk, run
marécage *m.* swamp
marguerite *f.* daisy
mari *m.* husband
se marier to marry
marin *m.* sailor

marmite *f.* pot
marmonner   to mutter
marquer   to indicate
masquer   to mask
masser   to massage
mastiquer   to chew
mât *m.* mast
matelot *m.* sailor
matin *m.* morning; **petit —** dawn
maudire   to curse
mauvais   bad
méchant   bad
médaille *f.* medal
médaillon *m.* medallion
médecin *m.* doctor
méfiance *f.* distrust
se méfier   to be suspicious
meilleur   best, better
mélange *m.* mixture
mélanger   to mix
mêler   to involve, mix; **se — de** to
take a hand in
membre *m.* limb
même   even, same; **tout de —** after
all
mémoire *f.* memory
menacer   to threaten
ménage *m.* couple; **faire bon —** to
get along well
mendiant *m.* beggar
mener   to lead, carry out
mensonge *m.* falsehood
menteur *m.* liar
mentir   to lie
mépris *m.* disdain
mépriser   to disdain
mer *f.* sea, ocean
mère *f.* mother
mériter   to deserve
merveille *f.* wonder; **à —** marvel-
ously
mesquin   shabby
métier *m.* trade
mettre   to put, put on; **se — à** to
begin; **se — debout** to get up
meuble *m.* furniture

meurtrir   to torment
miche *f.* cob (*of bread*)
midi *m.* noon
mignon   cute
milieu *m.* center; **au —** in the middle
mine *f.* appearance
minuit   midnight
minutieux   scrupulous
miroir *m.* mirror
miroiterie *f.* mirror factory
mise au point *f.* realization, clarifica-
tion
misérable   wretched
misère *f.* misfortune
miséricorde *f.* mercy
mi-voix   under one's breath
mobilier *m.* furniture
mœurs *f.* habits
moindre   least, lesser
mois *m.* month
moisir   to mildew
moitié *f.* half
monde *m.* world, people; **tout le —**
everybody
monnaie *f.* money
monseigneur   lord
montagne *f.* mountain
montant *m.* total
monter   to climb, come up, mount
montre *f.* watch
montrer   to show, point out
se moquer de   to make fun of, not
care about
morale *f.* morality
morceau *m.* piece, bite
mordre   to bite
morse *m.* walrus
mort   dead
mortifier   to humiliate
morue *f.* codfish
mot *m.* word
mou   soft
mouche *f.* fly
mouchoir *m.* handkerchief
mouette *f.* gull

mouiller   to dampen, wet
moulin *m.*   mill
mourir   to die
mousquet *m.*   musket
mouton *m.*   sheep
moyen *m.*   means
mugir   to roar
muguet *m.*   lily of the valley
mur *m.*   wall
mûr   ripe
muraille *f.*   wall
mûrir   to ripen
musclé   muscular
museau *m.*   snout

nacre *f.*   mother of pearl
naissance *f.*   birth
naître   to be born
narguer   to flout
naufrage *m.*   shipwreck
navire *m.*   ship
néanmoins   nonetheless
nécessaire *m.*   case
négoce *m.*   business
neige *f.*   snow
nerf *m.*   nerve
net   clear
nettoyer   to clean
neutre   neutral
neveu *m.*   nephew
nez *m.*   nose
niveau *m.*   level
noblesse *f.*   nobility
noces *f.*   nuptials
noir   black
noircir   to blacken
noisette *f.*   hazelnut
noix *f.*   nut; — de coco   coconut
nom *m.*   name
nomade   wandering
nombre *m.*   number
nommer   to name
nonce *m.*   nuncio
nonne *f.*   nun
note *f.*   account
nourrice *f.*   nurse

nourrir   to feed; se —   to feed on
nourrisson *m.*   baby
nouveau   new; à —, de —   again
nouvelles *f. pl.*   news
noyer   to drown
nu   naked, bare
nuage *m.*   cloud
nuit *f.*   night; en pleine —   in the
    middle of the night
nuque *f.*   nape

obéir   to obey
obéissance *f.*   obedience
obligeance *f.*   kindness
obliger   to force
oblique   slanting
obscurcir   to turn dark
obsèques *f. pl.*   funeral
s'obstiner   to insist on
obtenir   to obtain
occasion *f.*   opportunity
occasionner   to cause
occuper   to keep busy; s'—   to take
    care of
occurrence *f.* event; en l'—   under
    the circumstances
odeur *f.*   smell
œil *m.*   eye
œuf *m.*   egg
offenser   to offend
offrir   to offer
oie *f.*   goose
oiseau *m.*   bird
ombre *f.*   shadow
ongle *m.*   fingernail
or *m.*   gold
ordonnance *f.*   orderly
ordonner   to order, arrange
ordure *f.*   filth
oreille *f.*   ear
orgueilleux   proud
ornement *m.*   decoration
ornière *f.*   rut
os *m.*   bone
oser   to dare
osier *m.*   wicker

ossements *m. pl.* bones
ôter to take away, take off
oublier to forget
ouï-dire *m.* hearsay
ouragan *m.* hurricane
ours *m.* bear
outre in addition to; **en —** moreover
ouverture *f.* opening, openness
ouvrir to open

païen pagan
paille *f.* straw
pain *m.* bread
paisiblement peacefully
paix *f.* peace
palais *m.* palace
palper to feel, examine
pancarte *f.* sign
panier *m.* basket
panneau *m.* panel
panse *f.* potbelly, paunch
pantoufle *f.* slipper
papier *m.* paper
papillon *m.* butterfly
paquet *m.* package
parachever to perfect
paraître to appear
parapher to initial
parapluie *m.* umbrella
paravent *m.* screen
parcourir to run through, scan
pareil of that sort, same
parent *m.* relative, parent
parer to ward off
paresseux lazy
parfait perfect
parfois sometimes
parfum *m.* perfume
parier to bet
parler to speak
parole *f.* word
part *f.* share; **d'autre —** on the other hand; **d'une —** on the one hand; **faire —** to inform; **mise à — aside** from

partager to share
parti *m.* position; **en prendre son —** to reconcile oneself to
particulier special, individual; **en —** in private
partie *f.* part, game
partir to go out, leave
partout everywhere
parvenir to arrive, succeed
pas *m.* step
passant *m.* passerby
passé *m.* past
passer to spend, go, pass; **se —** to happen; **se — de** to get along without
passerelle *f.* bridge (*of a ship*)
passoire *f.* sieve
pasteur *m.* pastor
patauger to flounder
pâté *m.* block (*of houses*)
patrie *f.* fatherland
patron, patronne boss, owner
patte *f.* foot (*of an animal*)
paupière *f.* eyelid
pauvre poor
pavé *m.* pavement
pavoiser to deck out
pavot *m.* poppy
payer to pay
pays *m.* country
paysan, paysanne peasant, country boy *or* girl
peau *f.* skin
péché *m.* sin
peigne *m.* comb
peine *f.* sorrow, difficulty, trouble; **à —** hardly, barely
pèlerine *f.* cape, mantle
pelouse *f.* lawn
pencher to lean over
pendaison *f.* hanging
pendant pending
pendre to hang
pénétrer to enter
pénombre *f.* half-light

pensée *f.* thought
penser to think
pénurie *f.* misery
percer to pierce
percevoir to perceive
perdre to lose
perdrix *f.* partridge
père *m.* father
péremptoire decisive
perfidie *f.* betrayal
périr to perish
perle *f.* pearl
perler to form a bead
permettre to permit
perron *m.* flight of steps
perroquet *m.* parrot
perruque *f.* wig
perte *f.* loss; à — de vue endlessly
peser to weigh
péter to blow up
petit little
pétulance *f.* liveliness, irritability
peu little
peuple *m.* people
peur *f.* fear; faire — frighten
phrase *f.* sentence
pièce *f.* room, play
pied *m.* foot
piège *m.* trap
pierre *f.* stone
piétinement *m.* trampling
pilier *m.* pillar
pilleur *m.* looter
pinceau *m.* brush
pincer to pinch
pinte *f.* pint
piquant *m.* point
pique-nique *m.* picnic
piquer to poke, head, sting
pitié *f.* pity
placard *m.* closet
place *f.* room
plafond *m.* ceiling
plaindre to feel sorry for, pity; se —
to complain

plaire to please
plaisanter to joke
plaisanterie *f.* joke
plaisir *m.* pleasure; faire — to make
happy
planter to stand, set
plaque *f.* plate
plat flat
plateau *m.* tray
plein full, total
pleurer to cry
pleuvoir to rain
pli *m.* fold, set
plomb *m.* lead
pluie *f.* rain
plumage *m.* feathers
plume *f.* pen
plumeau *m.* feather duster
plumet *m.* plume
plusieurs several
plutôt rather
poche *f.* pocket
poids *m.* weight
poignet *m.* wrist
poing *m.* fist
pointu pointed
poire *f.* pear
pois *m.* pea
poisson *m.* fish
poitrine *f.* chest
poivre *m.* pepper
poli polite
pomper to pump
pont *m.* deck, bridge
portail *m.* portal
portatif portable
porte *f.* door
portée *f.* range (*of a rifle*)
porte-monnaie *m.* purse
porte-plume *m.* penholder
porter to carry, wear, hit the goal,
attract
porteur *m.* bearer
porte-voix *m.* megaphone
poser to place, put, put down

posséder to own
poster to place
postillon m. messenger
poubelle f. garbage can
poulain m. colt
poule f. hen
poulet m. chicken
poupée f. doll
pourceau m. pig, swine
pourrir to rot
poursuivre to continue, follow
pourvu de equipped with
pousser to grow, push
poussière f. dust
pouvoir m. power
pratique f. practice, experience
pratiquement practically
pratiquer to frequent
précipitamment swiftly
précipiter to hurry
préciser to define; **se —** to become
  clear
préconiser to advocate
prélever to deduct
premier first, prime
prendre to take; **s'y —** to go about
  it
prénom m. first name
préoccuper to worry
près near
présenter to introduce
presque almost
presqu'île f. peninsula
pressentir to sense, have a premonition of
presser to hurry, press
présumer to assume
prêt ready
prétendre to assert, claim
prêter to lend
prêtre m. priest
preuve f. proof
prévaricateur m. liar
prévenance f. kindness, attention
prévenir to warn
prévoir to foresee

prier to pray
prière f. prayer
primaire elementary
principal main
principe m. principle
printemps m. spring
prise f. taking
priver to deprive
procédé m. conduct
procès m. trial
prochain near, next
prochainement in the near future
proche near, recent
prodigalité f. generosity
prodigieux marvelous
produire to produce
proférer to utter
profiter to take advantage of
profond deep
progéniture f. offspring
proie f. victim
prolongement m. extention
promener to walk, pass
promettre to promise
propos m. remark; **à —** by the way
propre own, clean
propriétaire m. owner
protéger to protect
provenir to come from
provision f. supply
prudence f. caution
prune f. plum
public m. audience, public
puce f. flea
pudeur f. modesty
puer to stink
puissance f. power
puissant powerful
puits m. well
punaise f. bug

quai m. wharf, pier
qualité f. rank, type
quartier m. quarter, section
quérir to look for
quête f. search

queue *f.* tail, pigtail
quitter to leave

rabais *m.* discount
rabat-joie *m.* or *f.* killjoy, spoilsport
racoler to recruit
racontars *m. pl.* gossip
raconter to tell
rade *f.* (*nautical*) roadstead
radieux radiant
rafale *f.* gust
raffiner to refine
rafraîchir to freshen
rage *f.* fury
railleur mocking
raisin *m.* grape
raison *f.* reason; avoir — to be right
ramasser to pick up
ramener to bring back, draw back
se ramollir to soften
rancœur *f.* bitterness
rancune *f.* bitterness
ranger to put away
rapiécer to mend
rappeler to recall
rapport *m.* connection, relationship, report
rapporter to bring back, relate
rapprocher to bring together
raser to stick close to
rassembler to gather
se rasseoir to sit down again
rassurer to reassure
râteau *m.* rake
rater to miss
rattraper to catch, catch up with
rature *f.* erasure
ravi delighted
ravir to rob
se raviser to change one's mind
ravissant delightful
ravitailler to supply
rayon *m.* shelf
recevoir to receive
recherche *f.* search
rechercher to search for

récif *m.* reef
récit *m.* account
réclamer to ask for
recommander to recommend
recommencer to start over again
récompenser to reward
réconforter to comfort
reconnaître to recognize; — de to tell apart
se recoucher to go back to bed
recouvrir to cover up
se recueillir to collect one's thoughts
reculer to step backward, move back, retreat
redouter to fear, dread
redresser to straighten up
réduire to reduce
réfléchir to reflect
refléter to reflect
refus *m.* refusal
regagner to go back to
régal *m.* treat
regard *m.* gaze
regarder to look at
règle *f.* ruler
régler to put in order, arrange, take care of
règne *m.* realm, reign
régner to rule
regretter to miss, be sorry
reine *f.* queen
rejaillir to reflect
rejeter to push back
rejoindre to reach, go back to
se réjouir to rejoice
relevé abstract, turned up
relever to lift, raise, note; se — to get up
religieux *m.* monk
remarquer to distinguish, notice
rembourser to pay back
remercier to thank
remettre to put back, hand over; se — en marche to set out again
remonter to come back up
remords *m.* remorse

remplacer   to replace
remplir   to fill up
remuer   to move; se — to bustle about
rencontre f.   meeting; aller à la — to go meet
rencontrer   to meet
rendre   to give back, render; se — à to go to
renfermer   to include, enclose
renommé   famed
renouer   to tie up
renseignements m. pl.   information
renseigner   to inform
rentrer   to go home
renversement m.   upheaval
renverser   to turn over; se — to lean back
renvoyer   to send back, expel
répandre   to spread
réparer   to fix
repartie f.   rejoinder
repas m.   meal
repasser   to come again
répéter   to repeat
réplique f.   rejoinder
se replonger   to absorb oneself
répondre   to answer
réponse f.   answer
reposer   to rest
repousser   to push back, thrust aside
reprendre   to regain, start again, take back; se — to correct oneself
représenter   to depict
réprimer   to restrain
reprocher   to blame
répudier   to repudiate
répugner   to detest
requin m.   shark
résonner   to resound
respirer   to breathe
se ressaisir   to take hold of oneself
ressort m.   motive
rester   to remain
retard m.   delay; être en — to be late

retenir   to hold back, remember, secure, hold; se — to keep oneself from, practise restraint
rétine f.   retina
retirer   to withdraw
retomber   to fall back
retour m.   return
retourner   to go back, turn over, turn around
retrouver   to rejoin
réunir   to gather
réussir   to succeed
réveil m.   awakening
réveiller   to wake up
revendiquer   to claim
revenir   to come back
rêver   to dream
réverbère m.   streetlamp
rêverie f.   dream
revers m.   back (of the hand)
revoir   to look over, see again
rhume m.   cold
ricaner   to laugh derisively
rideau m.   curtain
rieur   laughing
rigoler   to laugh
rincer   to rinse
rire   to laugh
risquer   to venture
rivière f.   stream
rixe f.   brawl
robe f.   dress; — de chambre dressing gown
rôder   to prowl
roi m.   king
roman m.   novel
rompre   to break
rond   round
ronde: à la — around
ronfler   to snore
rosaire f.   rosary
rosée f.   dew
rosir   to turn rosy
rossignol m.   nightingale
roucouler   to coo

roue *f.* wheel
rouge red
rougeur *f.* redness
rougir to blush
rouille *f.* rust
rouler to roll
route *f.* road; faire — to travel
royaume *m.* kingdom
royauté *f.* royalty
ruban *m.* ribbon
rude rough
rudement roughly, very
rudimentaire basic
rue *f.* street
rugueux rough
ruisseau *m.* stream
ruisseler to trickle
ruse *f.* wile

sable *m.* sand
sacré cursed
sacristain *m.* sexton
sage wise, well-behaved
sagesse *f.* wisdom
sain healthy
saisir to seize
saison *f.* season
salaire *m.* wages
sale dirty
saleté *f.* filth
salle *f.* room
saluer to salute, greet
sang *m.* blood
sanglé laced
sangloter to sob
santé health
satisfaire to satisfy
saucisse *f.* sausage
sauf except
saumon *m.* salmon
sauter to blow up, leap; — aux yeux
  to be obvious
sauvage primitive
sauvegarder to preserve
sauveur *m.* savior

savoir to know
scrupule *m.* care
sec dry
secouer to shake
secours *m.* aid, help
séduire to seduce
seigneur *m.* lord
sein *m.* breast, bosom
selle *f.* saddle
selon according to
semaine *f.* week
semblable similar
sembler to seem
sens *m.* sense, meaning, direction;
  bon — common sense
sensible sensitive, visible
sentence *f.* maxim
sentir to smell, feel
sépulcre *m.* tomb
serment *m.* oath; prêter — to take
  an oath
serrer to clutch, press; — la main
  to shake hands
serviette *f.* briefcase
servir to serve; — à to be useful
  for; se — de to use
serviteur *m.* servant
seul alone
siècle *m.* century
siège *m.* seat
siffler to whistle
sifflet *m.* whistle
signaler to denounce
se signer to cross oneself
signifier to mean
sillonner to plough (*the seas*)
singe *m.* monkey
situation *f.* position
soc *m.* ploughshare
sœur *f.* sister
soie *f.* silk
soif *f.* thirst
soigner to take care of
soin *m.* care, attention
soir *m.* evening

soit   so be it; —... — either... or
soldat *m.*   soldier
solde *f.*   wage
soleil *m.*   sun
solennel   solemn
sombre   dark
somme *f.*   sum; en — in short
sommeil *m.*   sleep; avoir — to be
  sleepy
sommet *m.*   summit
somnoler   to doze
songe *m.*   dream
songer   to dream, think
sonner   to ring
sorbe *f.*   sorb apple
sort *m.*   fate, lot
sortie *f.*   outburst; jour de — day off
sortilège *m.*   spell
sortir   to take out, go out, bring out
se soucier   to concern oneself
soucieux   worried
soudain   suddenly
souffle *m.*   breath
souffler   to catch one's breath, blow
soufflerie *f.*   bellows
souffrance *f.*   suffering
souffrir   to suffer
souhaitable   desirable
souhaiter   to wish
souillure *f.*   filth
soulever   to lift
soulier *m.*   shoe
souligner   to underline
soupçon *m.*   suspicion
soupière *f.*   soup tureen
souple   flexible
source *f.*   spring
sourcil *m.*   eyebrow
sourd   dull, muted, deaf
souris *f.*   mouse
sourire   to smile
sournois   sly
soustraire   to withdraw
soutenir   to maintain, support
souvenir *m.*   memory
se souvenir   to remember

souvent   often
souverain   sovereign
spectacle *m.*   show
strict   exact
suave   sweet
subit   sudden
sucré   sweet
sucreries *f. pl.*   sweets
sud *m.*   south
suer   to sweat
sueur *f.*   sweat
suffire   to be sufficient
suffisance *f.*   adequacy
suif *m.*   tallow
suite *f.*   continuation; ainsi de —
  and so on; par la — later on; par
  — de   as a result of; tout de —
  at once
suivre   to follow
sujet *m.*   subject
supplier   to beg
supporter   to tolerate, stand
supposer   to assume
sur-le-champ   at once
surplis *m.*   surplice
surplomber   to hang over
surprendre   to catch, surprise
surveiller   to observe, watch over
survivre   to survive
suspendre   to hang
sympathie *f.*   feeling
sympathique   likable

tabac *m.*   tobacco
tableau *m.*   painting
taille *f.*   height, size
tailler   to sharpen
taire   to silence; se — to be silent,
  be quiet
talon *m.*   heel
tambour *m.*   drum
tant   as much, so many
tante *f.*   aunt
tantôt   just now
taper   to pat
tapis *m.*   rug

taquiner to annoy, tease
tard late
tarder to lose time, delay
tartine *f.* bread and butter
tas *m.* mound
tasse *f.* cup
tavernier *m.* saloon keeper
teinte *f.* hue
tel que such as
téméraire rash
témoignage *m.* evidence
témoigner to bear witness to
témoin *m.* witness
tempe *f.* temple
tempérer to moderate
tempête *f.* storm
temps *m.* time, moment; de — en — from time to time
tendre to tend, stick out, hand, offer
tendresse *f.* fondness
tendu tense
ténèbres *f. pl.* darkness
teneur *f.* terms, tenor
tenir to obtain, hold, consider; — à to want
tenter to try
tenue *f.* dress, bearing; grande — formal dress
terre *f.* earth, land; par — on the floor
terrestre earthly
tête *f.* head
thé *m.* tea
théière *f.* tea urn
timonier *m.* helmsman
tirer to draw, pull, shoot; s'en — to manage
tiroir *m.* drawer
tisane *f.* herb tea
tissu *m.* fabric
titre *m.* title; à ce — for this reason
tituber to stagger
toile *f.* cloth
toit *m.* roof
tolérer to allow tacitly
tombe *f.* tomb

tombeau *m.* tomb
tomber to fall
tonnerre *m.* thunder
toque *f.* cap
tordu distorted
tort *f.* wrong; avoir — to be wrong
tortiller to twist; se — to writhe
tortue *f.* turtle
tôt early
totaliser to add up
touffe *f.* tuft
tour *m.* trick, turn
tourmenter to torment
tourterelle *f.* turtledove
toussoter to cough
toutefois yet
train: en — de in the act of
traîner to drag, lie around
trait *m.* feature
traitement *m.* salary
traiter to treat
tranche *f.* slice
trancher to cut off, settle
tranquille calm, peaceful; laisser — to leave alone
transpirer to sweat
travail *m.* work
travailler to work, torment, obsess
travers: à — through
traverse *f.* setback
traverser to cross, go through
trésor *m.* treasure
trésorier *m.* treasurer
trêve *f.* respite
tribunal *m.* court
tribut *m.* homage
tricher to cheat
tricherie *f.* cheating
tricorne *m.* three-cornered hat
tricoter to knit
tripoter to paw
triste sad
tristesse *f.* sorrow
tromper to deceive; se — to make a mistake
trône *m.* throne

trop   too much
trotteur *m.*   trotting horse
trou *m.*   hole, pit
troué   perforated
trouer   to make a hole in
trouver   to find; **se —**   to be
tuer   to kill
turpitude *f.*   evilness
tutélaire   guardian (*angel*)
tuteur *m.*   tutor
tuyau *m.*   pipe
tzigane *f.*   gipsy

unir   to unite
user   to wear out; **— de**   to use
utile   useful

vacarme *m.*   din
vache *f.*   cow
vague *f.*   wave
vaisseau *m.*   vessel; **— de ligne**   man-of-war
vaisselle *f.*   dishes
valoir   to be worth
vanter   to boast
vapeur *m.*   steamship
vaquer   to bustle about
veille *f.*   night before
veiller   to watch over
velours *m.*   velvet
vendre   to sell
vent *m.*   wind
vente *f.*   sale
ventre *m.*   stomach, belly
verger *m.*   orchard
vergogne *f.*   shame
vérifier   to check
vérité *f.*   truth
verni   polished
vérole *f.*   smallpox
verre *m.*   glass
verrue *f.*   wart
vert   green
vertu *f.*   virtue
veste *f.*   jacket
vestibule *f.*   hall
veston *m.*   jacket
vêtement *m.*   clothes

vêtir   to dress
veuf, veuve   widower, widow
viande *f.*   flesh, meat
victoire *f.*   victory
vide   empty
vie *f.*   life
vieillir   to become old
vieux   old
vif   alive, living, lively, bright
vigie *f.*   lookout
vilain   horrid
vilenie *f.*   meanness
ville *f.*   city
vin *m.*   wine
vinaigre *m.*   vinegar
violon *m.*   violin
visage *m.*   face
vis-à-vis   opposite
visiblement   obviously
vite   quickly
vitesse *f.*   speed
vivant   living
vivre   to live
vœu *m.*   wish
voie *f.*   way
voile *f.*   sail; **faire —**   to sail
voilette *f.*   (*hat*) veil
voilier *m.*   sailboat
voir   to see
voisin *m.*   neighbor
voiture *f.*   car
voix *f.*   voice; **à — haute**   aloud
vol *m.*   flight; **au —**   on the wing
volaille *f.*   fowl
voler   to fly, steal, rob
volet *m.*   shutter
voleur *m.*   thief
voltiger   to fly
vouloir   to wish; **en — à**   to hold a grudge against
voûté   bowed
voyager   to travel
vrai   true, real
vue *f.*   sight

yeux *m. pl.*   eyes

zèle *m.*   zeal